想象另一种可能

理
想
国

imaginist

下水道

AN UNDERGROUND GUIDE

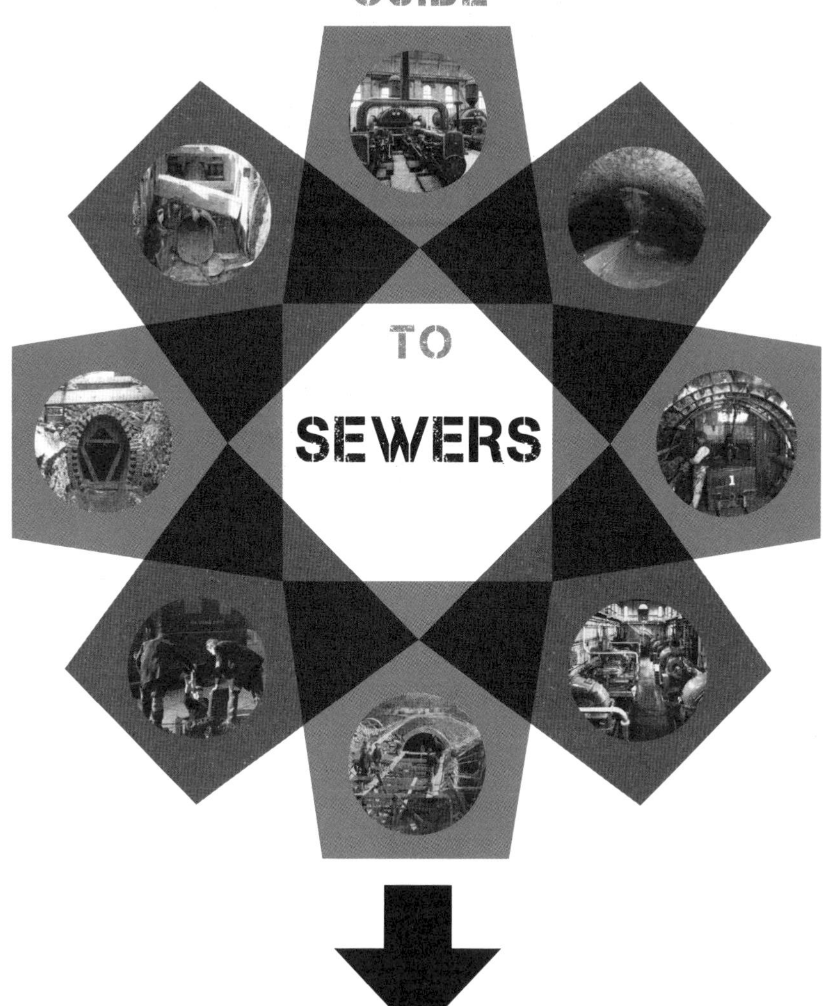

地下城市折叠史

[英] 斯蒂芬·哈利迪——著　王子耕——译 • STEPHEN HALLIDAY • 海南出版社
·海口·

第 II 页	**国王学者池塘（King’s Scholars’ Pond）下水道**，2014 年，英国伦敦。
第 IV–V 页	**克罗斯内斯（Crossness）水泵站**，1952 年，英国伦敦。
第 VI 页	**地面测绘员绘制的下水道街周边的街道地图**，1775 年，法国巴黎。
第 VIII 页	**巴扎尔盖特绘制的克罗斯内斯水泵站入口图纸**，1862 年，英国伦敦。

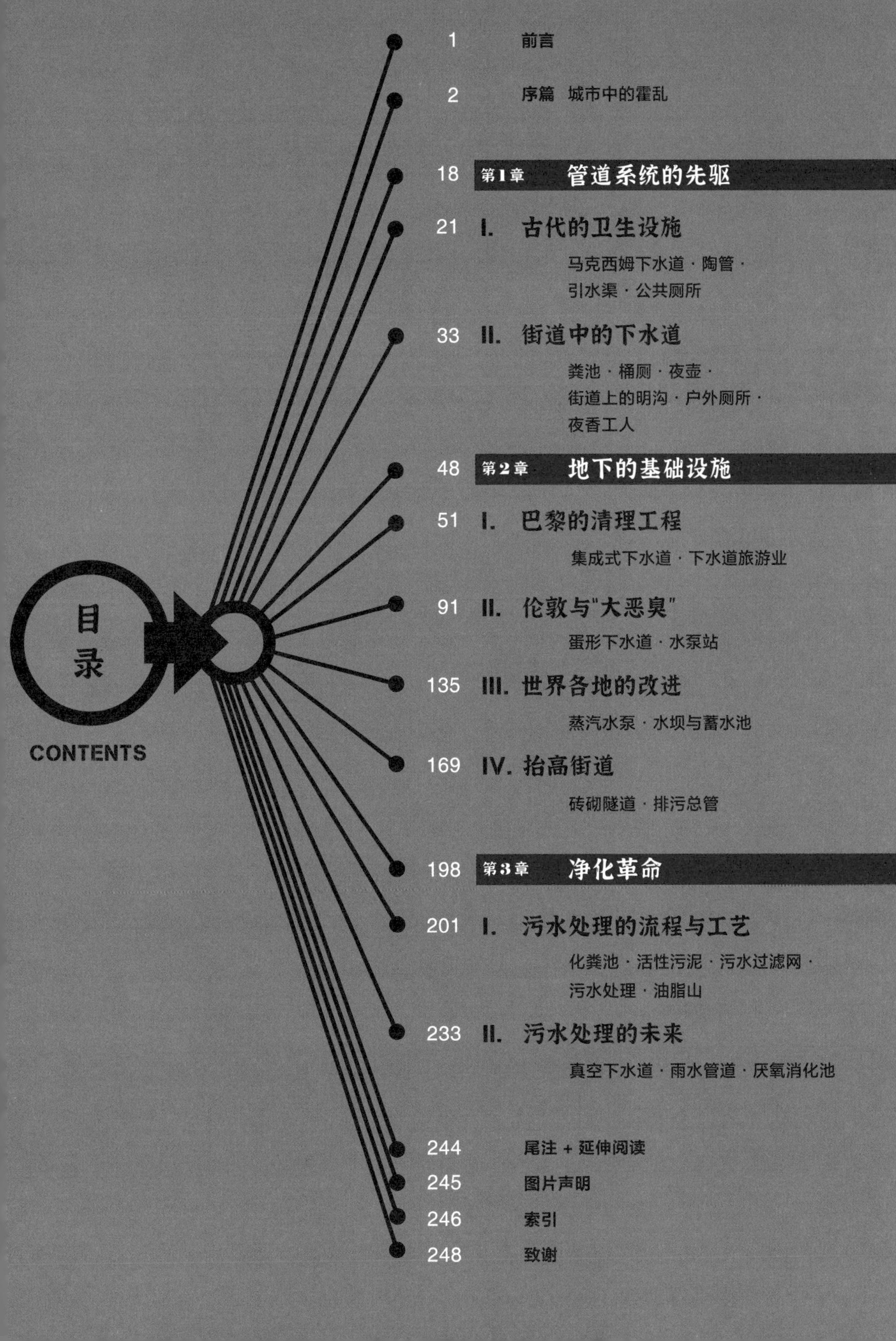

目录

CONTENTS

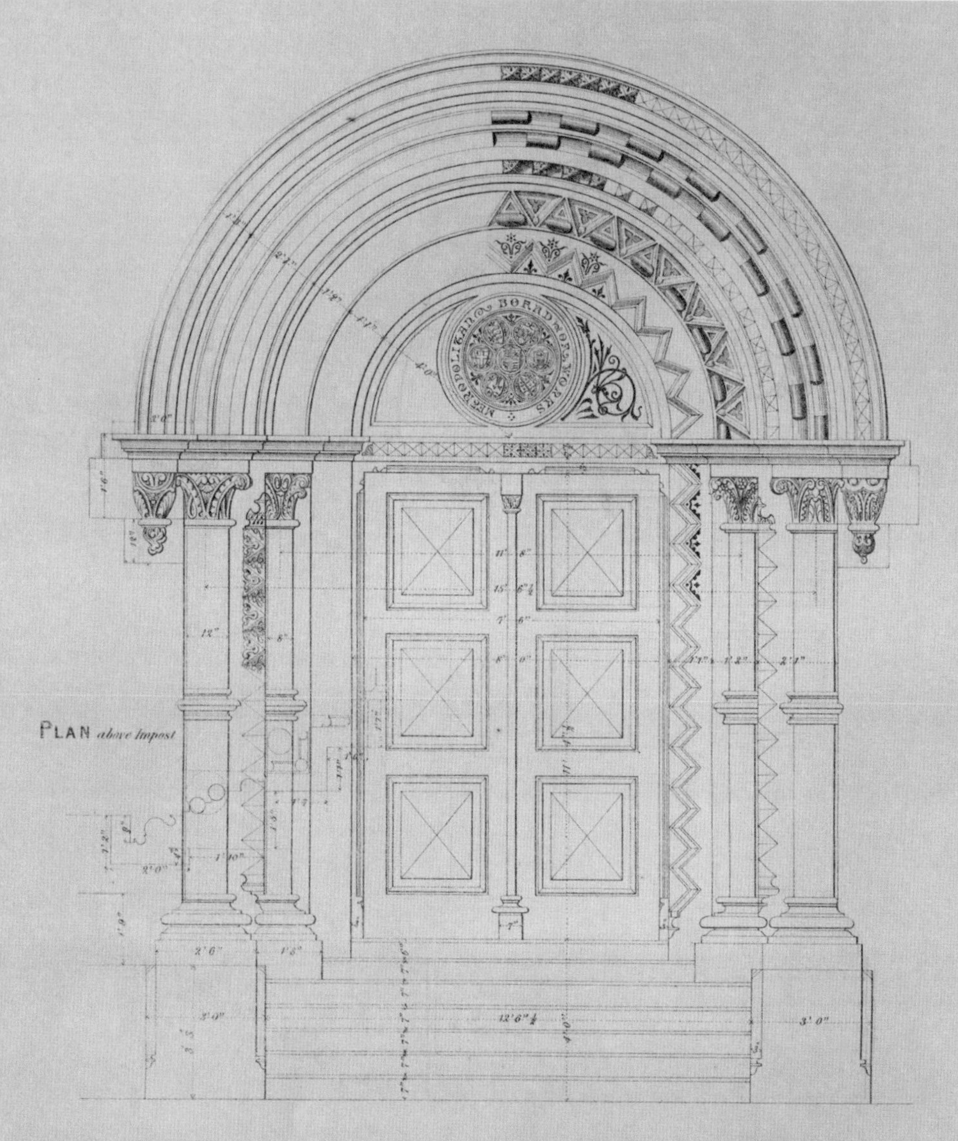

ELEVATION

FRONT ENTRANCE

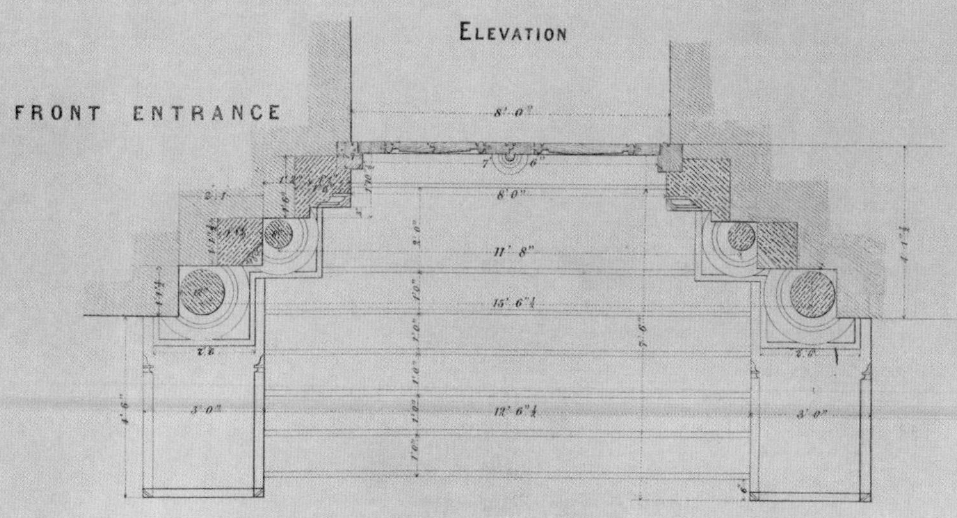

PLAN

前言

文 / 彼得 · 巴扎尔盖特爵士（Sir Peter Bazalgette）

FOREWORD

我出生时伴随着一种不同寻常的卫生条件，血液中流淌着污水。在维多利亚时代（1837—1901），我的高祖父约瑟夫 · 巴扎尔盖特爵士为伦敦设计并推行了现代化的污水处理系统。在我们的家族里，他常常被看作是“下水道天才”。现在这本书将亲爱的老约瑟夫爵士放在了历史的语境中——从古罗马人和他们的马克西姆下水道，到伦敦新建的泰晤士河潮汐隧道，其间经历了几个文明时代，包括 8 世纪墨西哥人的天才设想。

《下水道——地下城市折叠史》这本书用既发人深省又有趣的故事，揭示了我们在过去几个世纪里对自己排泄物的处理方式。但此书的内容远不止于此，它还关乎健康、财富和美。没有卫生设施，死亡和社会衰退就会接踵而至。城市作为经济的引擎，也将无法正常运转和发展。而城市只有发展才能创造财富。在过去几个世纪间，工程师们打造了令人叹为观止的基础设施，它们不仅实用，而且赏心悦目，这本书中大量的插图很好地印证了这一点。不仅如此，这本书还介绍了各行各业的英雄人物——工程师、科学家、环保主义者和社会改革家。这些人把人类从其自身的污秽琐碎中抽离出来，由此推进了文明的进程。这本身就是一个激动人心的故事。

斯蒂芬 · 哈利迪用热情洋溢的语言讲述了这段丰富多彩的历史，让我们了解到工程师在掌握明确的科学证据以前，如何利用常识来解决实际问题。早在维多利亚时代，詹姆斯 · 辛普森就已经开始为伦敦切尔西区的居民过滤水源了，远远早于 20 世纪洛开脱和阿尔敦开展的具有决定性意义的污水净化实验。约翰 · 斯诺医生于 1849 年首次提出霍乱是通过水传播的，而之前人们一直相信它通过空气传播，是一种“瘴气”。许多类似巴扎尔盖特计划的救生方案，都早于罗伯特 · 科赫 1883 年证明细菌可以通过水传播的实验。实际上，对“瘴气致病”论狂热的弗洛伦斯 · 南丁格尔在 1910 年去世时仍然坚信这一理论。对于这位伟大的公共卫生改革者，利顿 · 斯特拉奇在《维多利亚女王时代名人传》中如此形容她毫不动摇的信念：“她感到，从事卫生工程的工程师如同上帝一般，拥有无上荣耀……在她眼里，下水道排水系统与神迹几乎毫无差别。”

接下来，你将读到一本能让你会心一笑的学术作品。我们可以称它为“八十个厕所环游地球”，这么说就有趣多了。我自己特别喜欢书中提到的法国城市规划师乔治 - 欧仁 · 奥斯曼的故事，他在 19 世纪 50 年代一手打造了巴黎的下水道系统。他对自己的成果相当满意，甚至举办了一场“女士们可以毫不犹豫地参加”的烛光之旅。但满意是一回事，过分讲究就是另一回事了。他显然可以接受雨水和尿液排放到下水道中，却拒绝粪便——他觉得他的下水道太金贵了，以至于粪便不配排放到这里。这让我想起了一件事，有一次我问一位金浴缸的制造商：“简单洗个澡，金浴缸是不是太奢侈了？”“洗澡？洗澡？”他暴怒道，“人们踏入我的浴缸之前得先洗过澡！”

约瑟夫 · 巴扎尔盖特爵士
（1819—1891）

序
PRELUDE
篇
— CHOLERA
IN THE CITY.
城市中的霍乱
“人们对于这种疾病的成因仍有极大争议。然而，只要去查验那些染病死亡的人曾居住的房子便足以证明：无论死亡与有缺陷的排水系统之间的关系多么隐匿，那些曾经最适合这种疾病传播的地方，在积水彻底处理后都摆脱了该疾病的侵扰。”
约瑟夫 · 巴扎尔盖特爵士，1865

在 19 世纪 20 年代，一种恐怖的新型传染病（霍乱）自恒河三角洲地区开始，从亚洲向欧洲大肆蔓延。随着工业革命的到来，频繁往来于欧洲与东方之间的商贸活动，为这一传染病的传播提供了便利条件。这一传染病的主要症状是严重的腹泻，身体的营养会随之流失殆尽。几乎所有的患者都在数小时内备受折磨，然后死亡。这种疾病可与中世纪肆虐欧洲的腺鼠疫——黑死病——相提并论。黑死病在中世纪几乎摧毁了欧洲，并在之后数世纪间不时暴发，比如在此次传染病暴发前的一个世纪，马赛的一次腺鼠疫暴发曾造成 5 万人死亡。因此，当这种新型的恐怖传染病向着西欧北部和西部无情蔓延时，各种国家性报纸和诸如《柳叶刀》（*The Lancet*）等医学杂志中，都充斥着对其可能的成因和影响的猜想与担忧。1831 年，当传染病在英国桑德兰登陆时，《柳叶刀》一篇来自维也纳的文章报道了犹太人社区使用红酒、醋、樟脑粉、胡椒、大蒜与地甲虫制成搽剂，用其涂抹身体，从而预防传染病的事。该杂志还试图推测这种疾病的根源：“它是真菌、昆虫、瘴气、电流干扰、臭氧缺乏引起的，还是肠道病变呢？我们一无所知。我们置身猜测的旋涡之中。”

为这种可怕的传染病感到担忧的不仅是伦敦的市民，因为与许多只存在于肮脏居住环境中的疾病不同，此次传染病能够侵入各个阶层的家庭中。1832 年 3 月霍乱肆虐巴黎时，在一场化装舞会上发生了一件耸人听闻的事。德国诗人海因里希 · 海涅（Heinrich Heine，1797—1856）当时参加了舞会，记录下了该事件。当时，一些来宾打扮成霍乱

图 1 **霍乱入侵**，1883 年。霍乱（头戴红毡帽，因为霍乱曾被认为起源于埃及）1883 年向纽约的一处海岸靠近。“健康委员会”的船与英国船只正面交锋，准备用杀菌剂石炭酸打败霍乱。不过在现实中，巴扎尔盖特爵士主持修建的下水道已经让伦敦市免于霍乱侵扰。

病人的样子前来参加舞会。接近午夜时，“突然，舞者一个接一个地尖叫着倒在地上”。50 名感染者很快被送到巴黎主宫医院，几小时后，他们中的很多人“身着化装舞会的服饰下葬”。据一家报纸报道，“蒙马特的掘墓人甚至来不及挖出足够的墓穴……葬礼均在夜晚举行，来不及掩埋的尸体层层堆积的场面已不足为奇”。据估计，在 1831 年至 1832 年暴发的第一次霍乱疫情中，巴黎约有 2 万人丧生。瘟疫很快蔓延至德国，并在 19 世纪 40 年代传播至纽约。历史上，伦敦共暴发过四场霍乱疫情，共导致近 4 万人丧生。

这场流行病在 19 世纪于全球各地接连暴发，其中俄国遭受的损失尤为严重。有传言称，疫情期间施行的诸如隔离检疫与封锁等应对手段，实则是为了故意让普通百姓感染。谣言迅速传播开来，其引发的焦虑和恐慌在 1831 年导致了全国多个城市的骚乱。而 1852 年暴发的第三次霍乱疫情则更为致命，夺走了俄国 100 万人的生命，并在三个月内令丹麦哥本哈根的 5000 人丧命。1865 年，麦加也暴发了一次严重的霍乱，9 万名朝圣者中约有 3 万人染病丧生。同年，霍乱蔓延至美国，因为与欧洲环境相似，

图 2—5　　霍乱的面容，1831 年。图 2 和图 4 为染病前，图 3 和图 5 为染病后。

尽管发型依旧保持不变，但在图 3 和图 5 中，两位优雅的威尼斯女士显现出霍乱的典型症状，面部呈灰蓝色，可见不久便会撒手人寰。

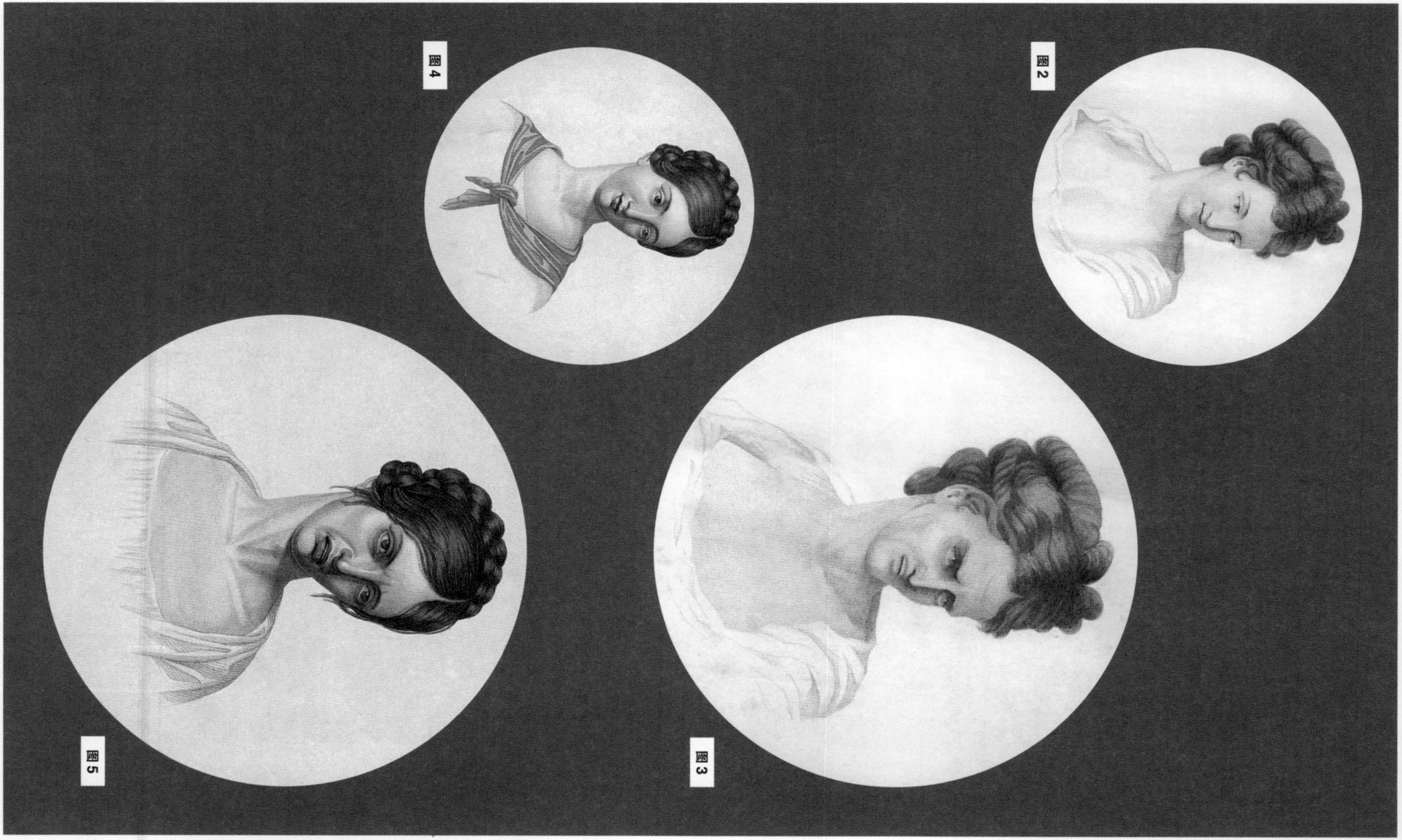

图 2

图 3

图 4

图 5

图 6—9 **霍乱对内脏的损害**，1892—1895 年。德国内科医生阿尔弗雷德·卡斯特（Alfred Kast，1856—1903）绘制的感染霍乱的器官。

图 6：肾脏解剖图；图 7：肠内的肠腺；图 8：肠黏膜；图 9：肠和肠系膜。

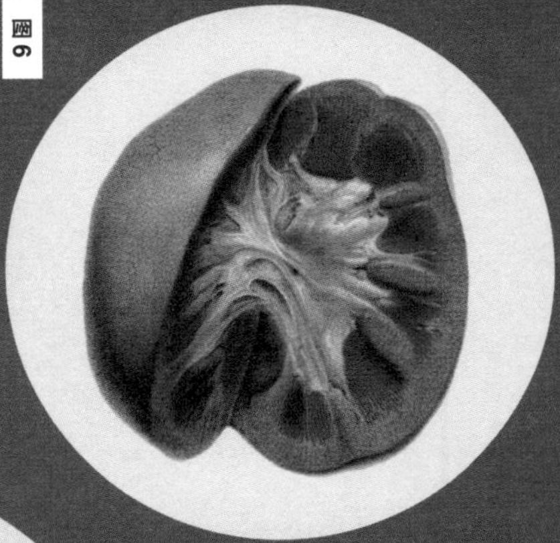

图 6

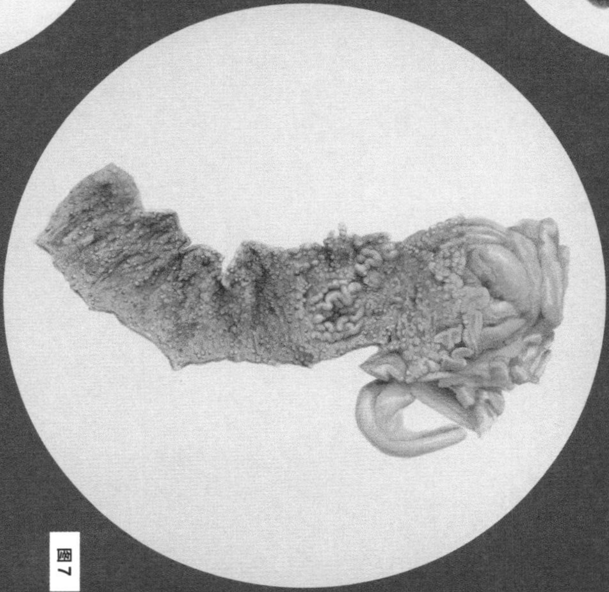

图 7

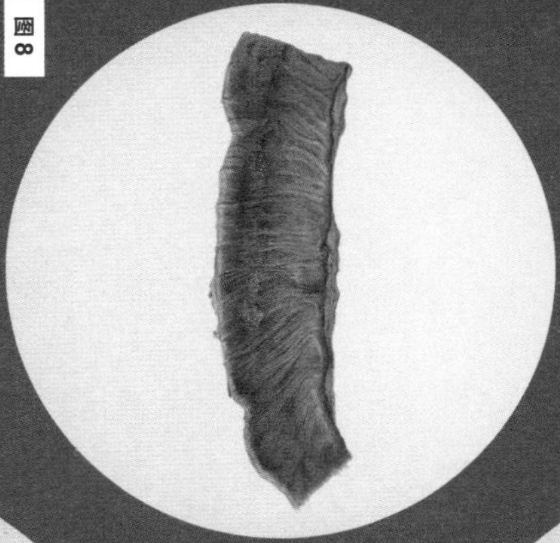

图 8

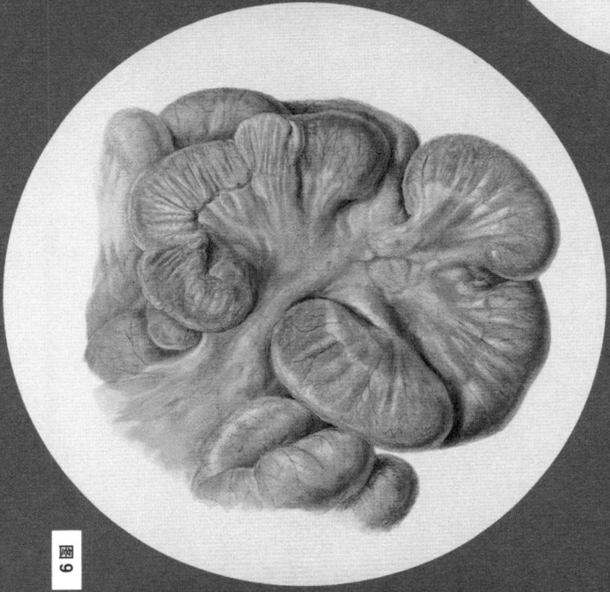

图 9

图 10　痉挛性霍乱的传播路线图，1832 年。

红线描绘了 1831 年至 1832 年第一次全球性霍乱的传播路线，从其发源地印度恒河三角洲逐渐侵入欧洲与美国，一路势不可当，令人心惊。

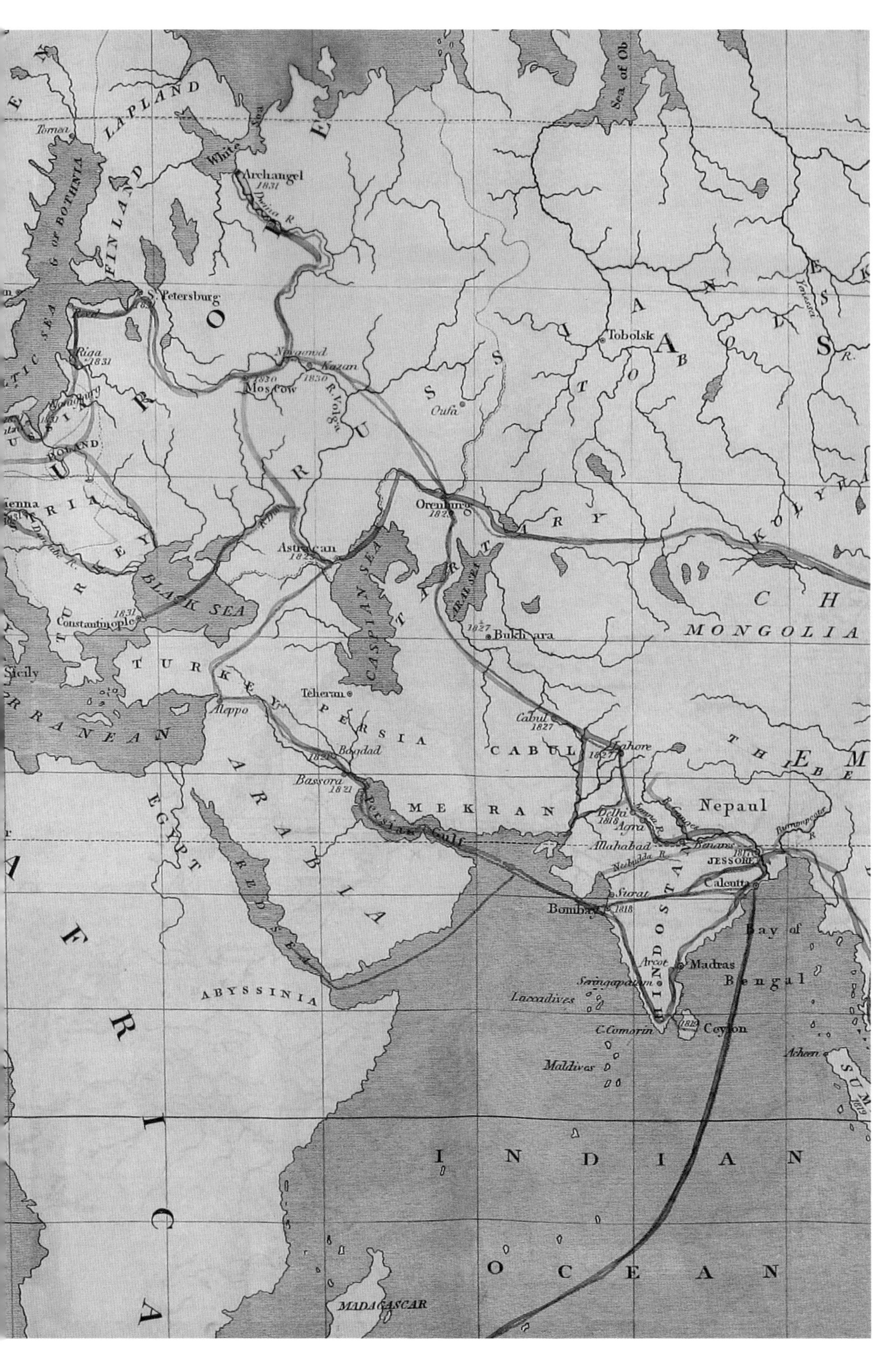

LAPLAND
FINLAND
White Sea
Archangel
1831
Dwina R.
Tornea
S. Petersburg
Riga
1831
Novgorod
Kazan
Moscow
1830
R.Volga
Oufa
Tobolsk
Sea of Ob
POLAND
Vienna
Danube R.
TURKEY
BLACK SEA
Constantinople
Astracan
1825
CASPIAN SEA
ARAL SEA
Orenburg
Bukhara
1827
MONGOLIA
Sicily
TURKEY
Aleppo
PERSIA
Teheran
Bagdad
Bassora
1821
Persian Gulf
CABUL
Cabul
1827
Lahore
MEKRAN
ARABIA
EGYPT
RED SEA
ABYSSINIA
Nepaul
Delhi
1818
Agra
Jumna R.
R. Ganges
Allahabad
Benares
Burrampooter
JESSORE
Calcutta
Surat
Bombay
Nerbudda R.
INDOSTAN
Arcot
Madras
Seringapatam
Laccadives
C.Comorin
Ceylon
1819
Maldives
Bay of Bengal
Acheen
INDIAN OCEAN
MADAGASCAR
AFRICA

霍乱同样传播迅速。至 1881 年，霍乱已蔓延至南美洲大陆。到了 19 世纪 90 年代，霍乱在日本东京、大阪等城市暴发。这是一场史无前例的全球性危机。

1892 年，德国汉堡暴发了一场格外恐怖的霍乱疫情，损失惨重。汉堡的城市人口仅为伦敦的七分之一，但在这次大流行中却有 8605 人丧生，比这座城市历次疫情的受害者总数都要多。英国的报纸报道了汉堡的霍乱疫情，以至伦敦人担心从汉堡开来的船只会把霍乱带到伦敦。当时的天气异常炎热干燥，助长了霍乱细菌的滋生繁衍。涨潮时，受污染的水比以往更容易沿易北河渗入上游流域。起初，汉堡官方已经发现中央监狱和阿滕多弗尔精神病院（Attendorfer lunatic asylum）无人患病，因其饮用水源与汉堡市的供水系统是分开的。尽管如此，汉堡官方还是和三十年前的伦敦当局一样，不愿意承认霍乱是经由饮用水传播的。而与汉堡市相邻的阿尔托纳镇，其饮用水虽然同样取自易北河，却因经过河床的沙层过滤，死亡人数明显少于汉堡。但科学与卫生事业的发展由于德高望重的化学家马克思 · 约瑟夫 · 冯 · 佩滕科弗尔（Max Joseph von Pettenkofer，1818—1901）的介入而发生了倒退。佩滕科弗尔作为公共健康与卫生领域的活动家，长期以来备受尊重，他坚信被霍乱病菌污染的水仍然可以安全饮用。

图 11—18　**霍乱给欧洲与美国各个城市带来的影响。**版画记录了全球各地霍乱暴发的可怖场景——无论是发生在街上还是医院里。

图 11　**法国巴黎**，1865 年。

图 12　**美国纽约**，1876 年。

图 13　**法国巴黎**，1884 年。

图 14　**美国密苏里州**，1868 年。

为了证明这一点，佩滕科弗尔当众喝下含有霍乱病菌的水。在几次严重的腹泻后，他的身体完全康复。但这可能是因为他此前感染过轻度霍乱，身体产生了抗体。最终，还是一位诺贝尔奖得主推翻了佩滕科弗尔深信不疑的观点。

我们现在已经知道，霍乱（得名自希腊语的“胆汁”一词）由受病菌污染的水源传播。感染者的粪便会携带病菌，粪便一旦污染饮用水源，就会令更多人感染。这样看来，《柳叶刀》杂志关于“病变的肠道排泄物”的推测已经接近事实。然而，当时《柳叶刀》和《泰晤士报》（*The Times*）等出版物都更偏向于当时最为盛行的“瘴气致病”理论，认为这种疾病一直是在污浊的空气中传播。这种理论最初是由古希腊医药学之父希波克拉底（Hippocrates，约公元前460—前370）提出的，他认为一些发热状况与居住地潮湿炎热、空气污浊有关。

弗洛伦斯·南丁格尔是“瘴气致病”理论最狂热的拥护者之一。在自己的经典著述《护理札记》（*Notes on Nursing*，1859）中，南丁格尔强烈反对将下水道埋设在房屋下方的做法，认为下水道散发出的臭味会使猩红热、麻疹、天花等疾病进入家中。还有

第10—11页（图19—30） **伦敦水样本**，1855年。这些样本取自不同的水源与公司，有助于科学调查委员会对1854年的霍乱病因进行科学调查，评定伦敦饮用水的污染程度。然而到了这个时候，委员会仍旧不完全相信霍乱的传播介质是水。

图15　意大利巴勒莫，1835年。

图16　德国汉堡，1892年。

图17　西班牙昂代伊（现属法国），1890年。

图18　德国汉堡，1892年。

1854年伦敦霍乱疫情报告：蓄水池、水井和给水管道中的水样分析

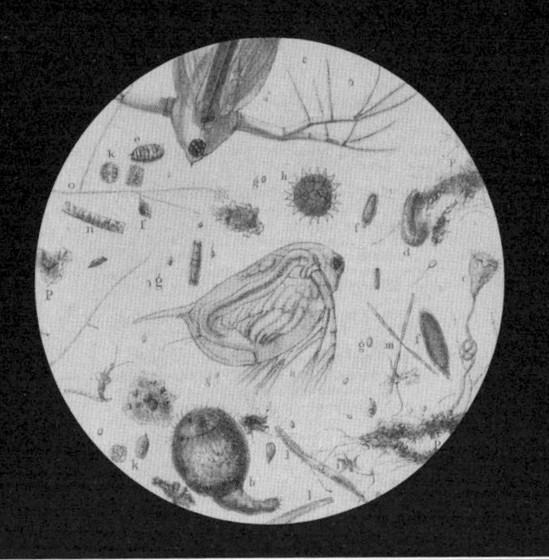

图 19　取自切尔西水务公司的蓄水池。

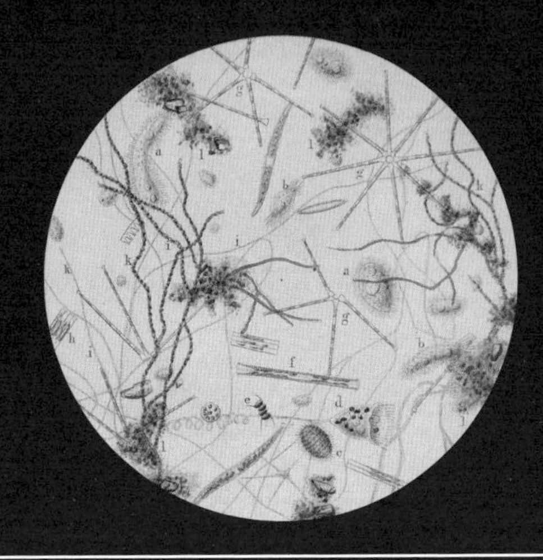

图 20　取自东伦敦水务公司蓄水池。

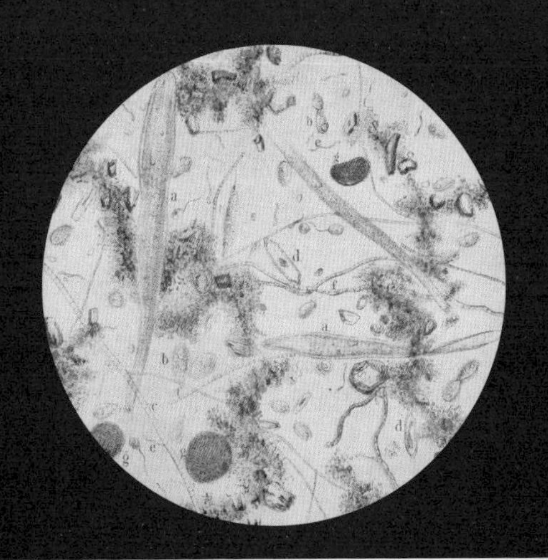

图 21　取自哈德利（Hadley）磨坊角的水井。

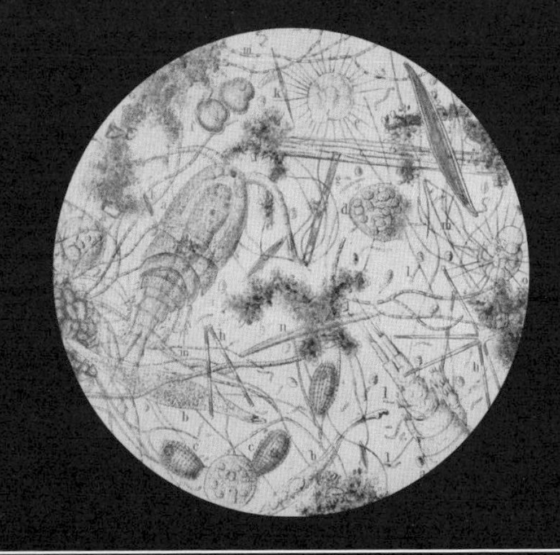

图 22　取自克勒肯维尔地区百利庭院（Bailey's Yard）的水井。

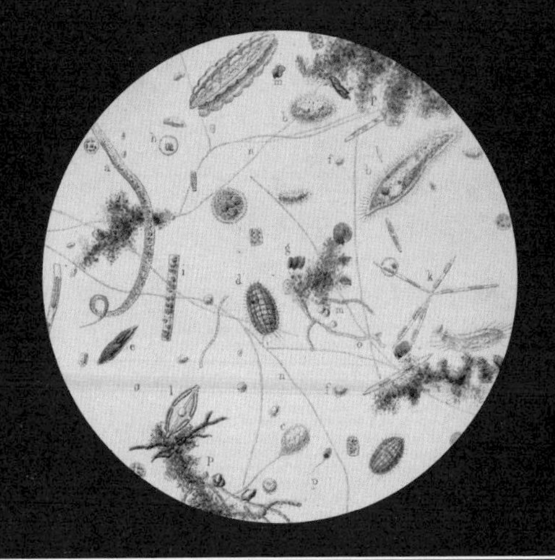

图 23　取自切尔西水务公司的给水管道。

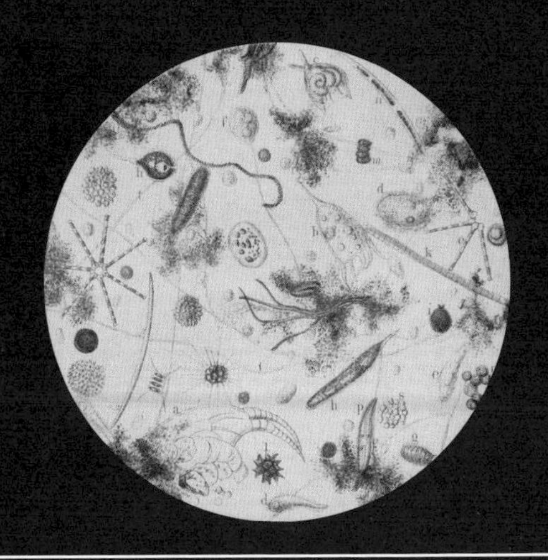

图 24　取自汉普斯特德地区水务公司的给水管道。

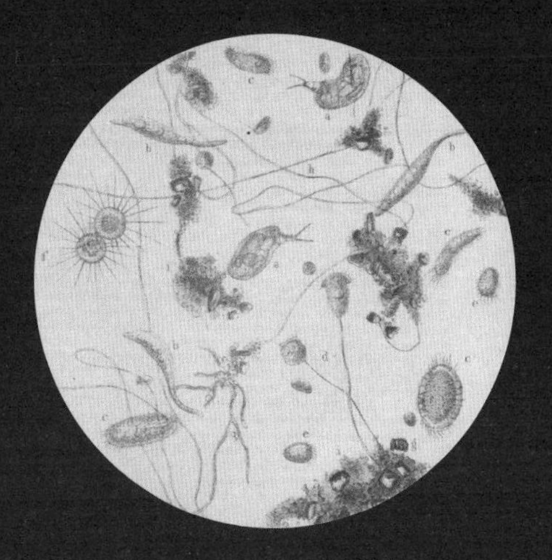

图 25　取自肯特水务公司的蓄水池。

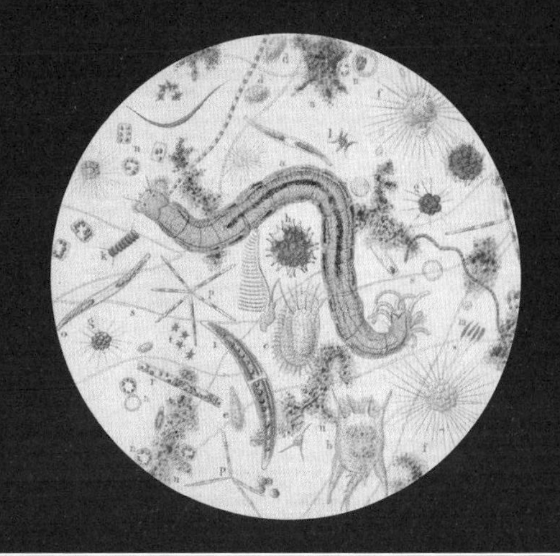

图 26　取自萨瑟克和沃克斯豪尔水务公司（Southwark & Vauxhall）的蓄水池。

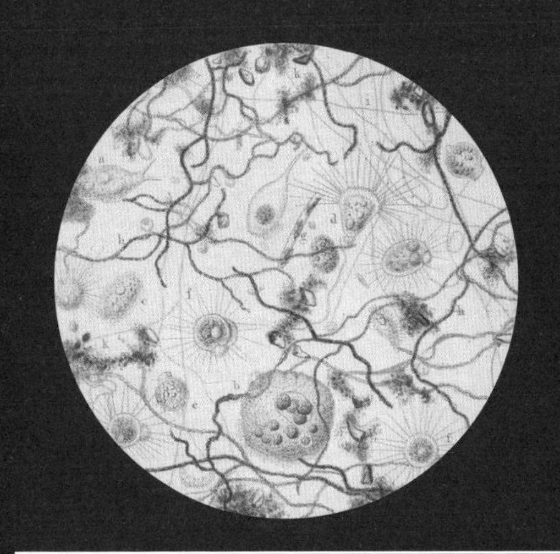

图 27　取自桑德盖特的水井。

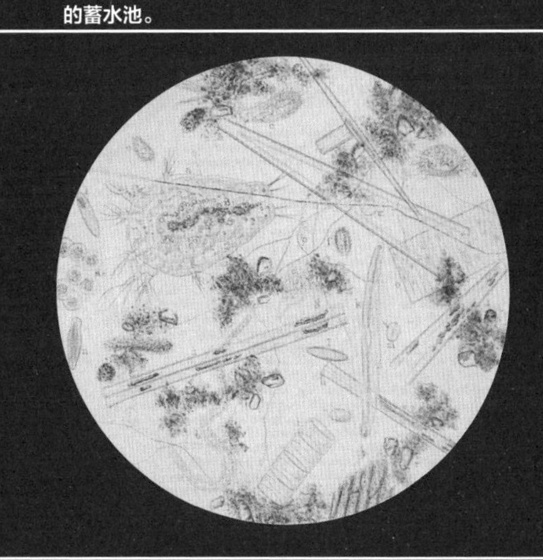

图 28　取自罗姆西（Romsey）阅读室的水井。

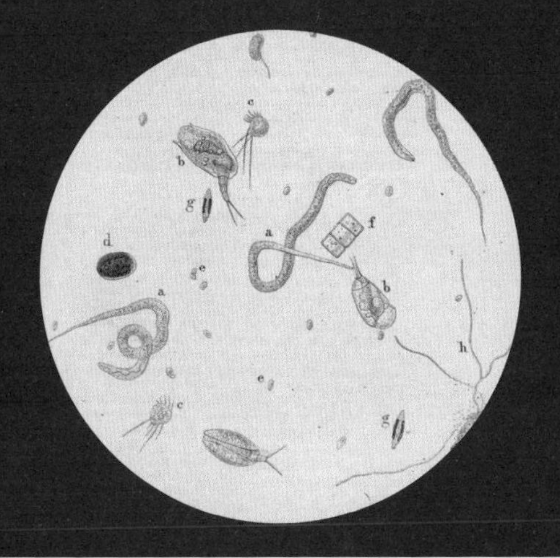

图 29　取自肯特水务公司的给水管道。

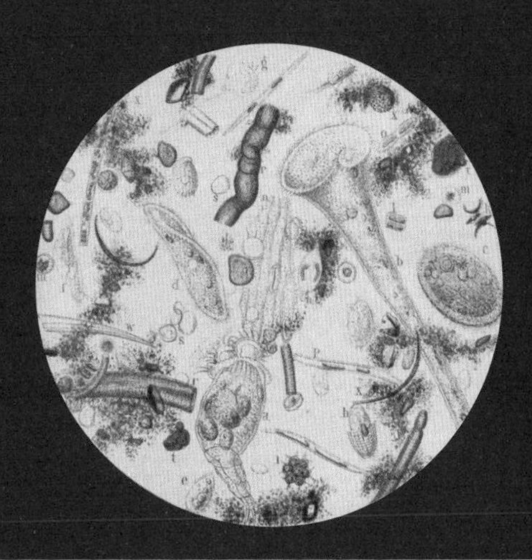

图 30　取自萨瑟克和沃克斯豪尔水务公司的给水管道。

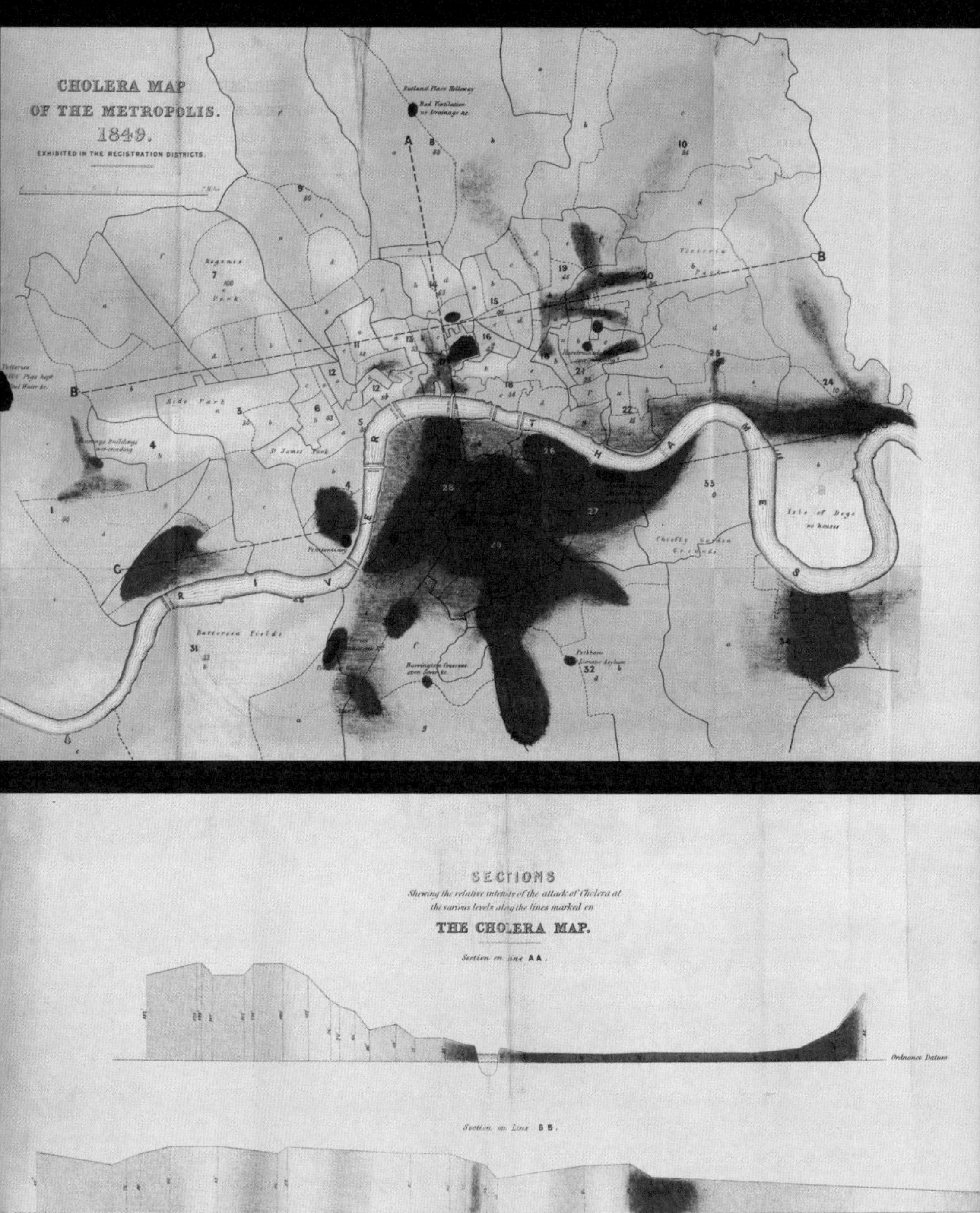

SECTIONS

Shewing the relative intensity of the attack of Cholera at the various levels along the lines marked on

THE CHOLERA MAP.

Section on line AA.

Ordnance Datum

Section on Line BB.

Section on Line CC.

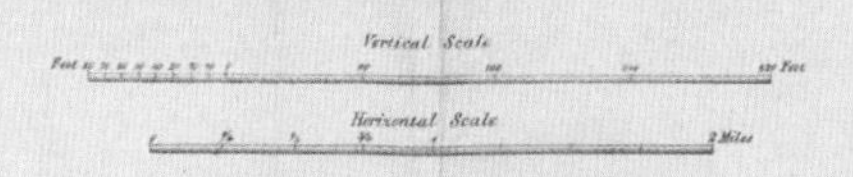

一位更著名的"瘴气致病"理论拥护者，那就是公共健康活动家埃德温·查德威克爵士（Sir Edwin Chadwick，1800—1890），他认为"所有难闻的气味都能让人生病"。他晚年曾呼吁在伦敦建造一座像埃菲尔铁塔那样巨大的建筑物——通过某种方式，将新鲜空气从高空中引流下来，并分散到街道中，以赶走污浊的空气和其中的有害细菌。

这些想法现在看起来或许很蠢，但在当时似乎很合理。霍乱病菌在高温的天气中会不断滋生，1840 年泰晤士河、塞纳河、易北河等河流中满是人们排放的污水，夏季的干燥炎热加剧了这些污水所产生的臭味。这种情形因城市人口的迅速增加而不断恶化—— 1841 年，伦敦的人口从 1801 年的不到 100 万增加到近 200 万，翻了一番。同一时期，巴黎的人口从 50 万出头增长到了近 100 万。1850 年至 1890 年间，汉堡人口从 18 万左右增加到 50 多万，柏林人口从 45 万增加到近 200 万。当气温升高时，由于恶臭，人们走路时会避开河边。所以，当成千上万人死于这种由水传播，但肉眼不可见的病菌时，人们有理由相信恶臭是致命的。然而，这种错误的想法也发挥了作用—— 1858 年夏日炎炎的伦敦产生"大恶臭"时，正是这种错误的认识使约瑟夫·巴扎尔盖特爵士获准建造了下水道。这些下水道至今仍然在为城市服务。

医学界的无名英雄约翰·斯诺博士推翻了大众信奉的"瘴气致病"理论。斯诺 1813 年出生于约克的一个工人家庭，14 岁时成为一名外科医生的学徒，1838 年成为皇家外科医学院的成员。斯诺在伦敦苏活区的布罗德街（宽街，现在的布罗德威克街，卡纳比街附近）开了一家诊所。在 1848 年至 1849 年那场导致伦敦 14137 人丧生的霍乱疫情中，他观察到，从其诊所附近的压水井取水的居民都得了霍乱，而在附近啤酒厂喝啤酒的工人却安然无恙。压水井靠近下水道，而啤酒的酿造过程可以杀死大量细菌。由于普通居民和啤酒厂工人都呼吸同样的空气，在斯诺看来，霍乱很可能是通过水而不是空气传播的。1849 年，斯诺发表了《论霍乱的传播方式》（"On the Mode of Communication of Cholera"），该论文现在被认为是历史上对医学科学的伟大贡献，但在当时却因为与正统的"瘴气致病"理论相悖而遭到排斥。1853 年至 1854 年间暴发的霍乱夺走了 10738 名市民的生命，斯诺在这期间绘制了一张诊所附近的霍乱死亡地图，地图明显显示出压水井周围的死亡率最高，啤酒厂附近的发病率低（图 34）。斯诺曾在科学调查委员会任职，并负责调查 1854 年的霍乱大暴发，当时委员会的负责人是首席统计师威廉·法尔（William Farr，1807—1883）。但委员会对斯诺摆在他们眼前的证据置若罔闻，其报告结论称：如果布罗德街的压水井是造成死亡的原因，那也是因为井水被有毒的气体污染了，而啤酒厂的工人之所以幸免于污浊空气的感染，是因为空气很难在啤酒厂的四壁内流动！直到 1858 年约翰·斯诺去世，他的理论仍然没有被世人接受。斯诺终生滴酒不沾，讽刺的是，一家开在他诊所附近的酒吧为了纪念他，以他的名字命名，酒吧旁边还仿制了一个压水井。

图 31—32 **伦敦霍乱地图**，1849 年。在 1848 年至 1849 年伦敦霍乱大流行期间，借助这些地图，当局确定了疫情最严重的地区。

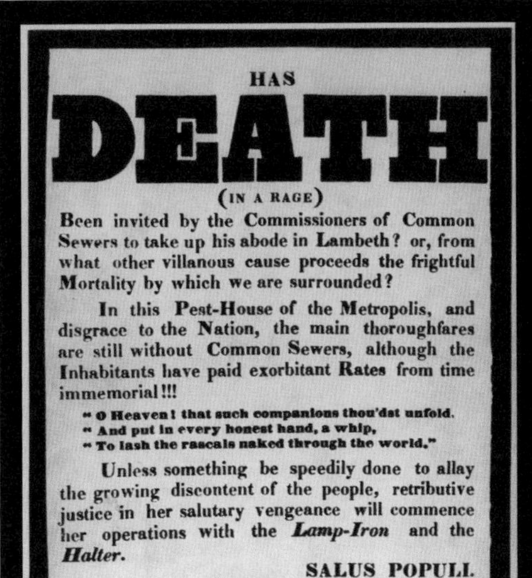

图 33 **霍乱引发的民众抗议海报**，1832 年，英国伦敦。伦敦兰贝斯区的居民抱怨，尽管患病比例高得离谱，当地街道依旧没有铺设下水道，这样的后果往往是致命的。

图 34 **布罗德街霍乱死亡地图**，1854 年，英国伦敦。约翰 · 斯诺的地图显示，死者集中分布在布罗德街压水井附近，而不是啤酒厂周围——那里的工人不喝水，而是喝酒。

与此同时，全球最知名的一位科学家也加入了这场辩论。1855 年，迈克尔 · 法拉第（Michael Faraday，1791—1867）乘坐汽船从伦敦桥前往亨格福德桥，7 月 7 日他给《泰晤士报》写信讲述自己的旅程：

> **水的外观和气味立刻引起了我的注意。整条河流淌着浑浊的浅棕色液体……气味非常难闻，简直是一条下水道……泰晤士河的状况或许可以被当作一个特例，但这种情况压根不该出现，我担心，这正在迅速成为常态。如果我们忽视这个问题，就别指望能逃过惩罚，等到多年以后，某个炎热的夏天可悲地印证我们粗心大意造成的愚蠢后果时，也不应该感到惊讶。**

信后附了一幅刊登在《潘趣》（*Punch*）杂志上的漫画，上面写着“法拉第递给‘老父亲泰晤士河’一张名片，我们希望这个污手垢面的老人家会请教这位学识渊博的教授”。同年晚些时候，查尔斯 · 狄更斯（Charles Dickens，1812—1870）完成了连载小说的第一部分，也就是后来的单行本《小杜丽》（*Little Dorrit*）。狄更斯在小说中哀叹，泰晤士河这条英国商业发展和繁荣的大动脉，已经成为“索人性命的下水道”。

法拉第的信件和科学调查委员会得出结论（水不是传播霍乱的媒介）发生在同一时间段。过了十一年，在经历了又一场瘟疫的肆扰后，威廉 · 法尔的观点发生了转变。

1866 年，伦敦白教堂地区暴发了严重的霍乱疫情，3 平方千米的范围内就有 5596 人死亡。法尔带头开展调查，他注意到了从 18 世纪后期开始流行起来的抽水马桶的作用："抽水马桶的优点在于能将粪便排出住宅，但随之而来的缺点是，这些粪便会被排到家家户户汲取水源的河流中，而这本是不必要的。"法尔在调查中追溯到，白教堂地区霍乱暴发的源头是一位名叫赫奇斯（Hedges）的工人，家住堡贝门利。赫奇斯和他的妻子都死于霍乱，他们家的抽水马桶直接将粪便排入了利河，此河靠近东伦敦水务公司位于老福特的蓄水池。法尔计算出，死于霍乱的人群中，东伦敦水务公司的客户占了很大比例。尽管遭到了公司方面的否认和阻挠，法尔还是发现，该公司没有在河流和蓄水池连接处安装有效的过滤器。感觉受到欺骗的法尔在报告中表达了自己的愤怒：

> **对于空气传播霍乱一说，没有科学的证据留存下来，也没有博学的律师为之辩护，因此，人们可以随意指控空气传播和非法扩散各种疫病。"老父亲泰晤士河"因历史悠久而深受尊敬，伦敦的众水神们也因纯洁无瑕而备受赞誉。伦敦的下水道却傲慢地将黑色的污水注入泰晤士河和利河……斯诺医生的理论将矛头指向污水……所谓霍乱乘风袭击伦敦东区的"东风"理论，即霍乱靠空气传播，根本没有得到证实。**

威廉 · 法尔转变了想法，约翰 · 斯诺医生也在死后得到了正名。就在威廉 · 法尔后知后觉地得出霍乱由水传播的结论时，约瑟夫 · 巴扎尔盖特正在修建一项大型的市政工程，一旦建成，这项工程将彻底把霍乱逐出伦敦。巴扎尔盖特既不了解也不太关心霍乱是通过水还是空气传播的，他只是认定修建下水道是解决问题的重要一步。1883 年，德国医生和微生物学家罗伯特 · 科赫（Robert Koch，1843—1910）最终在印度的水源中发现了霍乱弧菌。早在 17 世纪，荷兰布料商安东尼 · 范 · 列文虎克（Antony van Leeuwenhoek，1632—1723）用自己打磨的镜片制作了一台 200 倍显微镜，并观

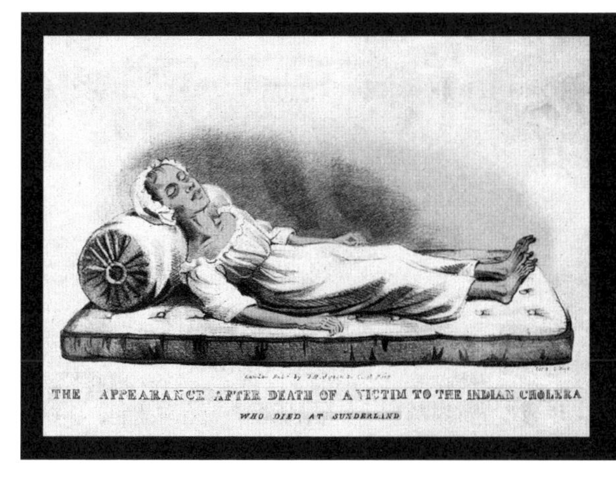

图 35 **一位死去的霍乱患者**，1832 年，英国桑德兰。这是霍乱流行初期的一位受害者，显现出此病特有的泛蓝肤色。她来自桑德兰——霍乱 1831 年最早登陆英国的地区。

图 36 **《怪兽浓汤，俗称泰晤士河水》**，1828 年。一位漫画家画出了 1828 年他透过显微镜看泰晤士河水时，见到的骇人成分。三年后，霍乱首次登陆英国。

察到自己的唾液中“有很多微小的生物在活泼地游走。个头最大的在唾液中移动得快而猛烈，就像长矛射入水中一样”。这些微小的生物便是细菌。1885 年，有位动物学家发表了一篇文章，题目是《汉堡自来水总管道中的动物种群》(“The Fauna of the Hamburg Water Main”)。文章指出，自来水总管道中共有六十种生物体，其中很多是有害的，甚至还有鱼类那样的大型生物。在接下来的几个世纪，显微镜学和其他检验水质的技术不断发展，让科学家们既掌握了痢疾、伤寒、霍乱等疾病的传播途径，又找到了净化水质的方法。

到了 1892 年，霍乱经由水传播的理念已经被公众和媒体广泛接受。《伦敦新闻画报》(*The Illustrated London News*) 还刊登了一则耸人听闻的报道，标题为《杯中死神》(“Death in the Cup”)，讲述了 1892 年的汉堡霍乱疫情。报道中有一张图片，图中的小女孩正在就着唇边的容器喝水，文章写道：她几个小时后便死了。正是对霍乱传播方式的认知帮助罗伯特 · 科赫终结了汉堡这场灾难性的传染病。当时，普鲁士皇帝威廉二世做出了罕有的正确判断，任命科赫去抗击霍乱，科赫由此获得了全权控制疫情的权力。尽管当时科赫遭到了《汉堡异闻报》(*Hamburger Fremdenblatt*) 的嘲讽，被称为“霍乱弧菌的知识之父”，当地行政官员也抱怨在霍乱时期“掌权的是帝国医疗官与教授科赫”，但科赫不辱使命，采取必要措施消除了霍乱。他先去视察疫区，对那里的落后状况深感震惊，说“先生们，我都忘了自己是在欧洲”。他迅速采取行动，指挥警察征用本地啤酒厂的货车，为汉堡工人阶层聚集的地区运送未受污染的淡水；在街边设立煮水站，并发布通知，禁止居民饮用没有煮开的水或牛奶；关闭公共浴室；禁止流动售货车贩卖生鲜水果，因为担心这些水果可能用污水冲洗过。科赫还为供水设备安装了滤水装置。1905 年，科赫成为诺贝尔生理学或医学奖最早的获得者之一。

直到 1894 年，权威著作《英国流行病史》(*History of Epidemics in Britain*) 这本书对霍乱由水传播仍存质疑。该书作者是声名显赫却饱受争议的医生查尔斯 · 克里顿 (Charles Creighton，1847—1927)，他对微生物是否存在，以及接种疫苗是否有效也心存疑问。不过，霍乱的横行的确迫使政府和有关市政机构恪尽职守，保护公民免受其害。无论霍乱的传播途径是水还是空气，城市都需要彻底清洁，而当时唯一的方法就是雄心勃勃地开展成本高昂，并且往往带有英雄主义色彩的工程项目。这个过程中充满了误解、失误和争议，在本书接下来的章节中，我们将一起了解到：人们如何继承并改造那些从中世纪幸存下来的古代下水道系统，以打造出在 21 世纪保障人类安全的基础设施。

图 37　**霍乱大屠杀**，1912 年。霍乱手持死神标配的长柄大镰刀，正在屠杀来自法属殖民地塞内加尔的军队。

Le Petit Journal

ADMINISTRATION
61, RUE LAFAYETTE, 61
Les manuscrits ne sont pas rendus
On s'abonne sans frais dans tous les bureaux de poste

5 CENT. SUPPLÉMENT ILLUSTRÉ 5 CENT.
23me Année Numéro 1.150
DIMANCHE 1er DÉCEMBRE 1912

ABONNEMENTS

	SIX MOIS	UN AN
SEINE et SEINE-ET-OISE..	2 fr.	3 fr. 50
DÉPARTEMENTS..........	2 fr.	4 fr. »
ÉTRANGER	2 50	5 fr. »

LE CHOLÉRA

PIONEERS OF PLUMBING

管道系统的先驱

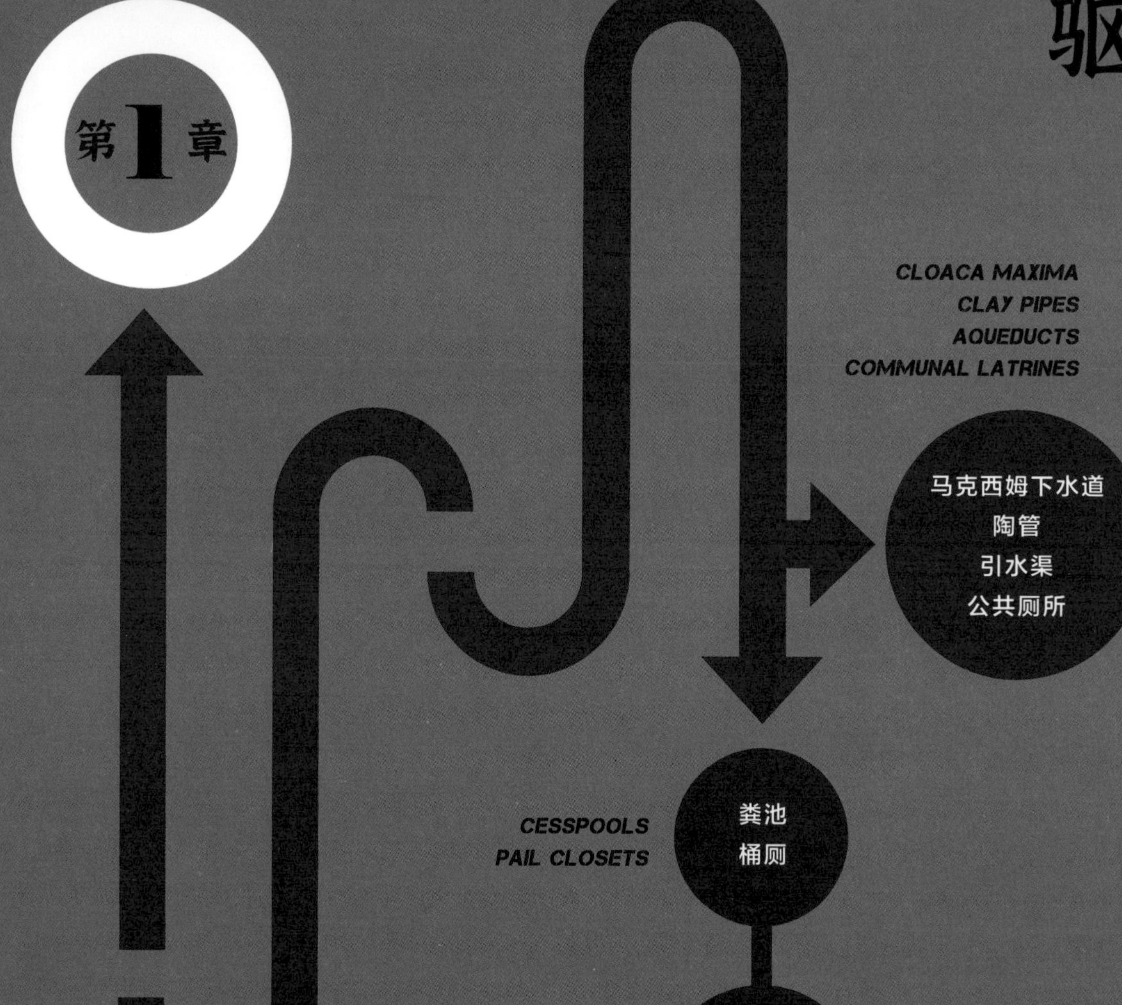

[I. SANITATION IN THE ANCIENT WORLD] → 古代的卫生设施

[II. SEWAGE IN THE STREETS] → 街道中的下水道

I. 古代的卫生设施
“在营地之外，你也该定出一个地方作为便所。在你器械之中应该准备一把锹，当你出营外便溺时，用以铲土，之后转身掩盖。”
《申命记》23:12-13
SANITATION IN THE ANCIENT WORLD

前往应许之地的路途中，摩西命令以色列的后人在便溺前要先挖个坑，之后再将自己的排泄物掩盖起来。对于正在穿越死海东岸干旱的摩押平原的游牧民族来说，这个命令并不过分。这或许是历史上第一次对个人卫生和处理排泄物的记载。不过，当这些话在公元前 7 世纪的耶路撒冷被人记录下来时，地中海东部和中东地区的大小城镇都早已配备上类似现代卫生系统的排污设施，比摩西所推行的处理方法要复杂得多。在这些早期的城市社区中，我们发现了人类文明所依赖的供水和废水处理系统的雏形。从摩西时代，即公元前 1000 年开始，便存在着关于厕所恶魔苏拉克（Šulak）的记载，其潜伏在充满了邪恶物质的地下黑洞里，伺机为房子带来灾祸。下水道如今作为健康生活的一个重要标志，依然会激发不安，尤其是出现严重问题的时候。

首先，下水道依赖于高效的供水系统。社区的供水无论是来自河流、湖泊还是蓄水池，在用完之后（不管是洗东西、做饭、搞卫生还是其他用途），必须进行污水处理。目前发现的最古老的城市社区位于中东的美索不达米亚（现伊拉克、土耳其、伊朗、叙利

第 19 页　**豪尔萨巴德遗址（杜尔舍鲁金古城）的下水道**，公元前 722—前 705 年，伊拉克。这条下水道从古城外一座大型住宅的门槛下穿过。豪尔萨巴德遗址在 1928 年至 1935 年间由美国考古学家挖掘出土。

图 1 ←　**摩亨佐 · 达罗的街道下水道**，约公元前 2000 年，巴基斯坦。20 世纪 30 年代对摩亨佐 · 达罗古城的考古挖掘，出土了沿着主要街道排布的暗渠，这些暗渠用于排放居民家中的污水。

图 2 **约旦佩特拉城水道的卫星图片**。公元前 4 世纪居住在佩特拉的纳巴泰人通过大坝、蓄水池与导水管组成的复杂系统，控制这里的供水。

图 3 **约旦佩特拉城的导水管**。隐蔽的输水河道将瓦迪穆萨（摩西泉）的水引入城市。河道所沿的西克峡谷，是从山区进入佩特拉城的主要通道。

亚和约旦的部分地区），那里大小城镇的建立都得益于底格里斯河、幼发拉底河与约旦河。美索不达米亚也出土了最早的水井遗迹，在以色列北部的拿撒勒附近发现的水井开凿于公元前 6500 年。有证据表明，约公元前 3800 年，在巴比伦（现伊拉克）的乌尔和乌鲁克等城市中，民用住宅就开始使用厕所了。这些厕所都是圆柱形深坑，坑内壁衬了一层直径 40 厘米至 70 厘米的陶环，环壁上有很多孔，液体可以通过这些孔渗入周边的土壤中。实际上，这些就是早期的粪池。有时候，这些圆柱形粪池与一些倾斜的模制陶管相连，把粪便排到街上的下水道。这些下水道可以是地上的，也可以是地下的，地下的下水道配有盖着石盖板的人孔。污物连同雨水，一同流入河中。某些下水道带有存贮装置，能让液体排出去，固体留下来，之后挖出来用作肥料。后来，人们对厕所进行了改良，例如修建台阶，人们可以站在台阶上如厕（这样的厕所如今在法国的农村偶尔还可以见到）。另外，在伊拉克特尔 · 阿斯玛尔（Tell-Asmar）地区出土的一座宫殿中，盥洗室内安装有坐便器。但并不是所有的居民都具有如此的巧思。在巴格达以南 80 千米的古巴比伦遗址，当时许多居民把污物和垃圾一起直接排到大街上，最后用黏土遮盖住这些混着泥巴的废弃物。于是街道逐渐升高，以至于某些房屋不得不修建台阶才能走上路面。

在古代纳巴泰人建设的佩特拉城（位于今约旦，是一处世界文化遗产）中，一个由各种引水渠、管路、导水管组成的网络可以汇集水源，将其导入一个个蓄水池中，再用由石头、沙子和木炭构成的过滤系统滤去杂质。从公元前 2000 年至公元元年前后，埃及人先后用陶管、铜管把冷水和热水送入贵族的家中（偶尔送到墓地，因为按照当地的习俗，要向过世的人供应死后所需的一切用度）。其中，有些贵族家里设有石灰石建造的厕所，厕所装有排污管道；而有些则用盛着沙子的陶罐充当厕所，这些陶罐可以拎走倾倒，一般都倒在大街上，让雨水冲走——这些是如今在农村依然可以看见的土坑式厕所的鼻祖。根据古希腊历史学家希罗多德（Herodotus，约公元前 484—约前 425）的说法，埃及希拉孔波利斯城的大部分居民都把污物扔到大街上，尽管他在著作《历史》（*Histories*）第二卷中写道："在一些上层人士居住区和信教地区，人们努力把所有的污物，包括自然的和人造的，从他们的生活空间和公共区域清除掉，在大多数情况下是排入河流。"

位于印度西北古吉拉特邦的洛塔是处古老的聚居区，自公元前 4 世纪有人居住以来，房屋群和个体宅院一直从水井里取水，并通过共用的管道系统将污水从卫生间导出，排入大街上的阴沟中。在印度河谷的另一处，印度河途径的旁遮普地区，早在公元前 2000 年就有了早期的城市卫生系统规划。几乎在同一时期，同样坐落在印度河附近，位于今巴基斯坦信德省的摩亨佐 · 达罗也修建了一个复杂的用水管理系统。后来印度河由于地震而改道，摩亨佐 · 达罗也随之荒废，古城随着时间的流逝而掩盖在沙土中，保留至今，直到 20 世纪 30 年代才被重新发现。这里的私人住宅和公共建筑都设有厕所，里面可以洗涤和沐浴。建筑里的污水被导入一个污水池里，当水量达到四分之三时，表层的污水会被导入大街上的下水道中，随即被排入印度河。这些下水道上面铺着石板，掀开石板就可以清理杂物，将里面的淤积物挖出，运到城墙外的田地里。还有证据证明，人们使用了便于咬合连接的锥形陶管，这样可以根据建筑物和大街的情况来定制合适长度的管道。在更偏远的乡村居住区，还发现了类似美索不达米亚的那种带孔的圆柱形结构。

图 4—5 **印度洛塔的下水道和水井**，约公元前 300 年。下水道、人孔和污水坑的存在使城市保持清洁。排进萨巴尔马蒂河的废物，在涨潮时被冲走。

图 6 **摩亨佐 · 达罗的街道下水道**，约公元前 2000 年，巴基斯坦。考古挖掘结果表明，这座古城几乎家家户户都拥有洗浴区和排水系统。

再往东，中国河南周口的平粮台古城遗址，兴起于公元前 2000 年左右，其街道的下面铺有陶制排水管，这些管道的年代可以追溯到公元前 5 世纪至前 8 世纪。在公元前 2 世纪，西汉一位皇帝的宫殿里有一个简易的厕所，带有冲水装置、坐便器和扶手，但这位帝王的名字已被历史遗忘。西汉都城长安（现陕西西安）在新石器时代就有人定居，位于丝绸之路上，曾是多个朝代的国都。当时，长安的人口大约 50 万，对于同时代的欧洲城市来说，人口多得不可想象。到了公元 200 年，这座城市铺设了复杂的陶管系统进行供水和排污，其中有些排污管道是用砖砌成的。2008 年发掘出土的一条排污管道宽 2 米。这些管道很可能是最早的砖砌下水道。许多个世纪以后，砖仍然深受那些为工业革命催生的巨型城市设计排污系统的工程师的青睐。

有证据表明，克里特岛同样拥有地下管道系统，这些管道由黏土制成，向公共厕所和私家宅院等建筑物供水，其历史可以追溯到公元前 3000 年至前 1000 年。克诺索斯王宫的一层有个简易厕所，其房顶上修建了一个收集雨水的蓄水池，在功能上如同现代建筑中阁楼上的水箱。这个简易厕所由木座椅和陶盘组成，很有可能是通过房顶上的蓄水池进行冲水。英国考古学家亚瑟 · 埃文斯爵士（Sir Arthur Evans，1851—1941）认为，在漫长的旱季里，克诺索斯的米诺斯宫殿里的厕所是由仆人泼水冲洗的。在约四千年后的今天，这里的部分下水道依然在使用，有些大到足以容纳人在其中站立。排水网络如此复杂，兴许就是它造就了米诺陶洛斯迷宫的传奇。另外，在克里特岛北部的圣托里尼岛上也发现了冲水厕所，它在约公元前 1627 年的一场火山爆发中被埋在了地下，因此得以完整地保存下来。

这些早期社会使用的排污系统，在后来的几个世纪里被广泛采用。未经处理的生活污水（和动物粪便）包含有害的病原体，但是如果将其堆肥六个月，这些污物在一个没有化肥的时代就会成为优质的肥料。在史前的美索不达米亚、印度河流域、中国和克里特岛，粪便就是这样处理的。意大利南部普利亚区的穆尔吉亚 · 提蒙（Murgia

图 7　**中国的厕所与猪圈陶塑**，100—200 年。这个陶塑展示了一种污物再利用的创新方法。这类陶塑是随葬品。

图 8—10　**中国出土的陶制排水管道**。右侧两图中的管道是秦始皇创造的应对暴雨和排放污水的系统构件。

图 11 **斯考拉斯蒂卡（Scholastica）大浴场内的公共厕所**，1 世纪，土耳其。在夏天时，中央的清水池能让这个豪华公厕保持凉爽。

图 12 **印有罗马女神克罗阿西娜头像的硬币**，公元前 42 年。这些硬币由古罗马铸币师卢修斯 · 穆斯丢斯 · 朗古斯（Lucius Mussidius Longus）打造，印有下水道女神与她的神殿。

> **多亏了人类的粪便，中国的土地依旧生机勃勃，如同亚伯拉罕时代那样。中国的麦子产量有我们的一百二十倍那么多。**
>
> 维克多·雨果，《悲惨世界》，1862

Timone），是一处公元前 4000 年至前 3000 年的聚居区，那里的水池网络系统可以滤水和储水。苏格兰北部的奥克尼群岛上有一个叫斯卡拉布雷（Skara Brae）的村庄，那里是公元前 3000 年至前 2500 年间石器时代的一个定居点，当时人们在石头铺设的管道里铺上树皮，用于向家中供水，并向家外排出污水。而且，这里的宅院中还有一些小房间，可能是室内厕所。

根据神话传说，罗马城建于公元前 753 年。实际上，早在公元前 1000 年至前 900 年的这段时间，就有许多部落在台伯河两岸蚊虫肆虐的沼地定居了。罗马第五任国王老塔克文（公元前 616 年至前 578 年在位）在目睹了数次严重的洪涝灾害后，雇伊特鲁里亚工程师修建了著名的马克西姆下水道（Cloaca Maxima，“大下水道”），一方面用于排污，但主要是用来排干城中的沼泽地。后来，这条用石头修建的下水道从罗马的山上引来水，把城里公共集会广场等处的地表积水和杂物冲入台伯河。罗马人相信，司掌马克西姆下水道的女神是克罗阿西娜（Cloacina）。随着罗马的扩张和十一条引水渠的相继启用，马克西姆下水道内常常奔涌着公共浴池和喷泉排出的水，其中包括戴克里先浴场和图拉真浴场。马克西姆下水道原先是条开放式下水道，然而据数个世纪后的历史学家提图斯 · 李维（Titus Livy，公元前 64 或前 59 —公元 12 或 17）记载，在罗马第七任也是最后一任国王塔克文 · 苏佩布执政期间（公元前 535—前 509），修建了一段地下水渠。

图 13−21　雅典广场的水井与水管，希腊雅典。位于雅典古城中心的这处广场是当时的社交与政治中心。在 20 世纪的考古挖掘中，共发现了逾四百口水井，以及为喷泉提供清水与排出污水的管道。左下图的水管上刻有“ΧΑΠΟΝ”字样，可能是铺设管道的奴隶的名字。

图 22 **马克西姆下水道出水口**，公元前 6 世纪，意大利罗马。位于照片左侧的马克西姆下水道出水口，有一半淹没在台伯河中，向河内排放污水。

图 23 **马克西姆下水道入口**，公元前 6 世纪，意大利罗马。19 世纪 60 年代，马克西姆下水道成为“壮游”欧洲的富家子弟们的“必看之处”。

大约同时，希波克拉底正在撰写名为《气候水土论》（“Airs, Waters and Places”）的论文，文中论证了清洁的水源对健康的益处。当时雅典正使用铅管和铜管为城市供水，用砖砌的管道将雨水与排泄物排到城外的一个盆地里，其中一条管道位于卫城和普尼克斯山之间，还有一条被称为“大排水管”的深达 2.4 米的管道。经由管道，排泄物被送向基菲索斯河，用以灌溉城外的果园与田地，为土地提供养分。在公元前 2 世纪的帕加马（现为位于土耳其西北的伊兹密尔行省），人们为了从马德拉达格（Madradag）山脉获取水源，修建了落差 900 米、长 42 千米的水道。这条水道由直径 16 厘米至 20 厘米的陶管构成，可以承受巨大的水压。而废水经由街道上盖着石板的下沉式石制水槽排走。

出生于小亚细亚哈利卡纳苏城的历史学家狄奥尼修斯（Dionysius，公元前 60—公元 7）曾声称：“罗马帝国以三样东西彰显了它无与伦比的伟大：引水渠、道路系统与排水沟。”这句评价写于罗马第一位皇帝屋大维执政时期（公元前 27—公元 14），当时整座城市正在重建。马克西姆下水道在罗马共和国（公元前 509—前 27）及罗马帝国时期（公元前 27—公元 1453）逐渐被覆盖，并与沿线的其他小型下水道相连。这些管道为公共厕所和浴场服务，而这两种场所往往是设在一起的，因为浴场使用过的水可以用来冲洗厕所。“朱迪斯下水道”（Sewer of Judith）将阿格里帕浴场与万神殿的废水引至“美丽朱迪斯磨坊”（Mulino di Bella Judith），直到 1889 年还在为磨坊提供水能。在有些地方，马克西姆下水道有 3.2 米宽、4.2 米高。18 世纪，意大利艺术家乔瓦尼·皮拉内西（Giovanni Piranesi，1720—1778）创作了一幅描绘马克西姆下水道入口的画作，令这里成为英国贵族青年完成学业后“壮游”欧洲的“必看之处”。一些下水道被埋在街道下方，有些则是开敞在外的，供人们倒垃圾。有文字记载显示，罗马皇帝埃拉伽巴路斯被近卫军暗杀后（222），尸体被扔进了一条公共

图 24 **真理之口**，约 1 世纪，意大利罗马。“真理之口”曾是一个巨大的下水道盖子，现在装点着罗马科斯美汀圣母堂的门廊。

图 25 **加尔桥**，约 50 年，法国加尔河。这一宏伟工程在建筑师阿格里帕的监督下完成，旨在为尼姆供水。

下水道。近卫军本是为了保护皇帝而设的，但他们却是出了名的善变，对那些冒犯他们的人尤其无情，这便造成了埃拉伽巴路斯的悲剧。但一些更为谨慎的评论认为，埃拉伽巴路斯的尸体没有经过任何下水道，而是被径直投入了台伯河。一个更为可信的故事是，天主教圣徒圣塞巴斯蒂安在戴克里先皇帝执政期间（284—305）被迫害至死，其尸体被投入了下水道中。意大利画家卢多维科·卡拉齐（Ludovico Carracci，1555—1619）在 1612 年描绘了这一幕。据说，圣塞巴斯蒂安的尸体被一位名叫露西娜（Lucina）的虔诚女子发现，才免于尸沉下水道的耻辱命运，后来被重新埋葬在今罗马名为“墙外的圣塞巴斯蒂安”（San Sebastiano Fuori le Mura）的教堂中。

在古典时期，私人住宅排污只能靠粪池，几乎不连下水道。直至公元前 100 年，陶管终于将私人住宅与城市下水道系统连通。庞贝、赫库兰尼姆等城市的设施配备基本一致。在庞贝，房屋内与人行道下方设有粪池，深度由 1 米内至 10 米不等；广场上则设有公共厕所，里面装有木制的类似长椅的座位，由墙上凸出的石头固定。铺砌着砖石的街道能够让雨水、废水，以及人和动物的污物流出城市。路面上铺有踏脚石，以便人们顺利通行而不必担心沾染污渍。在屋大维执政期间，他的女婿兼执政官玛库斯·阿格里帕（Marcus Agrippa，约公元前 63—前 12）负责罗马的供水。罗马人当时已经意识到从城外远郊引来的泉水更适合饮用，而雨水和公共浴场的废水用来冲洗下水道与街道更为合适—— 19 世纪，法国城市规划师乔治-欧仁·奥斯曼（Georges-Eugène Haussmann, 1809—1891）改造巴黎的市政水利时也采用了这个方法。阿格里帕监督营造了位于今法国南部城市尼姆的加尔桥，这项宏伟的工程为尼姆提供了水源。还有记载称，阿格里帕曾沿着马克西姆下水道航行以视察工作。尽管以前连接马克西姆下水道的那些小下水道现在已被接入现代排水系统之中，但一靠近断桥，还是能看见马克西姆下水道的排水口仍在向台伯河排放雨水。现在，罗马科斯美汀圣母堂的门廊中展示着一块被称作“真理之口”（The Mouth of Truth）的圆形石板，它很可能是当年通向赫丘利神庙的下水道的盖子。

到 4 世纪，罗马已拥有上百个公共厕所，很多厕所设有几个相连的座位，而且需要付费使用，这种设施被称为 forica（即公共厕所）。就在罗马以西 16 千米处的港口奥斯提亚，还保留着一处很好的公共厕所遗迹，这里甚至比罗马更早地使用铅管进行日常供水。公共厕所并不都与大下水道相连，有的内部设有粪池，人们会往里面投放垃圾，甚至有时还会投入人类尸骸（包括那些在斗兽场中身亡的人）。尿液则收集在双耳陶罐中，放置在漂洗工的房屋外。漂洗工用尿液与漂白土来去除羊皮上的油脂，还会用尿液固色、鞣制皮革。罗马帝国的其他城市也受益于下水道体系，其中尤其值得关注的是斯洛文尼亚的城市采列——在罗马皇帝克劳狄乌斯执政的公元 45 年，这里名为克劳迪亚西里亚（Claudia Celeia）。在这里，古罗马时代修建的许多街道至今仍然保存完好，路面明显呈拱形，令雨水得以流向道路两侧的下水道中。

东罗马帝国又称拜占庭帝国，定都君士坦丁堡—— 20 世纪初更名为伊斯坦布尔，这里的下水道至今仍在为污水处理厂服务。城市中仍保留着 6 世纪查士丁尼大帝时期修建的有柱廊的巨型蓄水池“地下水宫”。蓄水池占地面积近 1 万平方米，可储存 1 万升水。该蓄水池现在向游客开放参观，还出现在了 1963 年詹姆士 · 邦德 007 系列电影《俄罗斯之恋》（*From Russia with Love*）中。2 世纪，包括伦敦与约克在内的一些英国城市也建造了公共厕所。当时伦敦至少有三个公共厕所，其中一个建在了伦敦大桥上，污物被直接排至下方的泰晤士河中。剩下两个都有粪池，一个在今舰队街的南部，另一个建在现圣保罗大教堂以南的码头魁因海泽（Queenhithe）。罗马时代的英国城市同样有排水用的下水道，有的由中部挖空的榆木做成。一些用于排放雨水与垃圾的下水道，往往铺设在道路中间，被称作“明沟”。也有专门供丢弃牛粪等废弃物而设的垃圾堆。这些粪池、明沟和垃圾堆中的污物由“掏粪工”（raykers）一并收集，再丢到泰晤士河河岸，它们或是被冲进河里，或是被收粪船收走并卖给农民。

可见，到了罗马帝国时期，处理人类粪便的系统已经建成。一些城市已经有了厕所（包括公共厕所），其废物或是被排入河中，或是被收集起来，用作城市周围农田的肥料，以及鞣制皮革、漂洗羊毛等工业生产。这套系统一直为人类服务，直到 18 世纪和 19 世纪，随着人口增多，尤其是城镇人口剧增，人们不得不采用更为彻底的措施。

图 26　**地下水宫中的美杜莎头像石雕**，约 500 年，土耳其伊斯坦布尔。在支撑这座洞穴般的蓄水池的 336 根大理石柱子中，有两根柱子的基座上雕着巨大的美杜莎头像。

HÔTEL
MEUBLÉ.
RUE
DE
PERPIGNAN
GUERLIN
À LOUER

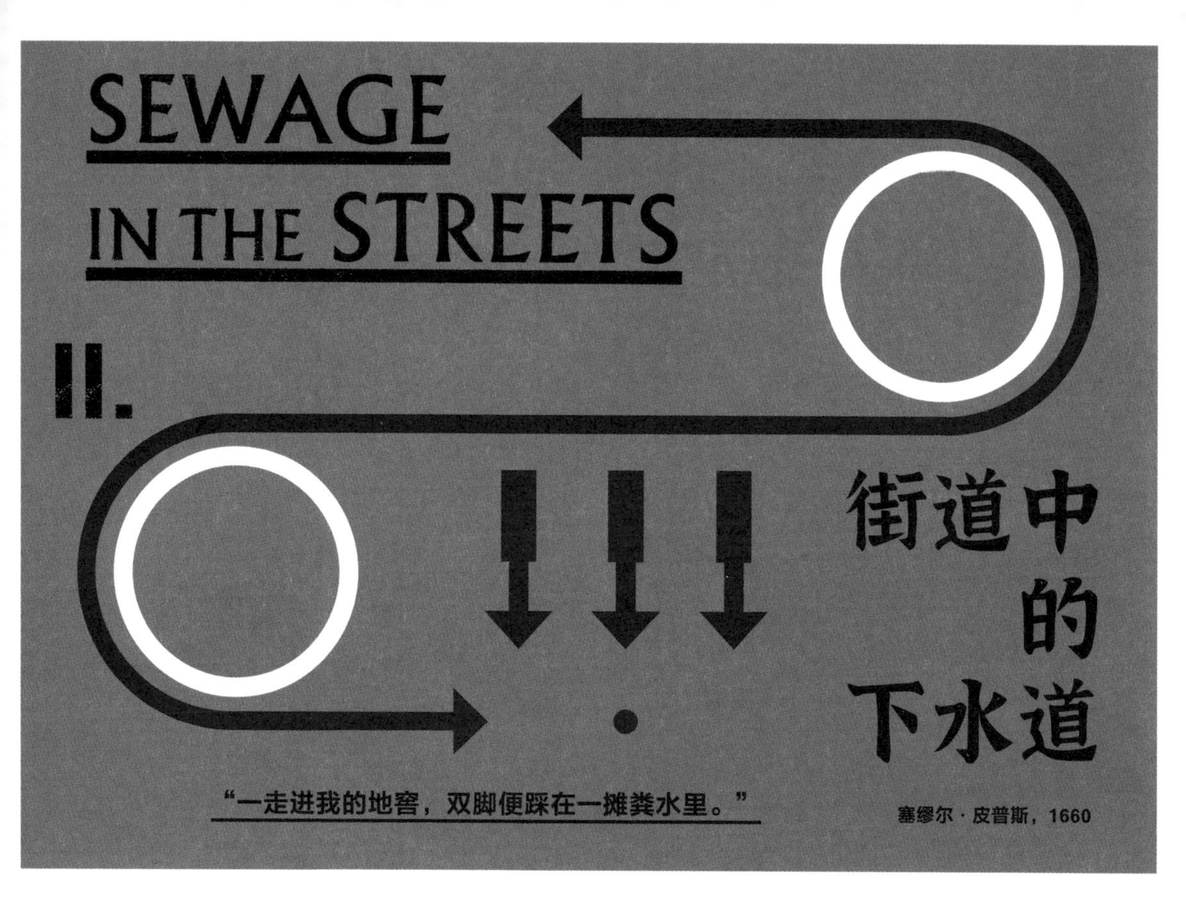

SEWAGE
IN THE STREETS
II.
街道中的下水道
“一走进我的地窖，双脚便踩在一摊粪水里。”
塞缪尔·皮普斯，1660

许多历史学家认为，欧洲历史上的黑暗时期从 5 世纪罗马帝国的衰落一直延续到 10 世纪的中世纪早期。这是欧洲历史上的动荡时期，东部的日耳曼部落多次入侵，北部斯堪的纳维亚的维京人也多次来袭。这一时期的文字纪录与古典时期相比要少得多。但这种表述只是以欧洲为中心的尴尬视角。人们发现，在 8 世纪，墨西哥南部的玛雅城市帕伦克有着高度成熟的沟渠系统为城市供水，还能通过石灰石过滤净化水质，并通过管道排走污物。帕伦克文明之所以被忽视，是因为它在 800 年左右从历史上神秘消失了，被周围的丛林所吞没，直到 16 世纪才重新被西班牙侵略者发现，在 20 世纪由美国和墨西哥考古学家发掘出来。而在南美洲，早在公元前 1000 年，秘鲁查文德万塔尔（Chavín de Huántar）地区的居民已学会利用地形从莫斯纳河（Mosna River，从安第斯山脉的斜坡流下）中取水，以及将污水通过水渠排到远离居民区的河水中。踏足南美洲的西班牙人就继承了类似的废物处理系统。在 16 世纪 60 年代和 70 年代，西班牙人用陶制管道为秘鲁首都利马建造了供水和排水系统，还组建了专门运水的群体“运水工”（aguadoros，其中很多是解放的非洲奴隶）。运水工们从户外的喷泉中收集泉水，以供私人住宅和公共广场使用，还要捕杀流浪狗以避免狂犬病。在一些偏远城镇，运水工这个职业一直存在到 20 世纪中叶。时至今日，据估计，利马 1000 多

图 1　**名为“三只小鸭”的马路**，19 世纪，法国巴黎。马路修建于中世纪，一条明沟顺着马路中央蜿蜒而下，将路上的污水排入河中。

万居民中仍有 150 万人未使用下水道，而在秘鲁北部的通贝斯市，超过 10 万居民的取水点在垃圾场附近。

在帕伦克文明衰落之时，阿拉伯世界兴盛起来，在西班牙南部安达卢西亚地区的伊斯兰城市，如科尔多瓦和格拉纳达，大部分房屋的厕所能将污物排入公共下水道，而较小的社区则使用粪池。科尔多瓦的古老下水道一直使用到 20 世纪初。西班牙东南部城市穆尔西亚同样有着精良的地下下水道系统，可以将污水排到城墙外。历史上有这样一个故事：在西班牙南部的港口阿尔赫西拉斯，有一个被囚禁的基督徒通过下水道逃跑，并最终逃到海边。由此可见，在阿尔赫西拉斯，城市污水可以通过下水道排入地中海。

1800 年，在欧洲的其他地方，排泄物的收集和无害化处理方式，与罗马帝国鼎盛时期基本相同。事实上，在 19 世纪末，意大利作为过去罗马帝国的核心还使用着非常简陋的排水系统，一半的社区缺乏自来水，四分之三的社区没有下水道。这种停滞在一定程度上归因于城镇的凋敝——在帝国衰落时，很多城镇失去了大量的人口，意大利的博洛尼亚和德国的特里尔失去了三分之二的人口。在意大利的一些城市，人们努力保持尚可接受的卫生环境。1346 年，米兰通过了《米兰地区街道和水域法令》（Statutes of the Streets and Waters of the Country of Milan），禁止居民在炎热的夏季于街道上运送粪池里的污物。排空粪池的工作交给了“箱工”（cistenari），他们使用带着木箱的马车（navazze）运送。尽管如此，一条流经城市的小河还是因肮脏不堪而得名“黑河”（Nirone）。在佛罗伦萨，从事这项工作的人被称为“清粪工”（votapozzi），他们把污泥作为肥料卖给农民，然后把污水倒进阿诺河。在某种程度上看，卫生状况其实出现了倒退。过去罗马人把制砖工艺带到了北欧和英格兰，如今在英国哈德良长城和圣奥尔本斯镇附近的维鲁拉米恩（Verulamium）遗址仍然可以见到砖。但是当罗

图 2 **南美洲的运水工驱赶驮着水桶的毛驴**，19 世纪 30 年代。这些人被称为 aguadoros，他们将河水运进城镇。

图 3–4 **意大利拾荒者**，17 世纪。他们收集城市中的粪便再卖给农民，并以此为生。

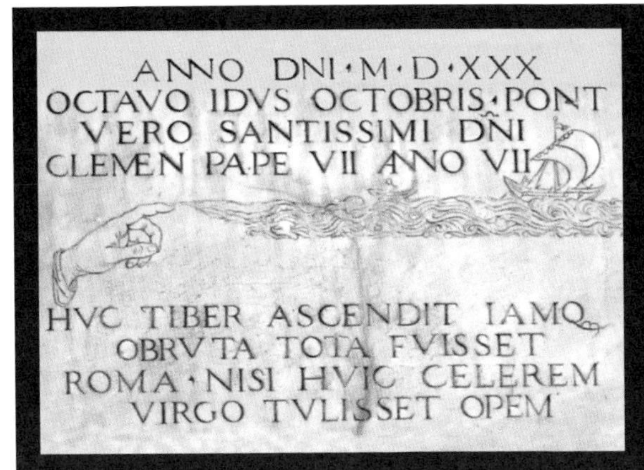

图 5 **洪水位标记**，1557 年，意大利罗马。铭文是为了纪念台伯河水位上升至海平面以上 18 米（59 英尺）的日期。

图 6 **洪水位标记**，1598 年，意大利罗马。在 20 世纪台伯河堤坝修筑之前，河水每隔三十一年泛滥一次。

马人在 410 年离开时，也带走了这项技术。砖是建造大型下水道所必需的材料，因此，在中世纪晚期被重新引入北欧的制砖工艺，后来成为这里城市下水道建设的先决条件。

在这段时期，整个罗马自身的状况也逐渐恶化。537 年，东哥特人的国王维提吉斯为了围攻罗马，切断了十一条为城市供水的引水渠。围攻虽然失败，但对城市造成的破坏仍在，直到 1587 年，新的引水渠才为这座城市不断减少的人口提供新的水源供给。据估计，在 1180 年至 1870 年间，每隔三十一年，罗马就会因为台伯河泛滥发生一次特大洪水，河道污水回灌进下水道和供水系统，并将霍乱、伤寒和其他水传播疾病带给城市居民。直到 19 世纪 70 年代，罗马人才对污水处理系统进行了重大改进。最终，20 世纪修建的砖筑堤坝才阻挡了这些灾难性的洪水。

不过在这段时期也有成熟的污水处理体系，修道院就是这个领域的先驱。在法国勃艮第，建于 910 年的本笃会克吕尼修道院（Benedictine monastery of Cluny），其内部设有四十个独立的厕所。不过真正的先驱当属西多会修道院。西多会在 1098 年创立于勃艮第夜圣乔治附近的小镇西多，该镇因盛产红酒而远近闻名。现在西多还有一座修道院非常兴盛，而其修会早已迅速盛行于整个欧洲。西多会主张远离城市的俭朴生活，寻觅偏远临河的地方居住，这样的地方往往广袤而丰饶。一般是由修道院院长带领着几百个僧侣、见习修士与杂役一起生活，体力劳动多由杂役完成，以满足一群人自给自足的生活。西多会在英国的修道院曾遭到亨利八世掠夺，之后又被觊觎建筑材料的当地人洗劫一空。尽管如此，仍有迹象表明这里曾拥有成熟的水利系统，划分出了饮用水、洗涤用水、废水与生产用水。修道院的人挖好水渠，把水从河里引到盆地或池塘——泥沙会在这里沉淀——水再通过空心树干、陶管或铅管流出，供多种用途使用：可以引入水缸，供人饮用或用来酿酒；可以注入池塘，用来养鱼；可以为碾磨谷物的水力磨坊供能；还可以用来清洁羊毛（西多会拥有大规模的牧场，用来养羊，尤其是在英格兰）。由此产生的废水会从地下流至修道院后的厕所（reredorter），再从厕所排回河流下游。在德国阿姆斯堡（Amsburg）的一座西多会修道院中，我们就能看到

图 7 **艾格–莫尔特古城厕所的外部结构**，法国。厕所从城垛的墙上凸出来，污物直接由此掉落地面。

图 8 **富热尔城堡厕所的内部结构**，法国。中世纪的厕所只有壁橱般大小，就是简单地在砖石底座上打一个圆柱形孔。

这些不同用途的痕迹。位于英国约克郡里彭附近的方廷斯修道院（Fountains Abbey）遗址，还完整保留着这些设施。那些同时期的中世纪城堡，还使用着更为原始的排污方法。法国南部的卡马格地区有着一座保存完好的防御重镇艾格–莫尔特（Aigues-Mortes），到那里参观的游客很容易就能注意到城垛上那些当时供守军排泄的孔洞，这足够让前来攻城的军队失去围攻的欲望吧。

当时，不同的城市采取的水利方案各不相同，不过像西多会修道院那样成熟的系统却实属罕见。克罗地亚东南部的杜布罗夫尼克是一座围有城墙的小城，在 13 世纪晚期威尼斯统治期间引入了下水道体系，其中一部分至今仍在使用。而在那时候，威尼斯本地却依靠潮水将丢弃在运河中的垃圾冲至海里。同样在克罗地亚，位于斯普利特的戴克里先宫修建于 4 世纪早期，它用一条引水渠将 7 千米外的河水引入宫殿，而将废水、粪便与雨水通过一条 2.2 米高、1.15 米宽的下水道排入亚德里亚海。如今住在宫殿区域的当地居民与商人，依旧受益于便利的供水与排水系统。而其他地方则像罗马的城市那样，在一些建筑的地下室里修建了用作厕所的粪池，街上的明沟则用于处理家庭与生产垃圾。住在街道两边的人们会喊着“Tout à la Rue”（“整条街注意了”，法语）或“Gardy Loo”（“泼水啦”，格拉斯哥语）来警告路人，然后将混杂着各种污物的垃圾从窗口抛下。在没有铺砌过的街道上，垃圾与污泥混合在一起，发出恶臭。雨水会将一部分垃圾冲到明沟或河流中，但也会把一些冲进房屋中。当时政府也试着采取一些措施来改善这种情况，却无一奏效。1539 年，法兰西国王弗朗索瓦一世颁布了一条法令，要求巴黎所有新建房屋都要配备粪池，不过这条法令对于那些已经存在的房屋却无济于事。塞纳河左岸的一众面包师们使用的水来自一些污染严重的水井，这是众所周知的，但他们生产的面包依然热销，好评无数，丝毫没有受到影响。约一个世纪后的 1630 年，人们在调查了巴黎的二十四条暗置下水道后发现，每一条下水道或是破损，或是被垃圾堵塞。在这之后的一个世纪中，市长颁布法令，一旦发现有人向暗置下水道中丢垃圾，就罚款一百里弗尔，还要体罚他们的仆人！ 17 世纪，柏林的市议会曾尝试组织人们将固体垃圾打扫成堆，以保持下水道畅通，并要求人们只能在规定的时间和地点向施普雷河倾倒夜壶。

粪池定期由专人清理，他们被称作“掏粪工”或“清厕工”（gong-fermors），后来更为通行的叫法是“夜香工人”（nightsoilmen）。中世纪的掏粪工人薪资丰厚，一部分来自城市房屋居住者支付的清理费，还有一部分则来自贩卖清理物所得，他们将其卖给在城市附近耕田的农民。早期人们对排泄物的普遍态度是必须把它们从居住地清走，同时也承认它们是很好的农业肥料。于是，有些排泄物被掩埋，正如《申命记》中摩西要求的那样；有些被掏粪工投入河流；不过更多的排泄物是被送至农田作为肥料，为农作物生长提供养分。1281 年，伦敦的十三个工人花了五个晚上的时间清理新门监狱的粪池，每个工人每晚可以挣到六便士，这是普通工人报酬的三倍。这个行业持续了好几个世纪。在 19 世纪 40 年代，农民付给夜香工人一车动物粪便的运输费普遍是两先令六便士，大约是普通工人一天的薪水。直到 1904 年，大枢纽运河公司（Grand Junction Canal Company）还把 45669 吨粪肥从伦敦中心的帕丁顿盆地运到了赫特福德郡。这种污水灌溉体系从 1750 年开始在爱丁堡的克莱根廷尼草场实施，庄稼长势很好。1885 年，苏格兰的一部地名词典不无得意地介绍，一块面积为 652 英亩（2.6 平方千米）的土地，每年可产生高达 5739 英镑的收益，因为其“利用污水进行定期灌溉已超过八十五年，每英亩耕地可以出产 50 吨至 70 吨牧草，以每英亩 44 英镑的价格卖给养牛的牧民”。这套污水灌溉系统直到 20 世纪仍在美国的乡村地区、欧洲中部，以及中国和日本沿用。虽然如今利用复杂的化学与生物工程完成污水处理，但处理污水的地方仍然经常被称为“污水处理场”（sewage farms），这一名称反映的不是污水

图 9 **薄伽丘《十日谈》法语版插图**，14 世纪。在画面中，一名年轻男子从横跨在两栋房屋之间的厕所中跌落，掉进下水道。

图 10 **老彼得·勃鲁盖尔《尼德兰箴言》局部**，1559 年。画面中建在河上的厕所对应了一句谚语：悬在水沟上的厕所——很明显。

图 11　隆尼沼泽，1680 年，英国肯特郡。英国国王亨利三世于 1252 年特许设立“隆尼沼泽领主”，负责“肯特这处脆弱之角”的排水和维护。

1680 年绘制的这张地图展示了完备的排水系统，成为其他低地修建排水系统的借鉴范本。

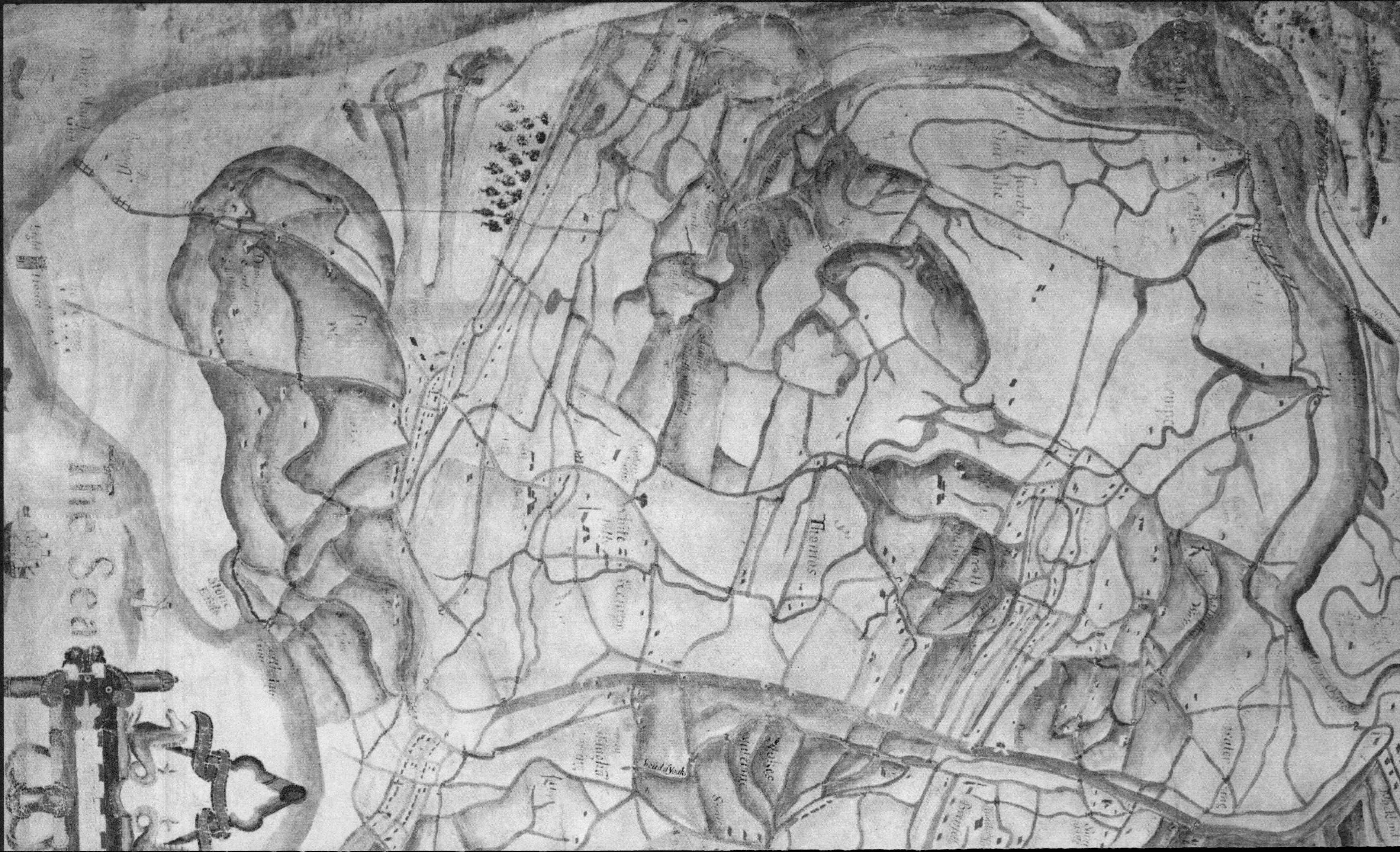

The description of Romney

Water

Watering

Walles

Bilsington Watering

East bridge Watering

The Sea

John Wigly
Nightman.
At the Black Bull opposite
Poland Street in Oxford Road,
LONDON.
Performs the above Business to the
Satisfaction of all Persons that employ
Him at Reasonable Rates.

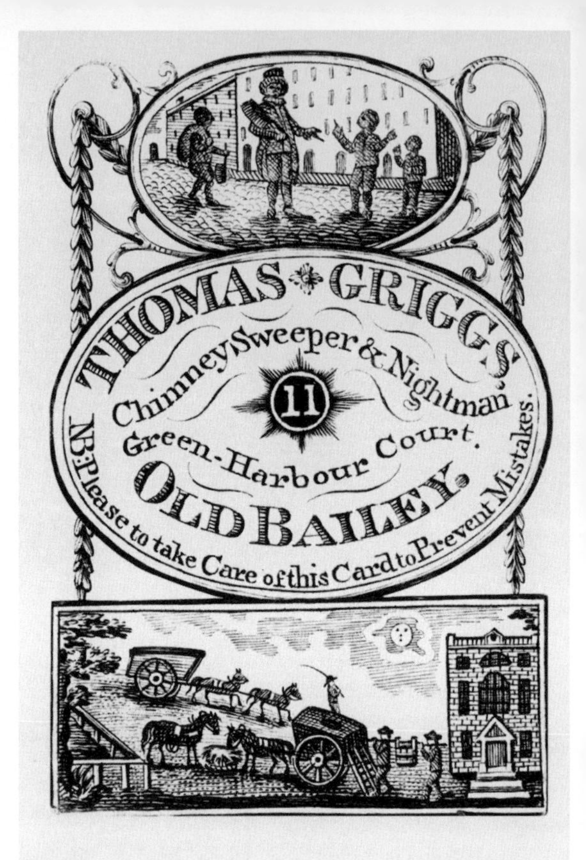
THOMAS GRIGGS
Chimney Sweeper & Nightman
11
Green-Harbour Court.
OLD BAILEY.
NB: Please to take Care of this Card to Prevent Mistakes.

Thos Tattenham,
CHIMNEY-SWEEPER,
in James Street, near Grosvenor Square.
(Successor to Mr. Chas. Price)
Extinguishes Chimnies when on Fire with the utmost Safety, cleans Coppers & Smoak Jacks, with expedition & decency.
NB. To prevent his Customers from being impos'd upon by vain pretenders, & impostors, his Shovels & Brushes will be mark'd with T.T. that his Friends may know where to apply if any thing is lost or done amiss.

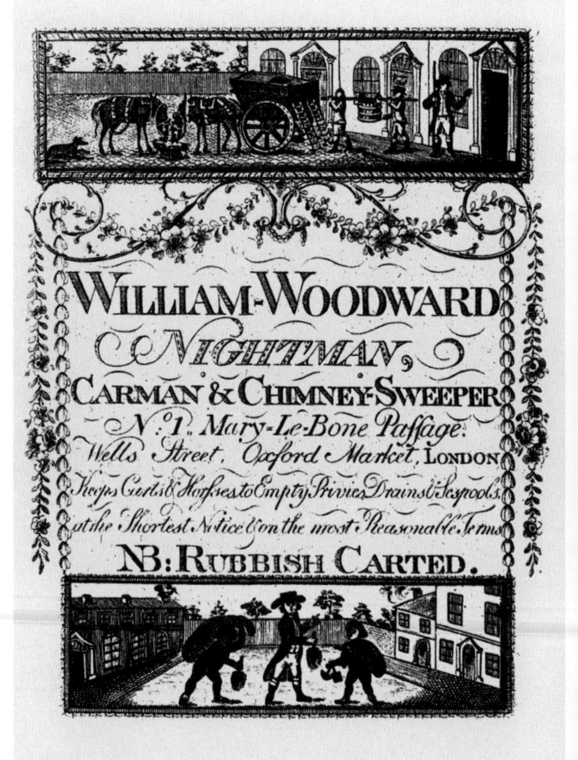
WILLIAM-WOODWARD
NIGHTMAN,
CARMAN & CHIMNEY-SWEEPER
No. 1, Mary-Le-Bone Passage:
Wells Street, Oxford Market, LONDON
Keeps Carts & Horses to Empty Privies Drains & Sesspools,
at the Shortest Notice & on the most Reasonable Terms
NB: RUBBISH CARTED.

处理的技术，而是其起源。英国女王伊丽莎白一世统治期间（1558—1603），人们发现了夜香工人的“商品”的其他用途——在 16 世纪晚期的英西海战中，人们从排泄物中提取硝酸钾，来制造女王舰队所需的火药。可以说，对于排泄物的回收处理在一定程度上帮助了弗朗西斯·德雷克爵士（Sir Francis Drake，在海战中击退西班牙无敌舰队）保卫英国。

未及时清理的化粪池，无论是对生活、健康还是舒适度，都会带来不利影响。神圣罗马帝国皇帝腓特烈一世（1155—1190 年在位），因长着红胡子而被人称为“红胡子”或“巴巴罗萨”（Barbarossa）。1184 年，腓特烈派儿子亨利六世召集贵族们到德国城市埃尔福特参加会议。根据后来的文献记载，“他出去上厕所时有几名贵族陪同，突然他们脚下的地板开始下陷。他立即抓住了窗边的铁栏杆，一直悬在上面，直到人们前来把他救下。而有几位贵族则不幸掉入粪池溺死”。同样，夜香工人的工作也是有危险的。据记载，1328 年伦敦有一个名叫理查德的夜香工人，在自己家上厕所时因厕所木板腐烂而掉入粪池，用现在的话说，“哀莫过于被自己的粪便淹死”。

对于这些因粪池构造简陋与维护不善而造成的危险，早在中世纪时期人们就已熟知。1189 年，伦敦的第一任市长亨利·菲兹阿尔文（Henry Fitzalwyn，约 1135—1212）便在建筑规范中要求“石制粪池至少要与附近的房屋相距 2.5 英尺，而其他材质（例如木制）的粪池则至少要与房屋相距 3.5 英尺”，以防止粪池泄露污染附近房屋。这样的要求并未完全奏效。1290 年，伦敦一群加尔默罗会修士向议会请愿，要求“解决难忍的臭气，以免干扰他们进行宗教活动”。据约翰·斯托（John Stowe）的《伦敦城志》（*Survey of London*）记载，1300 年，伦敦舍伯恩道（Sherbourne Lane）的伯恩甜溪（Sweetwater Bourne）臭气熏天，以至于人们将之戏称作“屎伯恩道”（Shiteburn Lane）。大约在菲兹阿尔文颁布建筑规范法令的同时，法兰西国王菲利普二世（1180—1223 年在位）正在主持一项下水道工程，即在巴黎砖石铺砌的街道中间修建敞开式下水道，也就是英国的“明沟”。1348 年，菲利普六世组织了巴黎第一批清扫街道的清洁工团队。1370 年，在巴黎市长于格·奥布日奥（Hugues Aubriot）的主持下，这些敞开式下水道被覆盖，变成地下的暗沟。在安特卫普，为了将露天的下水道改造为地下管道，政府允许居民将房屋扩建到下水道上方。

粪池不定期清理便会产生诸多问题，而最常见的就是邻里矛盾。1328 年，伦敦市民威廉·斯普罗特投诉他的邻居威廉与亚当·密尔，因为他们任由粪池溢出的污物流到自己家里，却坐视不管。1711 年，乔纳森·斯威夫特投诉说大雨导致下水道外溢，“肉摊的各种垃圾，动物粪便，内脏和血，被淹死的小狗，裹满淤泥的臭鱼，死猫和芜菁叶”都从街道上流过，令人作呕。

图 12—15 **招聘夜香工人的广告**，18 世纪至 19 世纪，英国伦敦。夜香工人的数量是烟囱清扫工的两倍。

图 16 ↓　**巴黎的埃蒂安大街（Rue Estienne）**，1862 年。在规划师奥斯曼改造前，巴黎的街道狭窄而肮脏，下水道设施仅有基本的粪池与受污染的水井。

图 17 ↓↓　**巴黎的费吉耶大街（Rue du Figuier）**，19 世纪 60 年代。水井旁的牌子上写着：“禁止在院中或蓄水池里冲洗。”

DÉFENSE

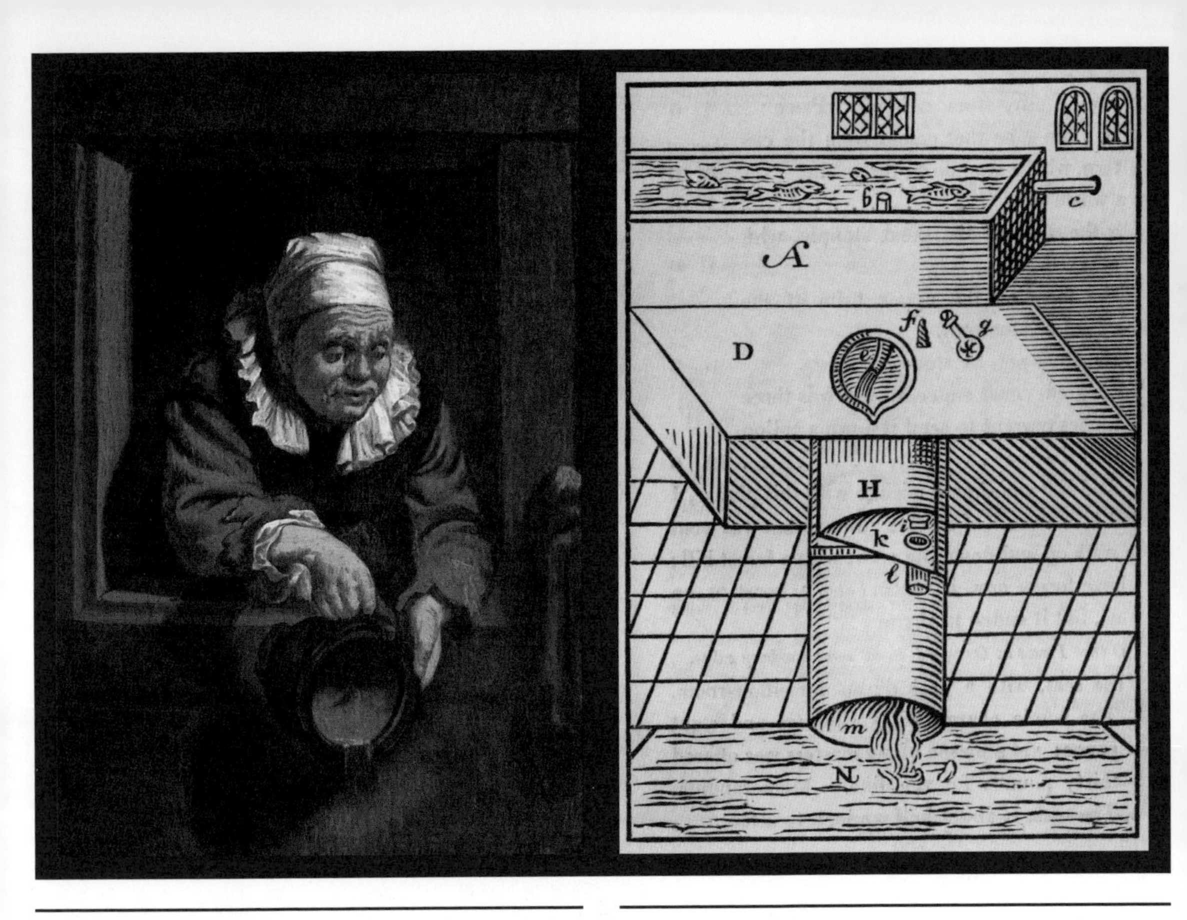

图 18 **正在倾倒夜壶的女人**，约 1670 年。注意头上！荷兰莱顿的一个妇女正在往街上倾倒夜壶，这是全欧洲通行的污水处置方法。

图 19 **约翰·哈灵顿爵士的抽水马桶设计图**，1596 年。他按照图中的设计做出了两个马桶，但是两个世纪后，这种厕所才真正被广泛使用。

除了人类粪便、马粪和马尿，无论是家庭垃圾还是食品店、肉铺、鱼贩与屠宰场制造的垃圾，都是棘手的问题。1307 年，伦敦史密斯菲尔德畜牧市场上的肉铺与皮革店的垃圾，造成了舰队河的污染。猪和鸡经常在大街上吃垃圾，而且会随时随地排便，这些粪便又和住户的排泄物混在一起，因为这些住户没有粪池，直接把夜壶里的污物倒在大街上。和古典时期一样，这些排泄物都堆积在明沟里或垃圾堆中，如果未被冲进河里，就要等着掏粪工定期清理。在爱德华三世统治时期（1327—1377），城市迅速发展，垃圾堆积成山，掏粪工来不及清理，以至人们无处投放。因此国王在 1357 年向伦敦的市长与警察致函如下：

> **当前沿着泰晤士河前行，可以看到粪便和其他脏东西在河岸及伦敦市的各处不断堆积，散发出废气，还有令人作呕的恶臭。鉴于此，我命令你们立即清理上述河流的两岸，以及这座城市各街道、小巷与郊区的粪便等垃圾，并妥善维护。**

伦敦的克勒肯维尔地区至今仍有一条街道名为“垃圾街”（Laystall Street）。

在爱德华三世之后的数个世纪里，人们尝试用各种措施来解决城市的污水问题，从任命专员、颁布法令到惩治违法行为，但都收效甚微；也实验过在污水中加入石灰和其他化学物质，以抑制或掩盖气味。而饮用水供给的日益完善，也为污水处理增加了压力，休·米德顿爵士（Sir Hugh Myddleton，1560—1631）在17世纪初主持修建的新河便是一例。该工程将清水从赫特福德郡的韦尔（Ware）引入伦敦，其第一批用户中就有诗人约翰·弥尔顿（John Milton）的父亲。如今，输送饮用水的木制管道已经换成了现代材料，新河仍在为伦敦提供着水源。同时，在污水处理方面的诸多技术革新也使当权者认识到，若要城市安全宜居，就很有必要投入大量公共开支。

1596年，伊丽莎白一世宫中一位原本默默无闻的廷臣约翰·哈灵顿爵士（Sir John Harington，1560—1612）出版了一本书，书名为《埃阿斯变形记：下水道女神的讽刺》（*The Meta-morphosis of Ajax: A Cloacinean Satire*）。他在书中介绍了自己发明的抽水马桶，马桶的冲水装置能冲走粪便、尿液，并掩盖恶臭。他在自己位于萨默塞特郡巴斯市附近的凯尔斯顿（Kelston）的家中安装了一个抽水马桶，还在他的教母伊丽莎白一世女王的一处住所里士满宫中也安装了一个。通过他的发明或许可以看出，在当时，即便是显贵人家的居住条件都十分糟糕。每次在女王造访前，哈德威克的贝丝（Beth of Hardwick，1527—1608）都会叫仆人们打扫她的两处豪宅——查茨沃斯庄园与哈德威克庄园——仔细清理各个角落、餐柜和其他任何可能有排泄物的地方。哈灵顿爵士当时造出的两个抽水马桶（连同它们效劳过的房屋本身）都未能保存至今。在此后的两个世纪里，哈灵顿的伟大发明一直被人遗忘，直到19世纪才被重新发现，但这一疏忽已经为公共卫生带来了极为恶劣的后果。

图20　**伊斯灵顿的河边小屋**，英国伦敦。从1613年起，新河将赫特福德郡韦尔的水送至伦敦的伊斯灵顿。

图21　**伊斯灵顿的新河**，英国伦敦。新河的终点，又名“新河之头”，在伊斯灵顿的萨德勒之井（Sadler's Wells）附近。新河至今仍服务着伦敦供水环线。

图 22　**爱丁堡之“花”**，1781 年，英国。

这张版画描绘了一个爱丁堡主妇从二楼泼下一桶污水，正好浇到楼下的男子身上。

图 23 **《厕所中的纠纷》**，1801 年，查尔斯·威廉姆斯（Charles Williams）。

图 24 **《国民厕所》**，1796 年，詹姆斯·吉尔瑞（James Gillray）。

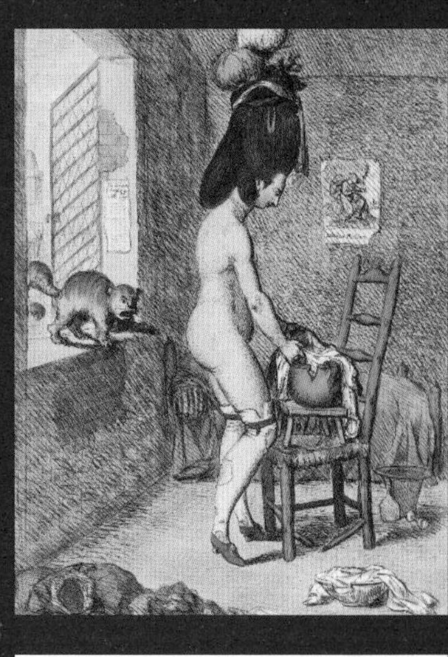

图 25 **《妓女的最后一班岗》**，1779 年，詹姆斯·吉尔瑞。

图 26 **《厕所中的苏格兰佬》**，1745 年，查尔斯·莫斯里（Charles Mosley）。

图 27 **《不雅之事》**，1799 年，艾萨克·克鲁克香克（Isaac Cruickshank）。

图 28 **《国民厕所》**，1796 年，詹姆斯·吉尔瑞。

图 29 **《国民厕所》**，1796 年，詹姆斯·吉尔瑞。

图 30 **《国民厕所》**，1796 年，詹姆斯·吉尔瑞。

图 31 **《厕所里的苏格兰佬》**，1779 年，詹姆斯·吉尔瑞。

SUBTERRANEAN INFRASTRUCTURES

STEAM-DRIVEN PUMPS
DAMS AND RESERVOIRS

蒸汽水泵
水坝与蓄水池

EGG-SHAPED SEWER
PUMPING STATION

蛋形下水道
水泵站

COLLECTOR SEWER
SEWER TOURISM

集成式下水道
下水道旅游业

第2章

BRICK TUNNELLING
OUTFALL SEWERS

地下的基础设施

[I. THE CLEANSING OF PARIS] → 巴黎的清理工程

[II. LONDON & THE GREAT STINK] → 伦敦与“大恶臭”

[III. WORLDWIDE ADAPTATIONS] → 世界各地的改进

[IV. RAISING STREETS] → 抬高街道

CHARLES RIVER
BOSTON COMMON
SOUTH BAY
PROPOSED MET. HIGH LEVEL PUMPING STA.
21 Sq.M.
13 Sq.M.
JAMAICA POND
EGLESTON SQUARE
UPHAMS CORNER
SAVIN HILL
MEETING HOUSE HILL
GLOVERS CORNER
GROVE HALL
FRANKLIN PARK
MOUNT BOWDOIN
HARRISON SQUARE
FIELDS CORNER
COMMERCIAL POINT
FOREST HILLS CEMETERY
FRANKLIN FIELD
DORCHESTER
PUMPING STA.
PETERS HILL
ROSLINDALE
CLARENDON HILLS
LOWER MILLS
MATTAPAN
BELLEVUE

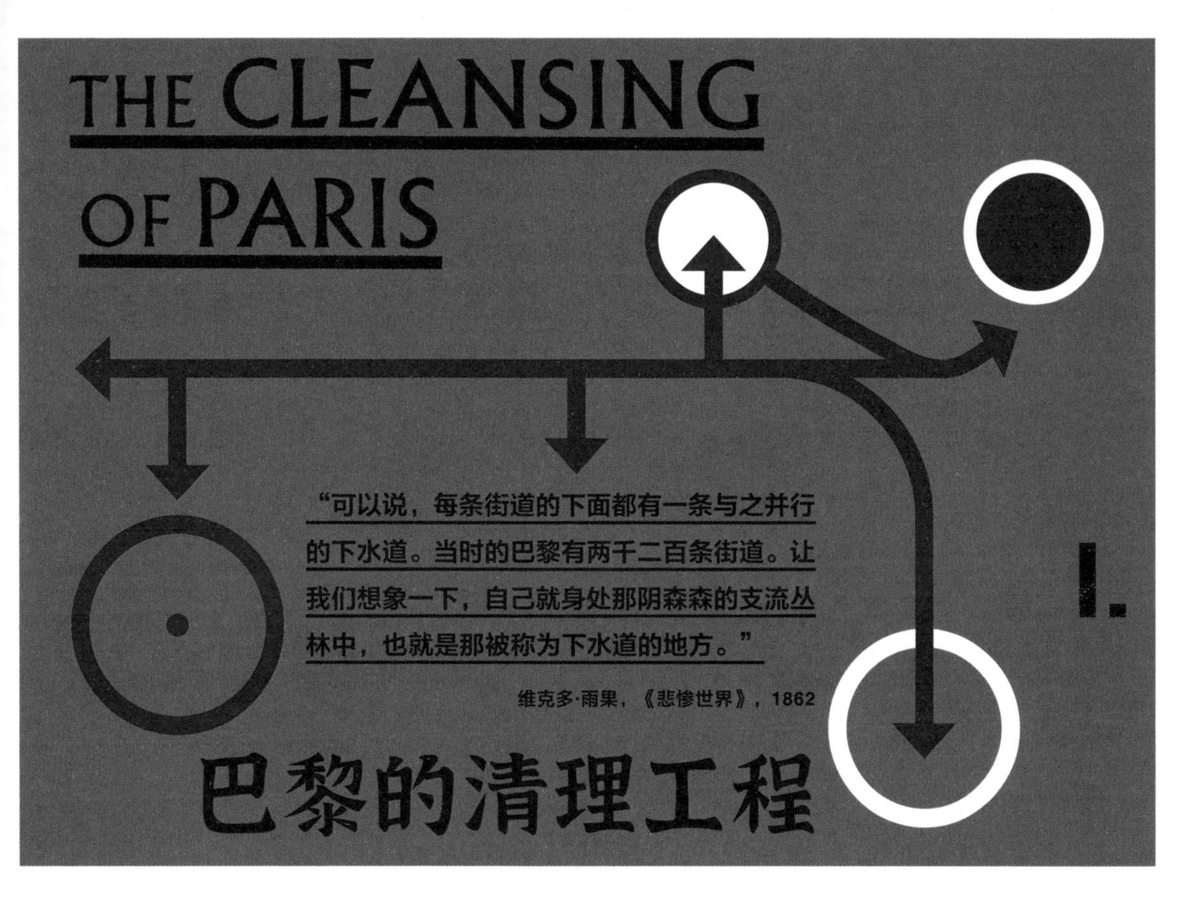

THE CLEANSING OF PARIS
“可以说，每条街道的下面都有一条与之并行的下水道。当时的巴黎有两千二百条街道。让我们想象一下，自己就身处那阴森森的支流丛林中，也就是那被称为下水道的地方。”
维克多·雨果，《悲惨世界》，1862
I.
巴黎的清理工程

巴黎的下水道在法国历史与文学作品中都声名狼藉。1791 年，雅各宾派革命者让–保尔 · 马拉（Jean-Paul Marat）为逃避敌人的追捕，曾藏身于下水道中。也许是因为这一经历，他才染上皮肤病，抑或是让他原本就有的皮肤病加重。他不得不花大量的时间泡药浴，最终被夏洛蒂 · 科黛（Charlotte Corday）杀死在浴缸里。后来，新古典主义画家雅克–路易 · 大卫（Jacques-Louis David）以此为主题创作出名画《马拉之死》。维克多 · 雨果的长篇小说《悲惨世界》问世于 1862 年，小说以 1815 年至 1832 年为时代背景，主人公冉阿让与他受伤的朋友马吕斯也正是通过下水道才摆脱了邪恶的警务督察沙威的追捕。人们对下水道的清理往往只是偶一为之，大多依赖雨水冲刷，或是靠下水道清洁工使用硬木板刷清理。这种木板刷的杆身长 2 米，一端带有与杆身垂直的木板，用于清理淤积的污物。巴黎下水道实在是恶名昭著，乃至拿破仑 · 波拿巴的侄子路易 · 拿破仑 · 波拿巴（即拿破仑三世）下令，将治理下水道纳入对法国首都的改造计划中，让雨果小说中描述的贫民阶层摆脱悲惨的处境——他们不得不生活在臭气熏天的下水道中，以至于在 1825 年至 1852 年间共发起了九次起义。路易镇压了 1852 年的那场无产阶级起义，后来成为皇帝拿破仑三世。

第 49 页　**美国波士顿的排水系统**，1902 年。图中的红线展示了市区南部排水系统与主排水系统相互连接的下水道。

图 1 ←　**法国巴黎里沃利大街的下水道**，1893 年。里沃利大街下方的主下水道，其两侧筑起独特的走道，供工人通行。

1789年至1889年巴黎的改造工事：下水道发展一世纪

图2　巴黎下水道系统，1789年。

图2–3　1789年巴黎下水道地图（图2）与供水系统地图（图3），均是奥斯曼实施改造工程前的地图。

图3　巴黎供水系统，1789年。

图4　巴黎水利系统，1854年。

图4–5　巴黎水利系统地图（图4）与下水道系统地图（图5）显示，奥斯曼的工程已具雏形。

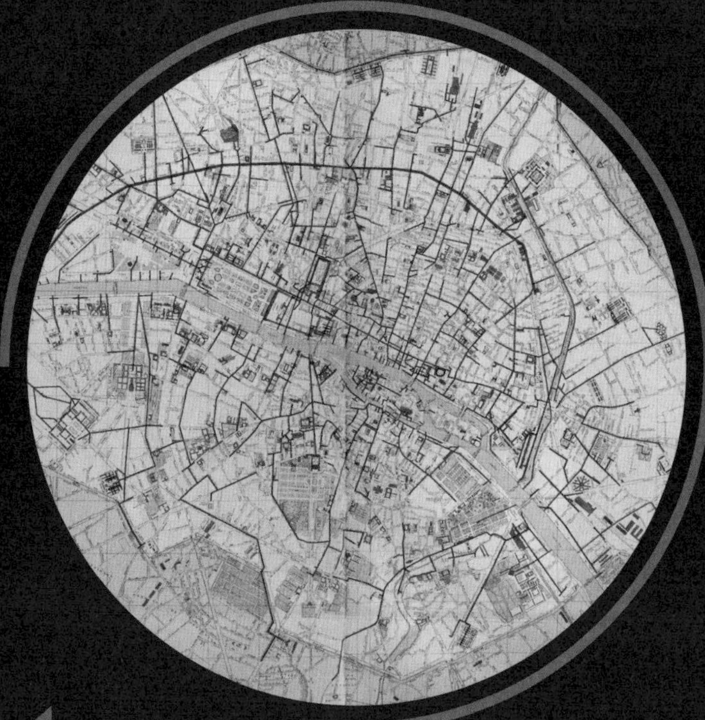

图5　巴黎下水道系统，1854年。

图 6　巴黎下水道系统，1878 年。

图 6–7　至 1878 年，由于奥斯曼工程的实施，巴黎的下水道网络（图 6）与水利系统（图 7）变得更为密集。

图 7　巴黎水利系统，1878 年。

图 8　巴黎水利系统，1889 年。

图 8–9　至 1889 年，随着巴黎人口的不断增长，下水道与水利系统也相应扩建。

图 9　巴黎下水道系统，1889 年。

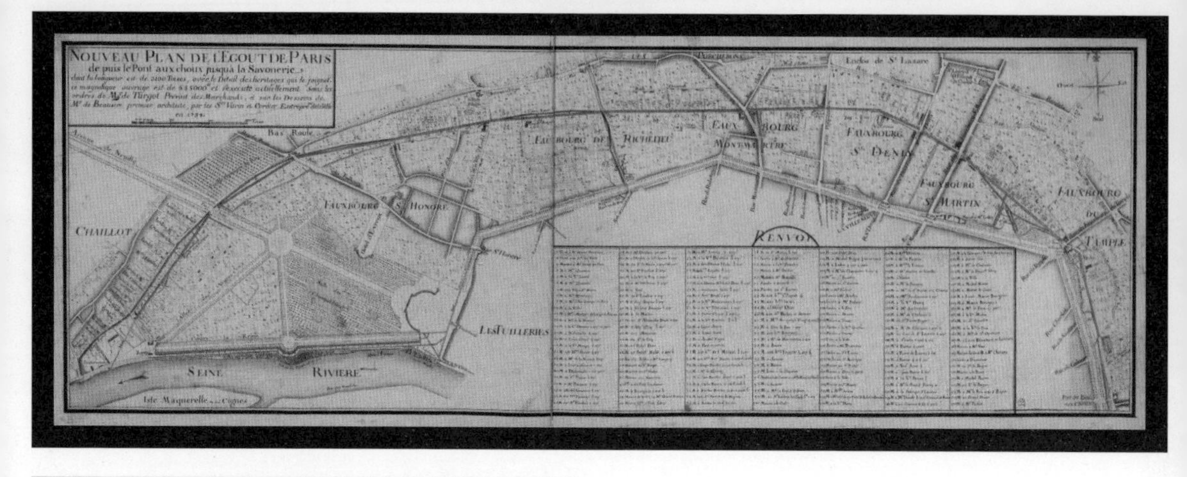

图 10 **巴黎下水道系统的新平面图**，1738 年。该系统由 1684 年至 1740 年间负责巴黎公共工程的让·博西（Jean Beausire）设计。他同样以设计喷泉闻名，设计的几座喷泉至今仍在使用。

1848 年 12 月，在第八场起义之后，路易当选法兰西第二共和国的总统，承诺将为所有百姓带来安稳、正义与繁荣。这位新总统注意到了市民心中潜伏着的暴乱倾向，决定实施重建首都巴黎的宏伟计划，以防反动者利用狭窄的街道和恶臭的贫民窟设置路障，或催生人民的不满情绪。为了这项改造计划，路易说服了法国人赋予他一些近乎独裁的权力，只有这样，他才能维护巴黎和平，才能部署巴黎改造工作。

路易早年曾遭受流放，在英格兰居住过一段时间，对伦敦的公园及建筑师约翰·纳什（John Nash，1752—1835）设计的大道十分欣赏，比如摄政街。路易将改造巴黎视为自己宏伟计划的一部分，想借此来维护和巩固自己的统治。一旦改造完成，狭窄的街巷将被宽阔的大街取代，便于部署炮兵与骑兵；纯净的水将从远处的泉眼引来，替代城市中用于排污的塞纳河的河水；街道下面巨大的下水道体系一旦建成，将会把污水排到河水下游地区，不再对百姓健康造成威胁。更重要的是，那些对政府怨声最高的失业人群，会成为城市改造工事的劳动力。巴黎改造确实收效卓著。英国的公共卫生改革家埃德温·查德威克在访问巴黎时，曾向招待他的拿破仑三世汇报，称这座城市“地面的街道一尘不染，地下的污水排放井然有序”，随即又补充道：“奥古斯都曾说，他接手的是一个砖砌的罗马，留下的却是一座大理石造的城市。这样说来，您接手的是一个恶臭的巴黎，留下的却是一个芬芳的城市。”

为了实现自己的宏图伟志，拿破仑三世需要一个有才干的公职人员来执行改造计划，他找到了时任波尔多地方长官的乔治–欧仁·奥斯曼。其实，拿破仑三世在一次前往波尔多开展竞选运动时，就已经注意到了奥斯曼。他让内政部长维克多·德·佩尔西（Victor de Persigny）面见了奥斯曼，德·佩尔西这样记述了他对奥斯曼的印象：

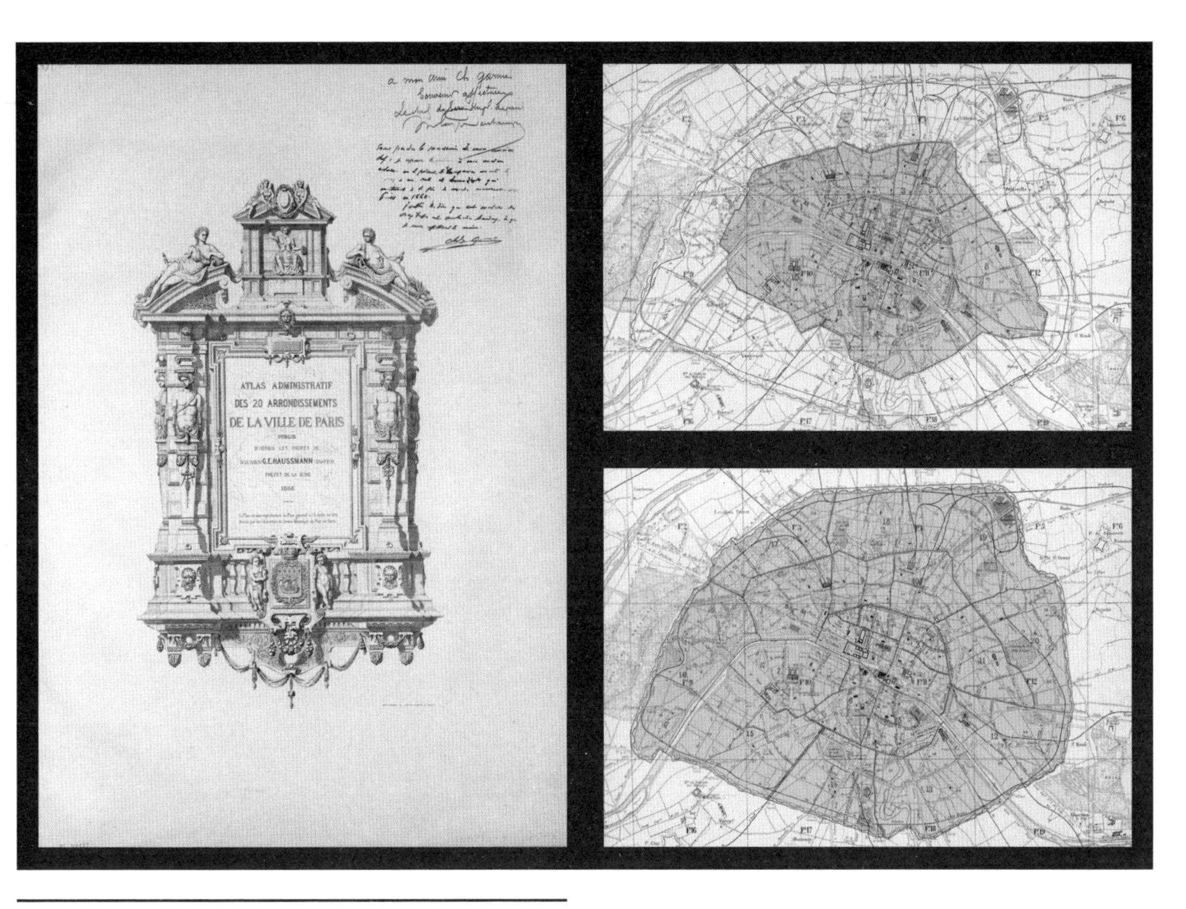

图 11—13　奥斯曼委托绘制的巴黎行政地图册的扉页与地图，1868 年。拿破仑三世决定通过合并十一个市镇以扩大巴黎的范围，并授权奥斯曼负责改造，从这张地图可以看出该决策带来的影响。

奥斯曼先生是最令我印象深刻的人。在我面前的这位无疑是当今最才华横溢的人，他高大健壮、精力充沛，同时又聪明狡黠、足智多谋。我和他讲了改造巴黎的计划，并且邀请他负责此事。

这本是一次仅凭直觉的选择，但两米多高的奥斯曼不仅有能力胜任这份工作，而且符合拿破仑三世的要求，在 1853 年至 1870 年间实现了皇帝的愿景。曾经只有一两米宽的小巷被扩建为 20 米至 40 米宽的大道，许多大道以凯旋门广场、巴士底广场等大型广场为中心向外辐射延伸。这些宽阔的街道与多座火车站连通，因此巴黎能够迅速从外地调入军队来镇压暴乱。总长 418 千米的崭新宽阔的大道，由此取代了曾经的窄街陋巷。一些批评者称，巴尔扎克与雨果笔下的那个巴黎消失无踪了。随着奥斯曼计划持续强硬的推进，1867 年，历史学家里昂 · 阿莱维（Léon Halévy）恳求道："20 世纪还没到呢，让我们给那时候的人留点事情做吧。"不过，只要有拿破仑三世的支持，奥斯曼就强大到足以与这些声音抗衡。

图 14　巴黎水文与地质地图，1856 年。

奥斯曼的这幅地图显示了工程师铺设供水管与下水道时，必须穿越的地层和已有的水道。

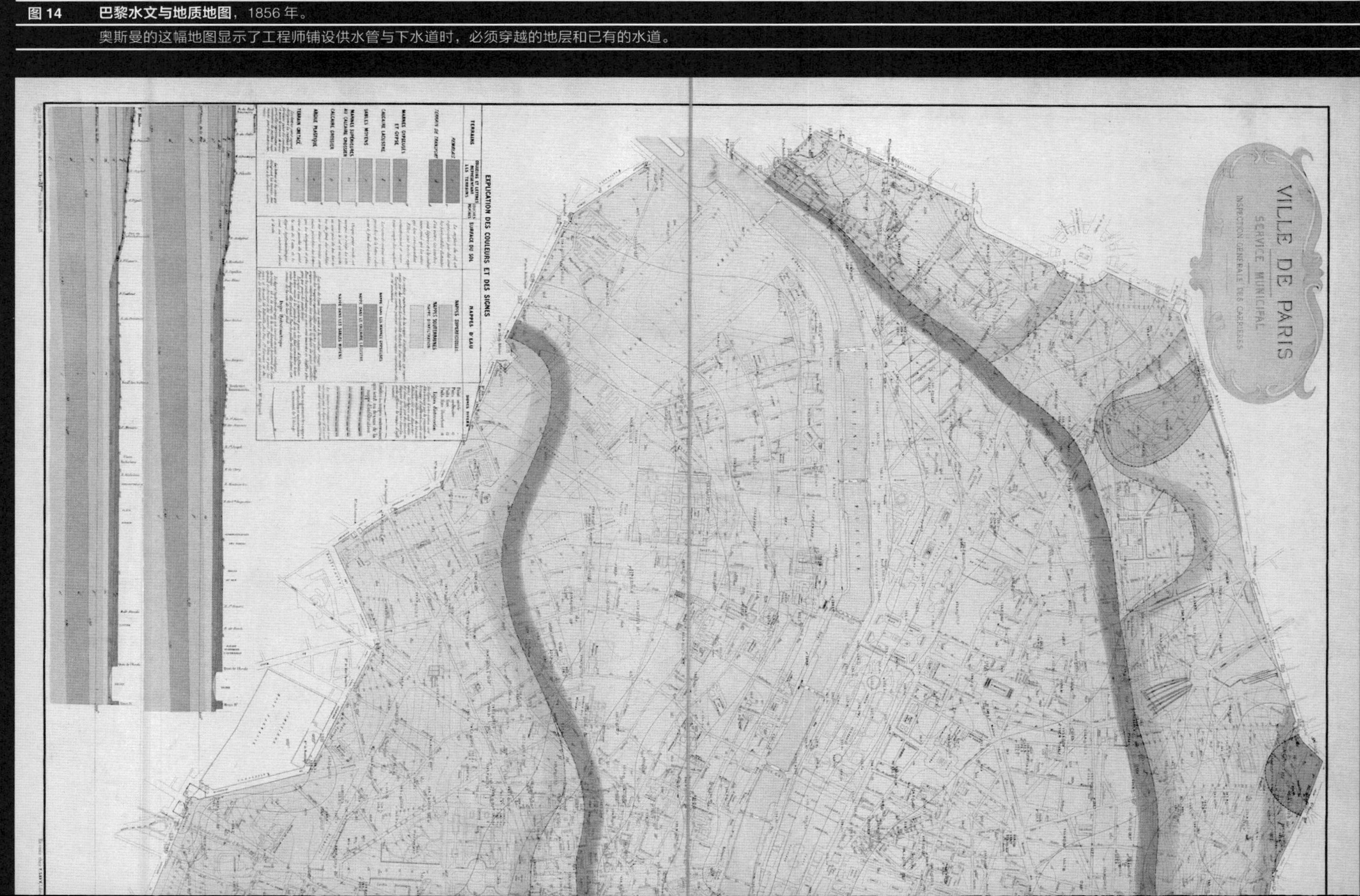

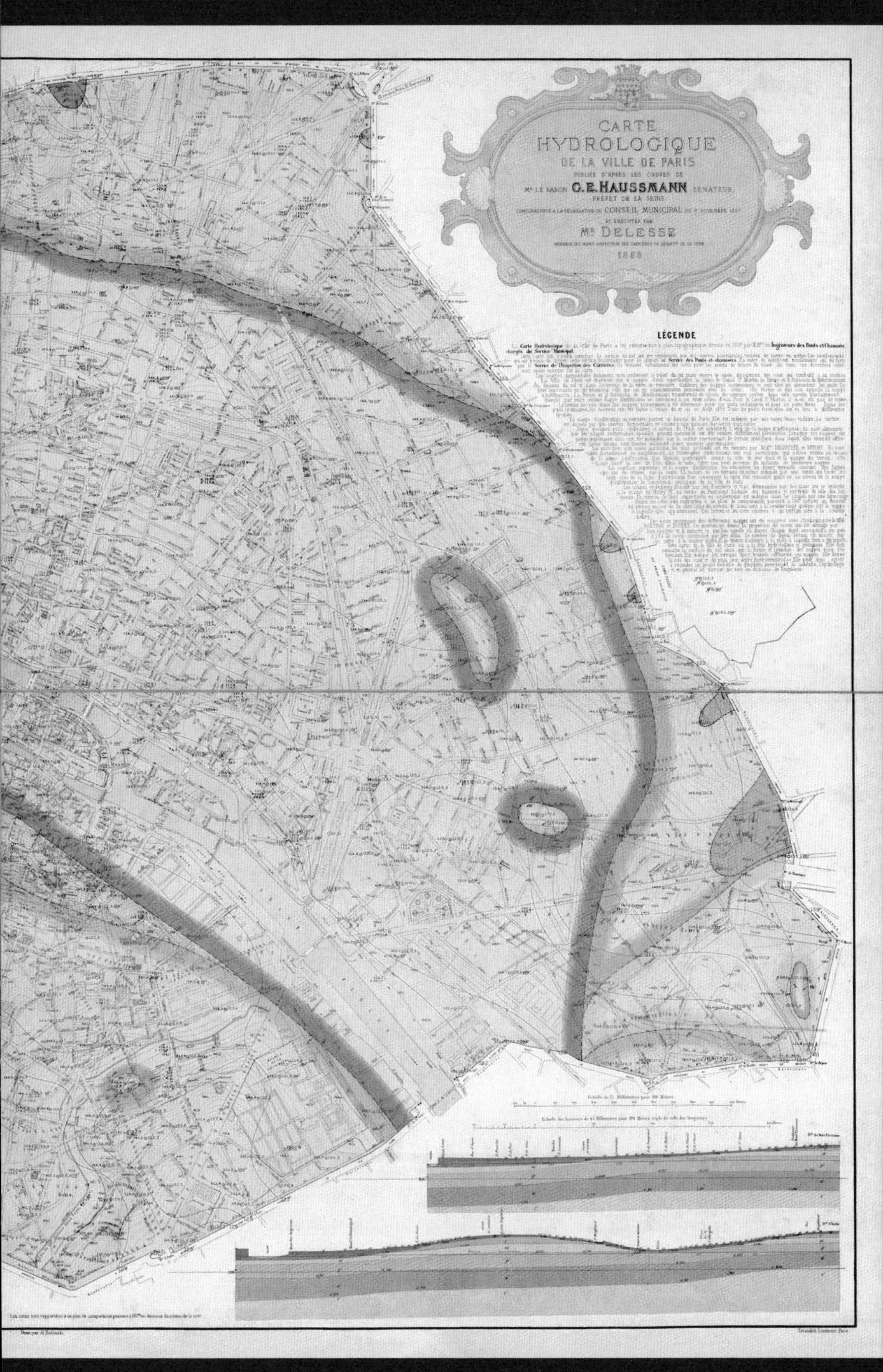
CARTE
HYDROLOGIQUE
DE LA VILLE DE PARIS
PUBLIÉE D'APRÈS LES ORDRES DE
Mr LE BARON G.E.HAUSSMANN SÉNATEUR,
PRÉFET DE LA SEINE
CONSEIL MUNICIPAL
ET EXÉCUTÉE PAR
Mr DELESSE
LÉGENDE

在执行法兰西皇帝雄心勃勃的计划前，奥斯曼需要一位专攻技术的工程师。1855 年建完一套“下水道与供水系统”后，奥斯曼挑选了欧仁·贝尔格朗（Eugène Belgrand，1810—1878）做技术工程师。贝尔格朗先后毕业于久负盛名的巴黎综合理工学院与国立桥路学校，他在修建勃艮第地区阿维隆市的供水工事中展现出了丰富的地质学与水利管理知识，给奥斯曼留下了深刻的印象。奥斯曼与他进行了面谈，面谈记录中写道：“当我发现这个高大秃顶、貌似农民、毫无超群智慧迹象的人，竟然是一位卓越的地质学家与水文学家时，感到十分惊讶。”贝尔格朗在水利管理方面的知识不可或缺，因为奥斯曼工程初期阶段的重点便是改进巴黎的供水体系。当时，巴黎人口急速增长，142 千米长的下水道把大部分污物都排入了塞纳河，可人们的饮用水源仍主要来自塞纳河。排入下水道的污物主要是街道上的垃圾，以及马粪和马尿，人的粪便则由一批批掏粪工晚上收集，再送至农场或臭气熏天的垃圾场。

18 世纪晚期出现了一种新观点，即废物，包括污水，都可以创造财富。这个观点来自这样一个事实：污水有成为上佳肥料的潜力，能令土地增产。起初，这一观点的许多支持者提出了各种方法，来实现“污水炼金”。法国小说家尼古拉–埃德姆·雷蒂夫（Nicolas-Edme Restif，1734—1806）建议巴黎人与其将污水排到塞纳河里，不如将其卖给农民，所得款项可以用于支持城市街道的清扫工作。哲学家皮埃尔·勒鲁（Pierre Leroux，1797—1871）的“循环理论”则指出，回收利用人类粪便能够提高土壤肥力，令土地的产能轻松跟上人口增长的步伐。他还建议，“每个人都应该虔诚地收集好自己的粪便，以缴税的形式上交国家，即收税人”。维克多·雨果曾和勒鲁一同在海峡群岛流放，他在拜访勒鲁后也成为循环理论的支持者，甚至在《悲惨世界》中表达了对这一理论的坚定支持。当提及巴黎人将废物排至塞纳河时，雨果写道，“巴黎每年都让两千五百万法郎付之东流，这绝不只是个比方。我们自认为是在清洁城市，实则是在削弱人民的财力”，那些被丢弃的财富“如果用在提升社会福利或造福人民的事情上，会令巴黎的光彩翻倍。巴黎的盛宴，她的挥金如土，她的恢宏气势，她的穷奢极侈，她的富丽堂皇，全在她的下水道中展示出来。”德国化学家尤斯图斯·冯·李比希（Justus von Liebig）继续为“污水炼金”观点添砖加瓦，他发现钾等矿物质能促进植物生长，因而提出将污水倒入河流和海洋中的行为是对珍贵肥料的巨大浪费。英格兰牧师亨利·莫尔（Henry Moule）将李比希的理论付诸实践，于 19 世纪 50 年代设计了一个“干土厕”，即用一个装有土的容器（如水桶）收集粪便和尿液，每次在人排泄后，就在排泄物上盖一层土，一直重复至容器被装满，再将容器内的排泄物倾倒至自家的花园里用作肥料，而且成效卓著。

就在这个时期，人们普遍认为霍乱是由污染产生的“瘴气”导致的。虽然这一理解有误（水源才是元凶），但人们开始意识到，像塞纳河这样严重污染的水源至少不适合饮用。

图 15　**《朗布托街的化粪池清洁工与抽水机》**，法国摄影师布拉塞摄，1931 年，法国巴黎。清洁工正在抽取巴黎市中心一处化粪池中的污物。

图 16—18 **巴黎下水道系统的发展**，20 世纪 20 年代。随着巴黎城市的扩张，其下水道系统也需要扩建，图为增建的蛋形下水道。

> **他幻想着巴黎所有的下水道泄水闸门都被打开，那些富含养分的人类排泄物奔涌而出……这座伟大城市的生机来自土地，现在要以这种方式帮助土地恢复生机。**
>
> 埃弥尔·左拉，《土地》，1887

贝尔格朗修建了一系列引水渠与导水管，将饮用水从巴黎东部马恩河的支流迪伊斯河（Dhuis River）和东南部的瓦恩河引至巴黎。为了节约饮用水，街道清理使用的仍是塞纳河的污水。直至如今，在巴黎及法国其他地区还经常可以看到“饮用水”与“非饮用水”这样的表达。在改进了供水体系之后，贝尔格朗将注意力转向了巴黎臭名昭著的下水道系统。为了应对供水改善后排水量的上升，他将下水道的总长度增加到 800 千米左右，是原来长度的四倍。另外，贝尔格朗修建的下水道可不像当年马拉藏身的通道那样狭窄。在较窄的街道下面，贝尔格朗颇具创新地把下水道设计成蛋形，以更好地集中水流，从而能够在水量较小时加快水的流速。这种下水道有 2.3 米高、1.3 米宽，足够工作人员舒适地站在里面清理淤堵，完成修缮工作。不过，贝尔格朗的成

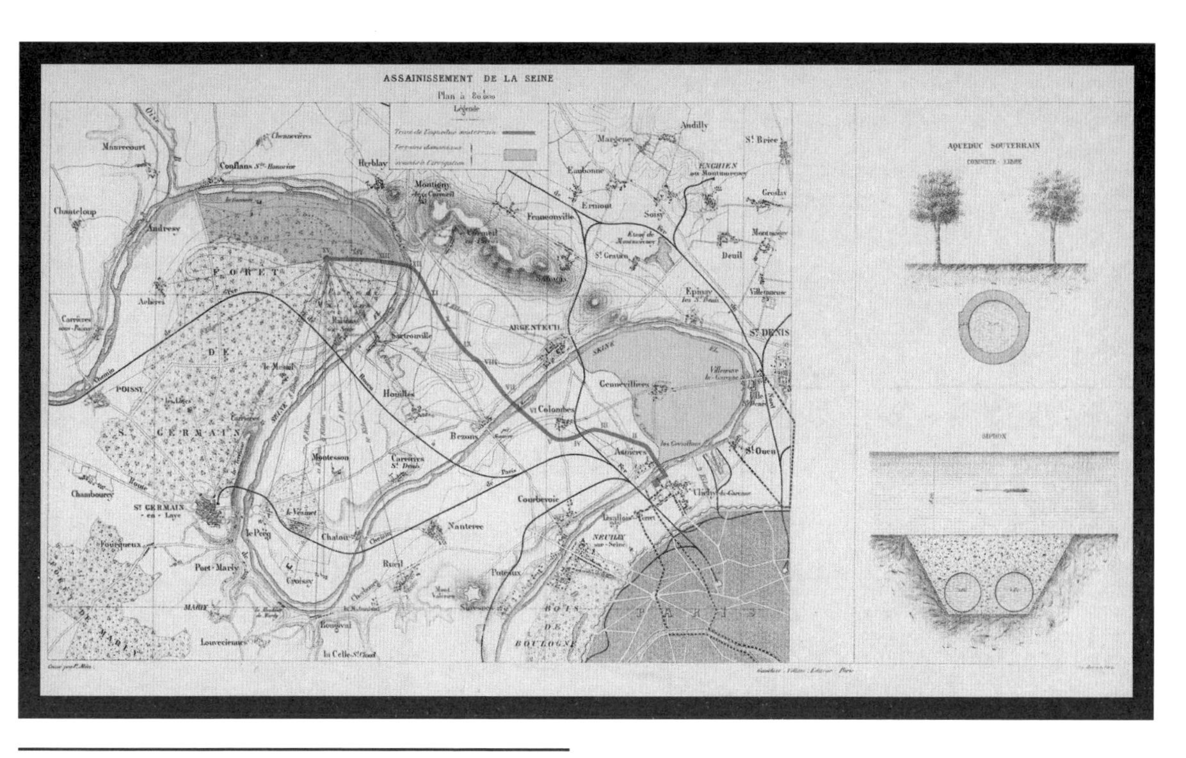

图 19 **巴黎塞纳河的下水道体系**。污水被排至距巴黎市中心 8 千米的阿涅勒，这里现在是一座污水处理厂。

名主要得益于他设计的巨型“集成式”下水道，这种下水道将各条街道下水道中的污水汇集在一起，传输至市区外不远的阿涅勒（Asnières），在那里排入塞纳河中。在此设计中，他利用了塞纳河的一处弯道，使得下水道接入塞纳河下游的出水口距巴黎市中心仅 8 千米。此外，因为流经巴黎的塞纳河不受潮汐影响，河水能够快速将污水排至下游。

奥斯曼曾豪壮地描述这些下水道的规模与性质：“地下的下水道是这座伟大城市的内脏，其功能和人体的内脏相似……分泌物需要隐秘地排出，要在丝毫不打扰城市运行、不减损城市优美的同时，维护城市的公共卫生。”巴黎的下水道干线共有十一条，总长 64.3 千米，其中最大的一条是通往阿涅勒出水口的那条，于 1859 年竣工，逾 5 千米长、4.3 米高、5.5 米宽，仅下水道底部的狭窄通道就有 3.5 米宽、1.35 米深。该下水道的排污量超过了同一时期约瑟夫·巴扎尔盖特在伦敦修建的下水道的四倍，但伦敦可比巴黎大多了。巴黎塞纳河左岸下水道收集到的污水被虹吸管吸出并转移至右岸，与右岸的污水一起排至阿涅勒出水口。虹吸管位于阿尔玛桥附近，由两条长 150 米的密闭铁管组成。投放使用时，人们把铁块绑在铁管上，令其沉入塞纳河里，为此塞纳河停止通航一周。这一举措没有多少人赞同，但是皇帝仍然运用威权促成了此事。在伦敦，如果想完成这一举措简直不可能，约瑟夫·巴扎尔盖特必须先说服铁嘴钢牙的下议员与地方议员。

图 20　巴黎下水道的巷道，法国摄影师纳达尔摄，19 世纪 60 年代。

巴黎的一处集成式下水道，其标志性特点是：两侧为宽敞的走道，中间为排水渠。

TYPES DE (

TYPE N° 2

GALERIE DU BOULEVARD SÉBASTOPOL

Renfermant deux conduites d'eau une de 1m 10 pour l'eau de Source et une autre de 0m 80 d'eau d'Ourcq... Décharge du collecteur des coteaux

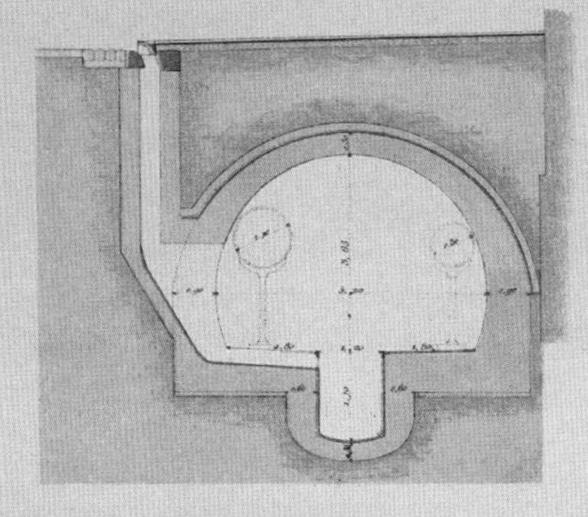

COLLECTEUR GÉNÉRAL, conduisa

PARTIE CONSTRUITE EN TRANCHÉE

Agencement d'un regard pour descendre dans la galerie

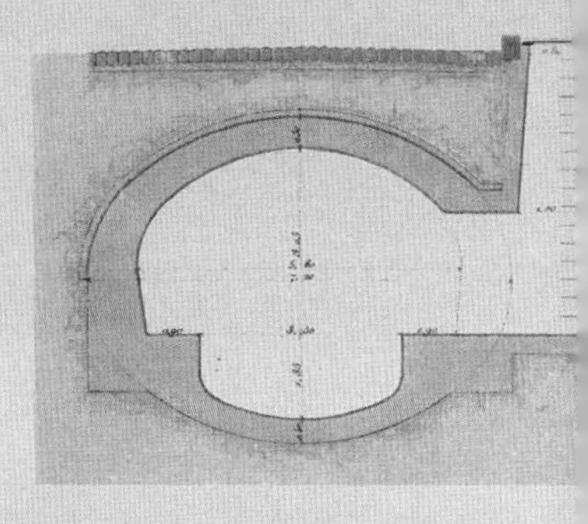

TYPE N° 7

GALERIE de la rue de Rivoli

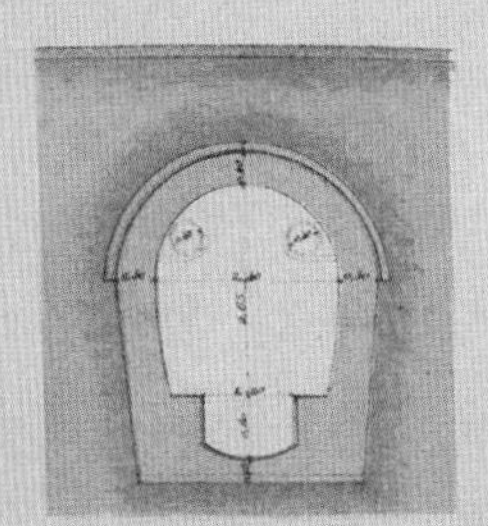

TYPE N° 5

COLLECTEURS du quai de Gèvres des coteaux entre les Bds de Strasbourg et Malesherbes, Avenues Bosquet et Duquesne, de la Villette et de la Plaine St Denis, etc

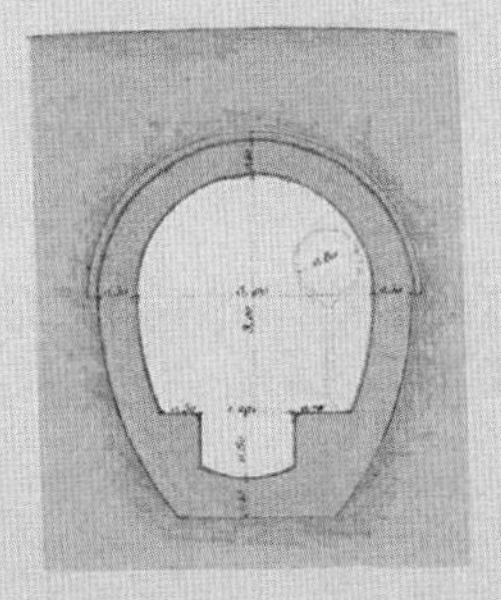

GAL

TYPE N° 9

GALERIE des Bards du Temple et Beaumarchas, de la R. de Rambuteau et d'une partie des Bards extérieurs.

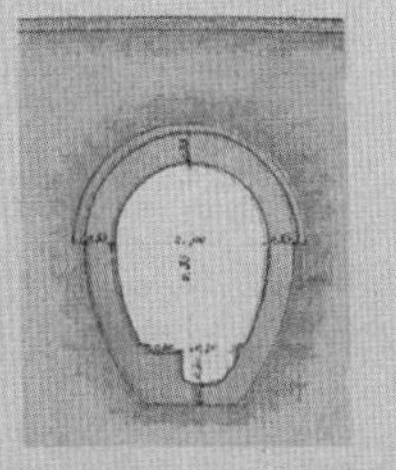

TYPE N° 10

GALERIE destinée à recevoir deux conduites d'eau de 0m 60 et de 0m 20 de diamt

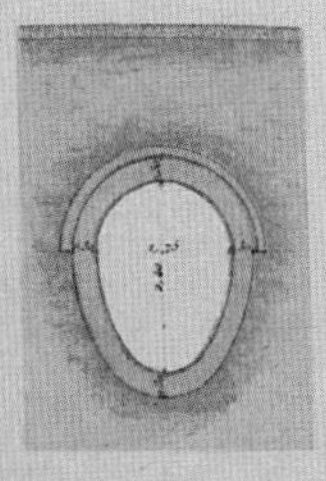

TYPE N° 13

EGOUT des voies de moyenne importance

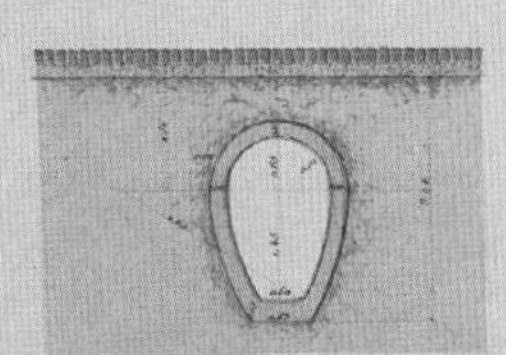

BRANCHEMENT DE REGARD D'EGOUT

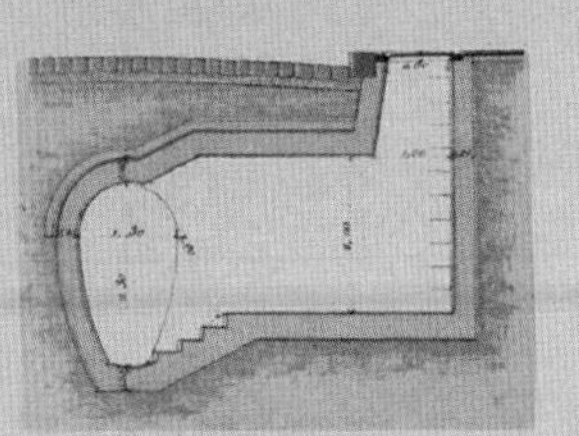

COLLECTEURS dont le curage s'effectue au moyen de bateaux vannes ....
EGOUTS à rails dont le curage se fait au moyen de wagons vannes ....
Autres EGOUTS dont la force et l'espacement des traits varient suivant l'importanc
Dimensions des EGOUTS anciens indiquées au moyen d'une fraction dont le nu
Regards d'Egout placés sur l'axe de la galerie ....
Regards d'Egout avec branchement sur le coté de la galerie ....
Bouches d'Egout ou Entrées d'eau ....
Les Cotes bleues indiquent les altitudes du sol des rues, des trappes de regard
Les Cotes rouges donnent les altitudes des radiers des Egouts ....
Les maçonneries des types de 1 à 11 sont diminuées d'un tiers dans leur épaisse
lorsque le mortier de ciment est employé

Gravé chez Avril frères et Wuhrer, 52, r. Gay-Lussac.

图 21　**巴黎下水道巷道的类型**，1875 年。

下水道依据排污量来选择巷道类型。蛋形下水道内的两侧增修了走道，便于大清沙船与小清沙车顺着中间的排水渠行驶。

RIES D'ÉGOUTS.

N° 1

uts de Paris de la Place de la Concorde au Pont d'Asnières

PARTIE CONSTRUITE EN SOUTERRAIN

Agencement d'une chambre de sauvetage et du puits de service

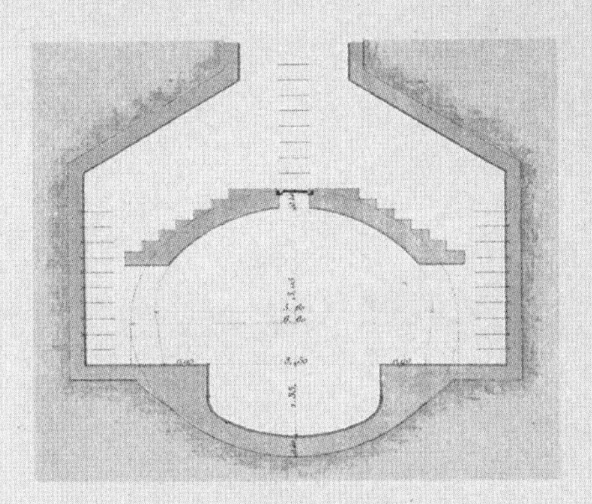

TYPE N° 3

COLLECTEURS de la Bièvre, des quais de la rive droite entre la place du Châtelet et celle de la Concorde

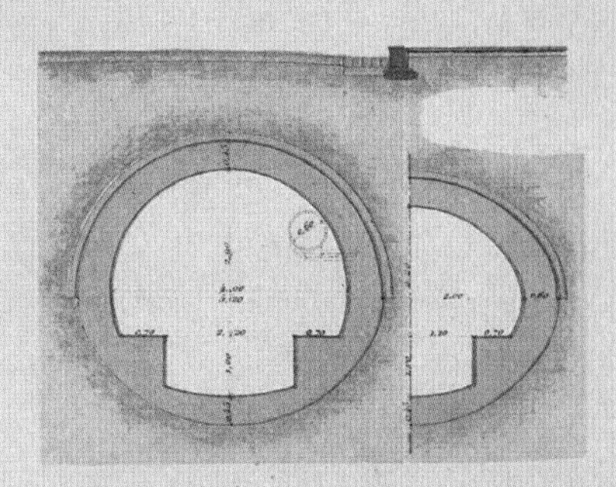

N° 4

St Michel au dessous St Germain

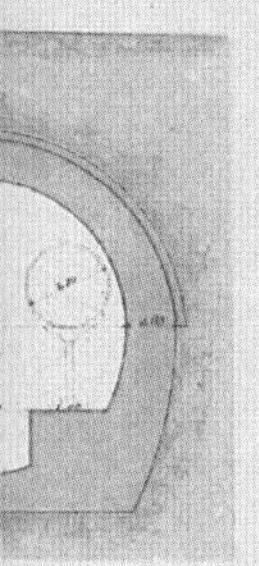

TYPE N° 6

1. COLLECTEURS des coteaux jusqu'au B^ard de Strasbourg, des Ternes des Quais, jusqu'au B^ard de Sébastopol, de la rue N^ve des P^tits Champs

2. GALERIES du B^d St Michel au dessus du B^d St Germain

TYPE N° 8

GALERIE de la rue de Puébla, d'une partie du B^ard Haussmann, du B^ard des Capucines, etc.

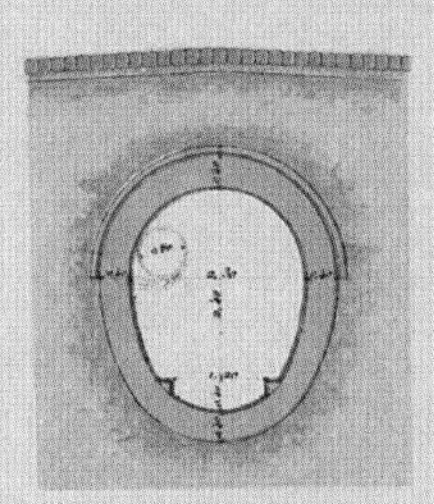

TYPE N° 11

GALERIE destinée à recevoir deux conduites d'eau construite rue Pigalle.

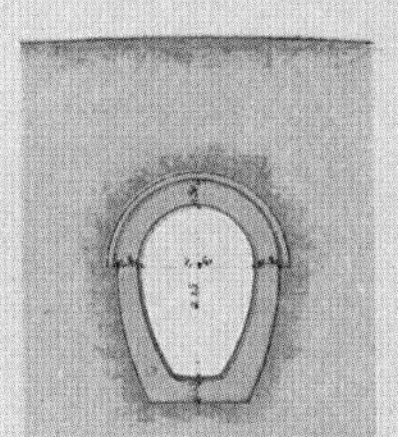

TYPE N° 12

ÉGOUT ordinaire des voies importante

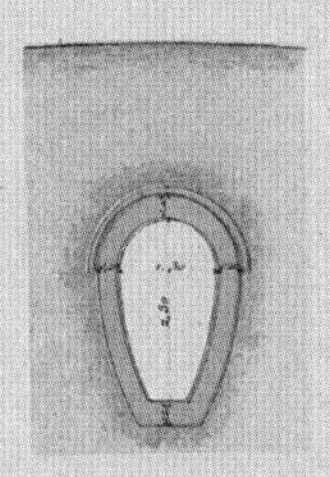

N° 14

petites rues

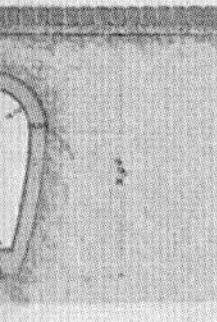

TYPE N° 15

BRANCHEMENT PARTICULIER

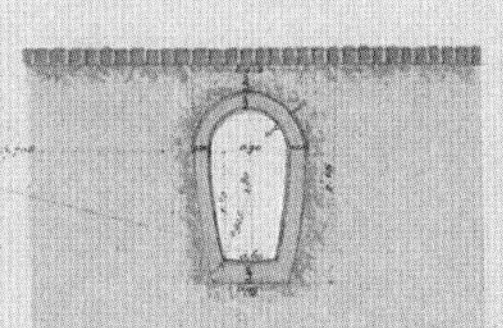

BRANCHEMENT DE BOUCHE D'ÉGOUT

ou entrée d'eau

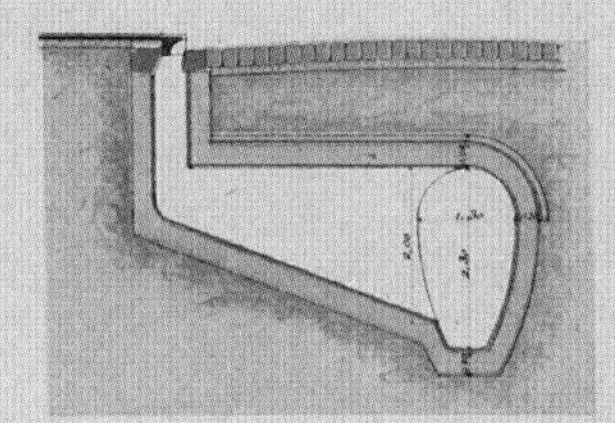

ENDE

la hauteur sous clef et le dénominateur la largeur de l'Égout à la naissance de la voûte .... $\frac{2.00}{1.30}$

u 30.85 25.50

aites avec mortier de ciment ; pour les types N° 12, 13, 14, et 15, on a indiqué les épaisseurs admises

Paris. Imp. Becquet, 37, r. des Noyers

图 22　**巴黎建设中的卢浮宫地铁站，其前身是里沃利大街下水道**，1899 年。

从图片背景中可以看到里沃利大街下水道的一部分，下水道因修建卢浮宫地铁站而中断。

178

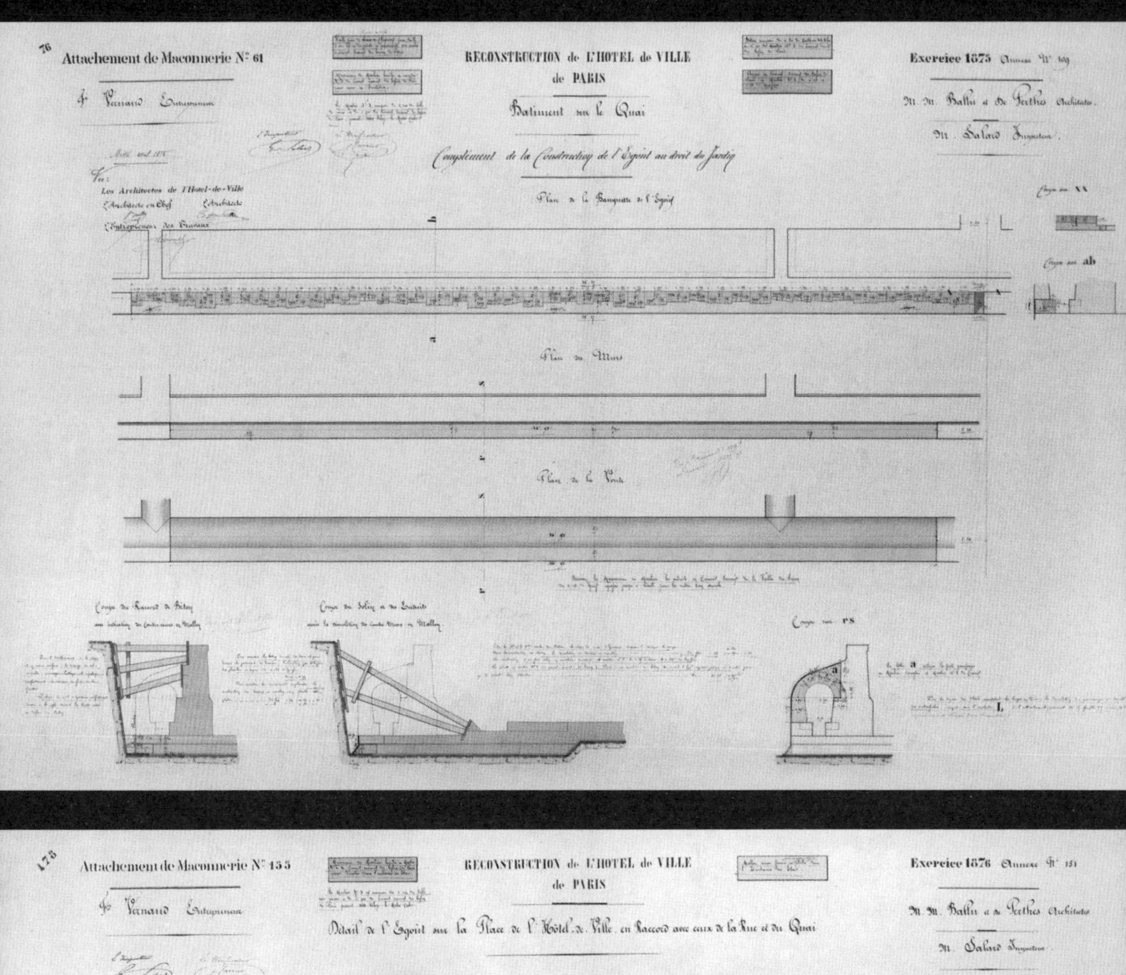

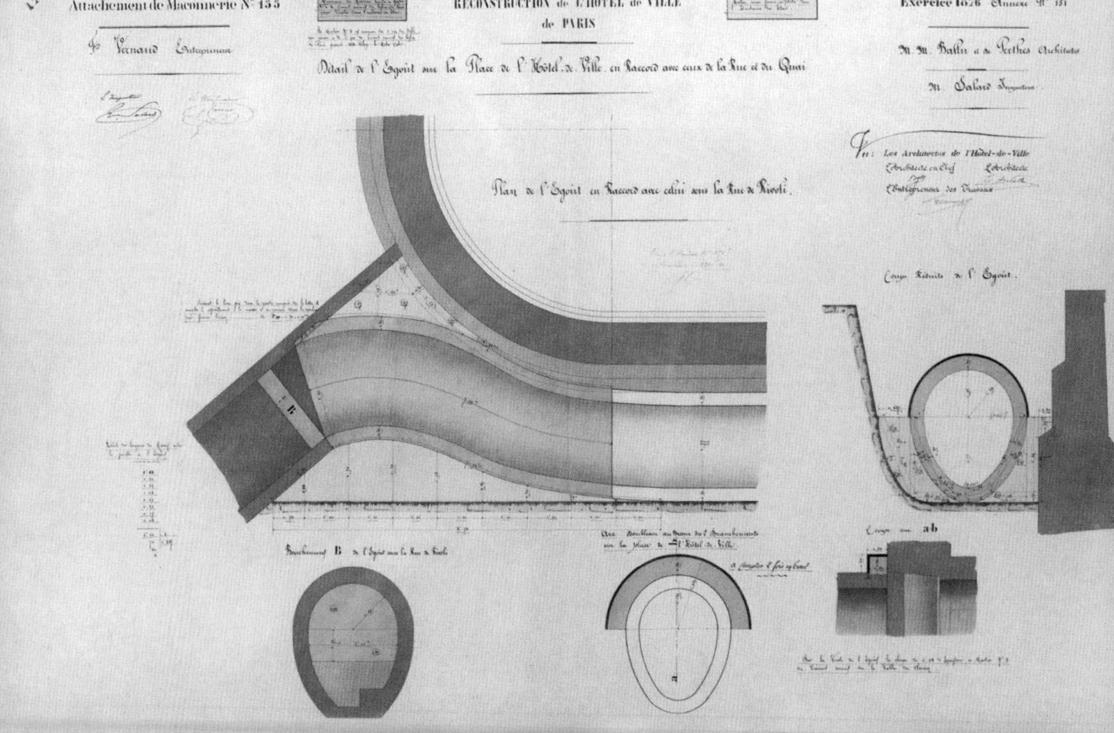

图 23 ↑ **巴黎新市政厅下方的下水道工事**，1875 年。
图为河滨与花园下方的下水道详图。

图 24 ↓ **巴黎新市政厅下方的下水道工事**，1876 年。
图为里沃利大街下方的下水道详图。

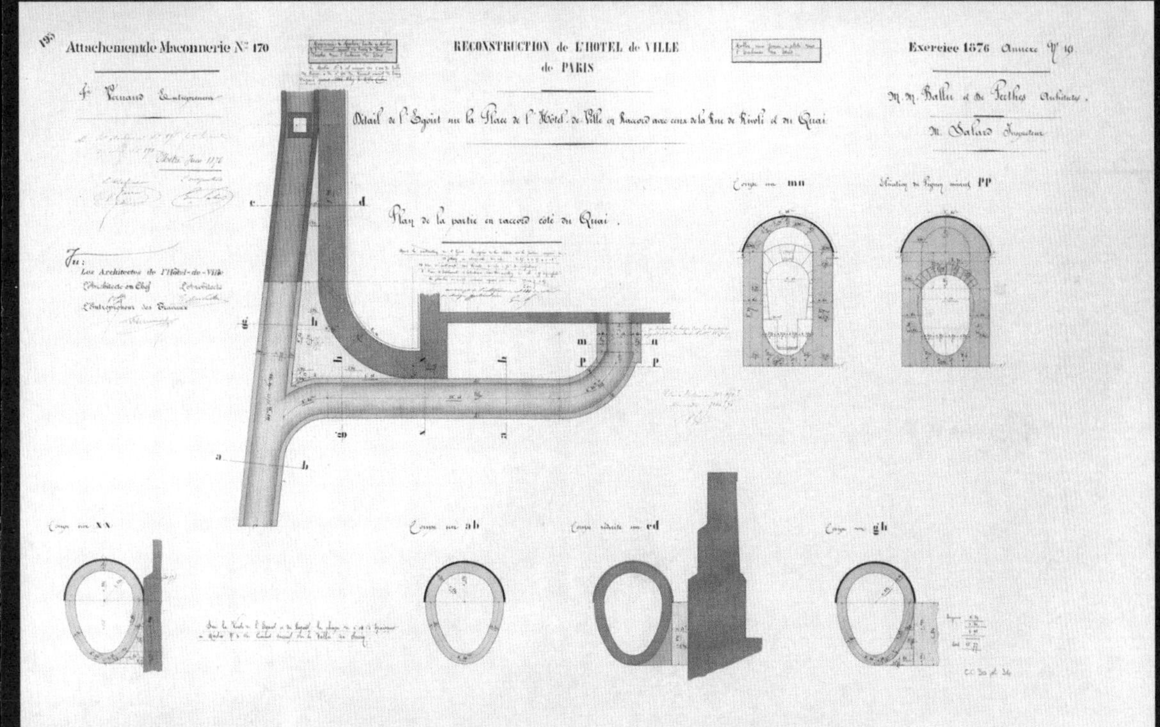

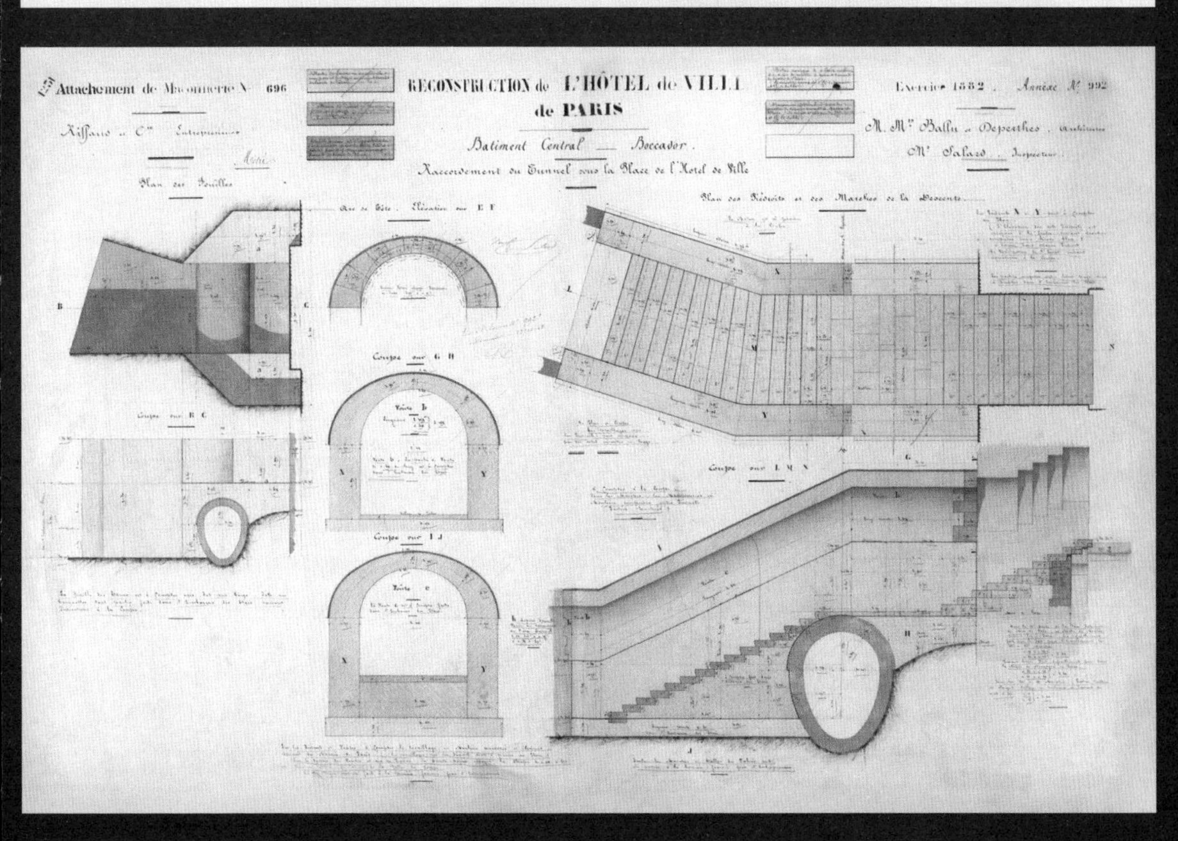

图 25　巴黎新市政厅下方的下水道工事，1876 年。
图为连通里沃利大街与码头的下水道详图。

图 26　巴黎新市政厅下方的下水道工事，1882 年。
图为市政厅下方的下水道详图。

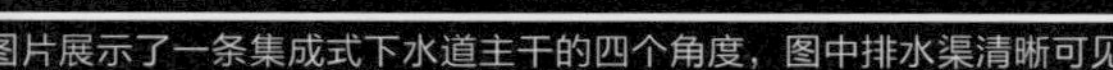

图 27—30　巴黎的集成式下水道，1872—1887 年。

图片展示了一条集成式下水道主干的四个角度，图中排水渠清晰可见；两条独立的管道沿着两壁延伸，一条供应饮用水，另一条供应冲刷街道用的塞纳河河水。

图 31　**《巴黎下水道一号支流》**，纳达尔摄，1865 年。

纳达尔这张令人回味的摄影作品记录了两条下水道的交汇处。这位无畏的摄影师谈起这些下水道时说：“不是所有人都有闲暇、有机会或有意愿下到这里，这些条件缺一不可。”

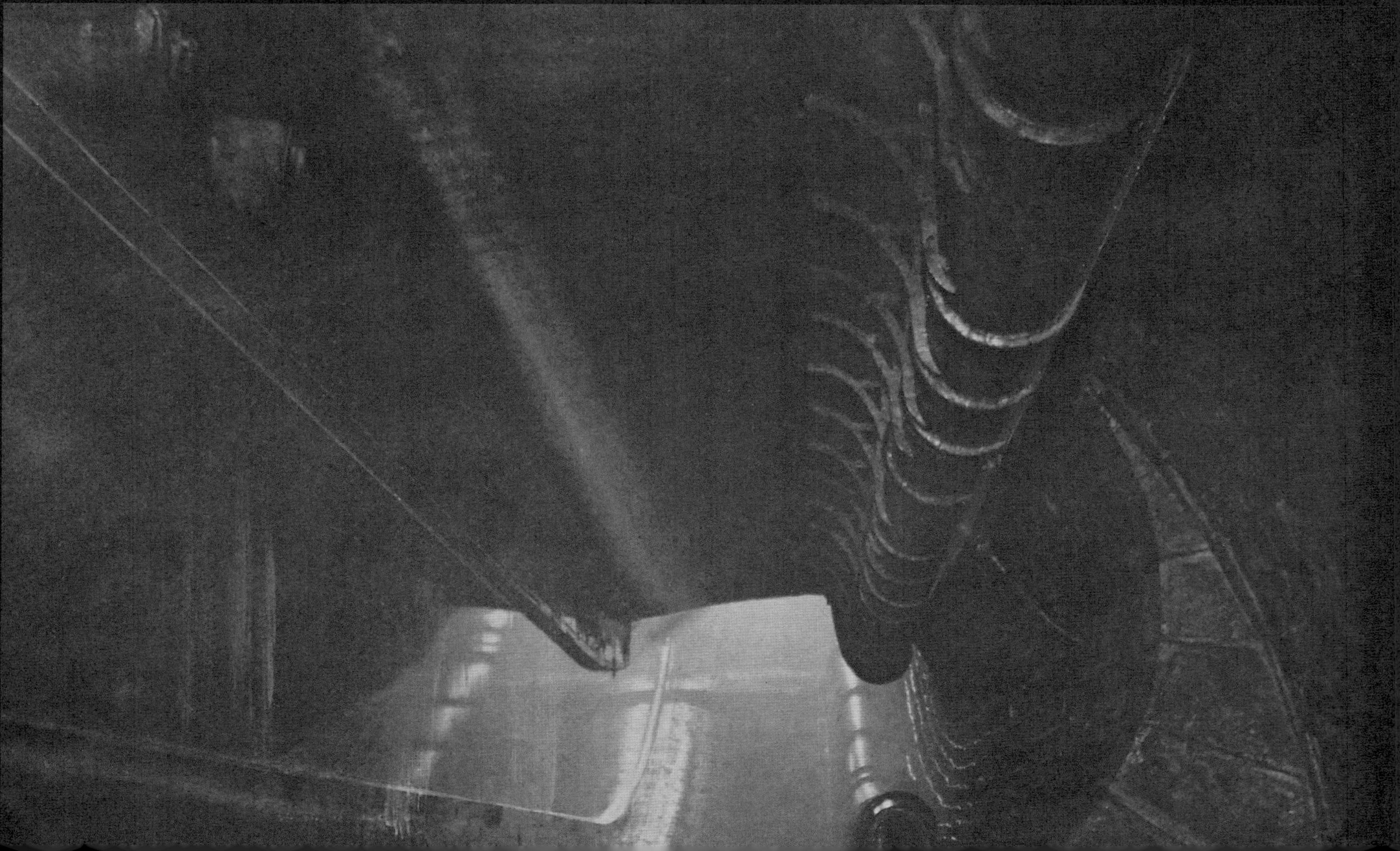

为了清理这种集成式下水道，还特别设计了一种大清沙船，船长约 2 米、宽 1.5 米，能够沿着每条下水道的中心管道行进，一路将水中沉积的所有垃圾向前推进。较小的下水道由原理相似的小清沙车清理。当清沙船和清沙车将碎石、垃圾、污物等废弃物都推至收集点或推入塞纳河后，一队队清洁工会用绳索把船或车逆流拉回起点。一位在 1902 年目睹过这一过程的人就此记录如下：

> 下水道的冲洗工作通过船只或小车完成，它们前部安装有挡板……挡板或下水道的泄水闸门上有孔洞，这些孔洞大到足以让水流通过，又小到可以将固体物拦截下来。当水位达到一定高度时，将泄水闸门降至水下，依靠水流强有力的冲击力，就能把拦截下来的固体沉渣冲走。

图 32 **巴黎下水道里衣着考究的参观者**，1878 年。贝尔格朗的下水道从设计之初就考虑到让人观赏。跟随向导舒适地参观下水道，也迅速成为巴黎风靡一时的消遣活动。

对虹吸管的清理由一个大球完成，水流推动球体从虹吸管中穿过，并将管中的废物带走。集成式下水道中，除了两侧用于行走的走道，还有两套独立的铁管供水系统，一套供饮用水，一套供非饮用水，即冲刷街道用的河水。这是一项造福后人的巧妙设计，后来的工程师会不胜感激，因为有了这个设计，他们在修理与替换这些管道时就不用将地面挖开了。

贝尔格朗与奥斯曼的下水道在设计之初就将供人参观纳入考量，各条下水道中均标有地面上对应的街道名称。在 1867 年巴黎世界博览会期间，奥斯曼策划了下水道参观项目，每天可供四百名游客坐着小船或小车游览下水道，其他游客则可以沿着两侧的走道参观，“下水道干净整洁，即使女士穿着干净美丽的裙子在地下从卢浮宫走到协和广场，也不会弄脏裙子”。下水道由煤气灯照明（奥斯曼不喜欢电力），葡萄牙国王路易一世与俄国沙皇亚历山大二世都曾来此参观，后者更是由奥斯曼和贝尔格朗亲自导览。参观下水道逐渐成了巴黎的一项日常休闲活动。1894 年，一位参观者将大清沙船形容为“一艘名副其实的贡多拉，铺着地毯，有软垫座椅，还有巨大的煤气灯照明，可能没有威尼斯的贡多拉那么精美，却要明亮许多”。旅游指南向犹豫不决的游客们保证，这趟时长 45 分钟的游览，“女士们也可以毫不犹豫地参加”。《哈珀周刊》（*Harper's Weekly*）上的一篇文章描述道，“女士们身穿时尚的服装，戴着轻巧的软帽，穿着高跟鞋”，另一位美国游客见此景象，不禁赞美“这些可爱的女士为下水道增光添彩”。记者路易 · 弗约（Louis Veuillot，1813—1883）略带嘲弄地说：“就连那些见多识广的人也认为，我们的下水道可能是世间最美丽的东西。”贝尔格朗负责施工的下水道系统的确壮观精彩，不过到了 20 世纪 60 年代，巴黎的警察长官担心下水道空间巨大且容易进入，可能会被“秘密军事组织”（OAS）中意图暗杀戴高乐将军的恐怖分子用作藏身之地。这一组织认为，戴高乐在阿尔及利亚战争中出卖了法国的利益，因此几次暗杀戴高乐，但每次行动均以失败告终，且没有一次是通过下水道实施的。

图 33　**参观者乘小车参观巴黎下水道**，1903 年。到了 20 世纪，巴黎下水道依然是热门的旅游景点，游客们可以乘坐特别设计的下水道游览车舒适地观赏。

图 34　**参观者乘小船参观巴黎下水道**，1920 年。参观者也可以乘船探索下水道，船只由站在两侧走道上的下水道工人牵拉前行。

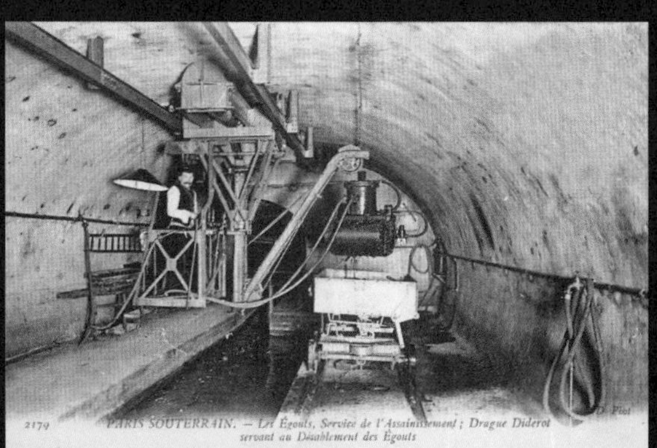

图 35 ↑ **《你找纳达尔先生吗？他在地下！》**，1864 年。这幅漫画表明，你很有可能在巴黎下水道中找到摄影师纳达尔。

图 36—39 ↓ **巴黎下水道的清理。**人们使用机械与人工等方法清理淤堵，请注意图中用来清理虹吸管的大球。

Rats (d'égout)

CABLES
2177 PARIS SOUTERRAIN. — Les Égouts. Service de l'Assainissement;
Collecteur du Boulevard Sébastopol et Angle de la Rue de Rivoli

ND Phot
Les Égouts. Service de l'Assainissement, Drague Ménilmontant
servant au désablement des Égouts

2182 — PARIS SOUTERRAIN. Les Egouts, Service de l'Assainissement, Déversoir de l'Alma
pour l'excédent d'eau des Egouts dans la Seine. ND Phot.

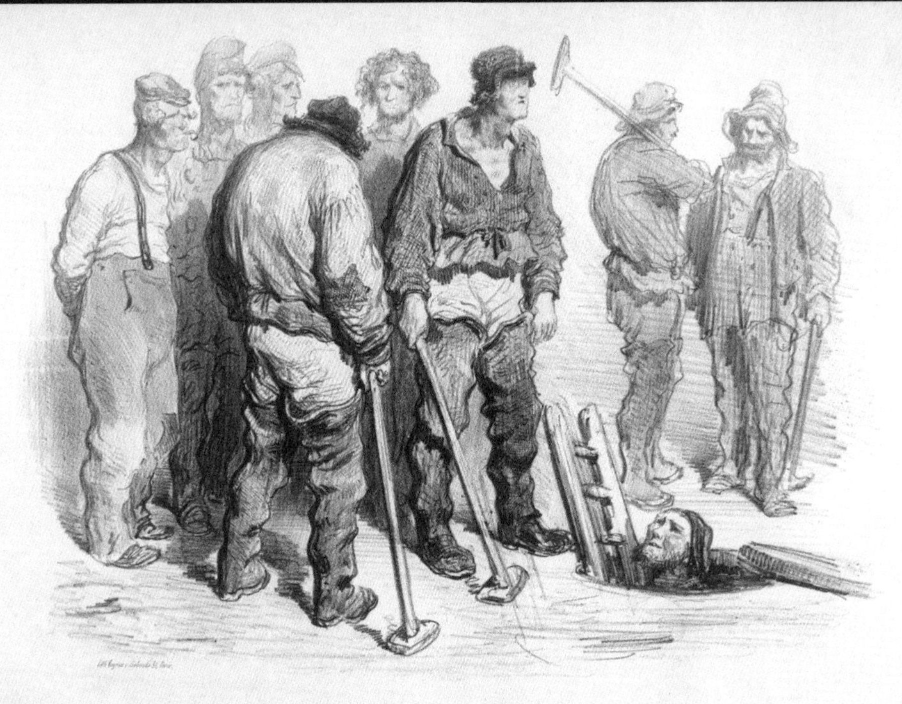

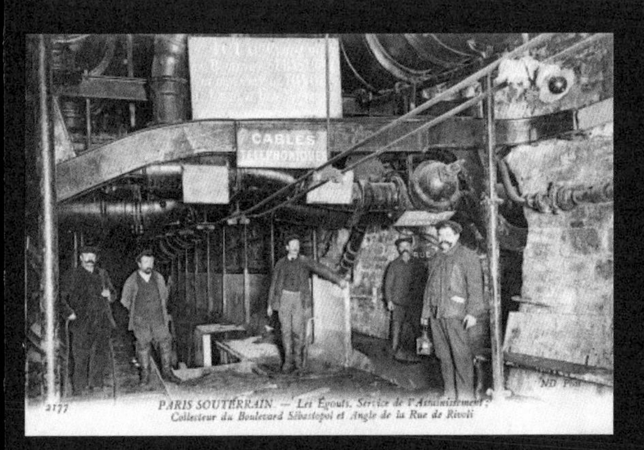

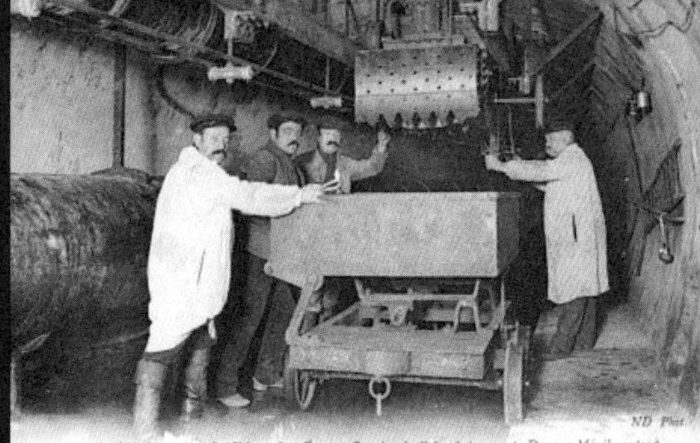

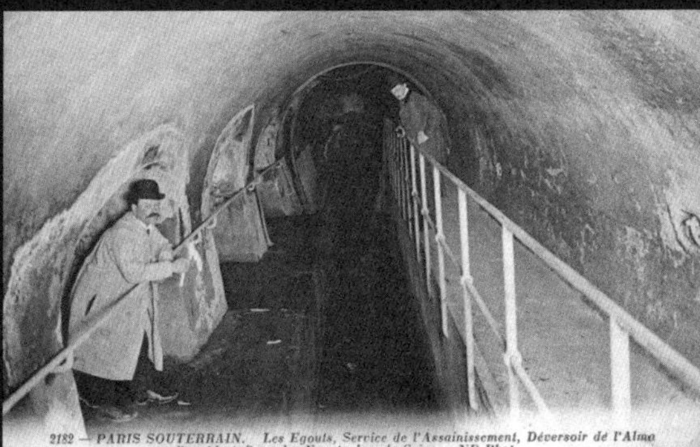

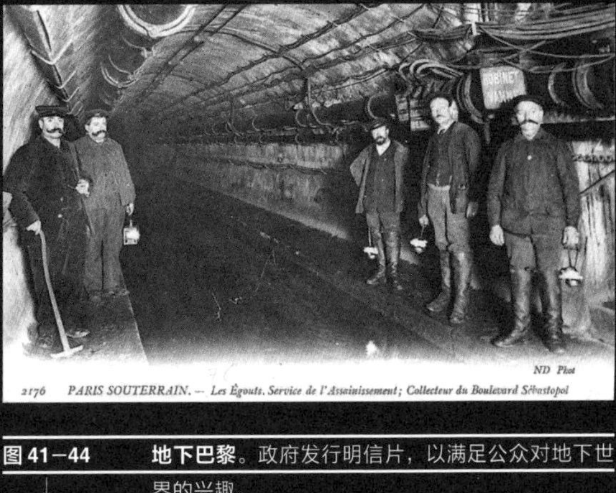

ND Phot
2176 PARIS SOUTERRAIN. — Les Égouts. Service de l'Assainissement; Collecteur du Boulevard Sébastopol

图 40 **《下水道老鼠》**，1854 年。“下水道老鼠”，或者说“清洗工”，带看木板刷进入下水道，清理其中的淤堵。
↑

图 41—44 **地下巴黎**。政府发行明信片，以满足公众对地下世界的兴趣。
↓

图 45—46　巴黎的下水道工人，20 世纪 20 年代。

当时，一群群下水道工人穿着胶靴、拿着木板刷、开着垃圾车，来清理下水道。

图 47—54 **清理巴黎下水道**。成队的工人使用各种方法与设备清理下水道中的淤堵。

图中的大球在下水道中能够随水流前行，推走前面的所有垃圾。

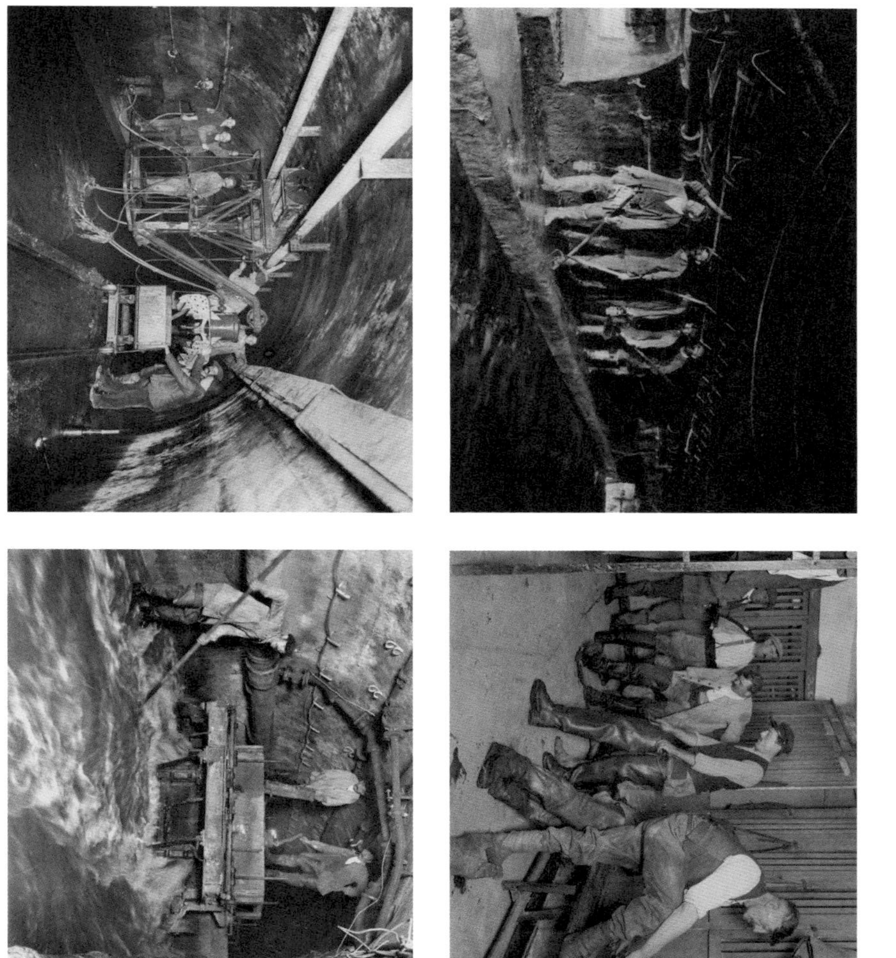

图 55—58　巴黎下水道的清沙车与清沙船，1887 年。这些图纸选自贝尔格朗 1887 年绘制的巴黎下水道规划图与地图册，展示了用于下水道清理与维护的清沙车与清沙船，前者能沿着下水道中的特制轨道行进，后者则如同船只一样在下水道中航行。

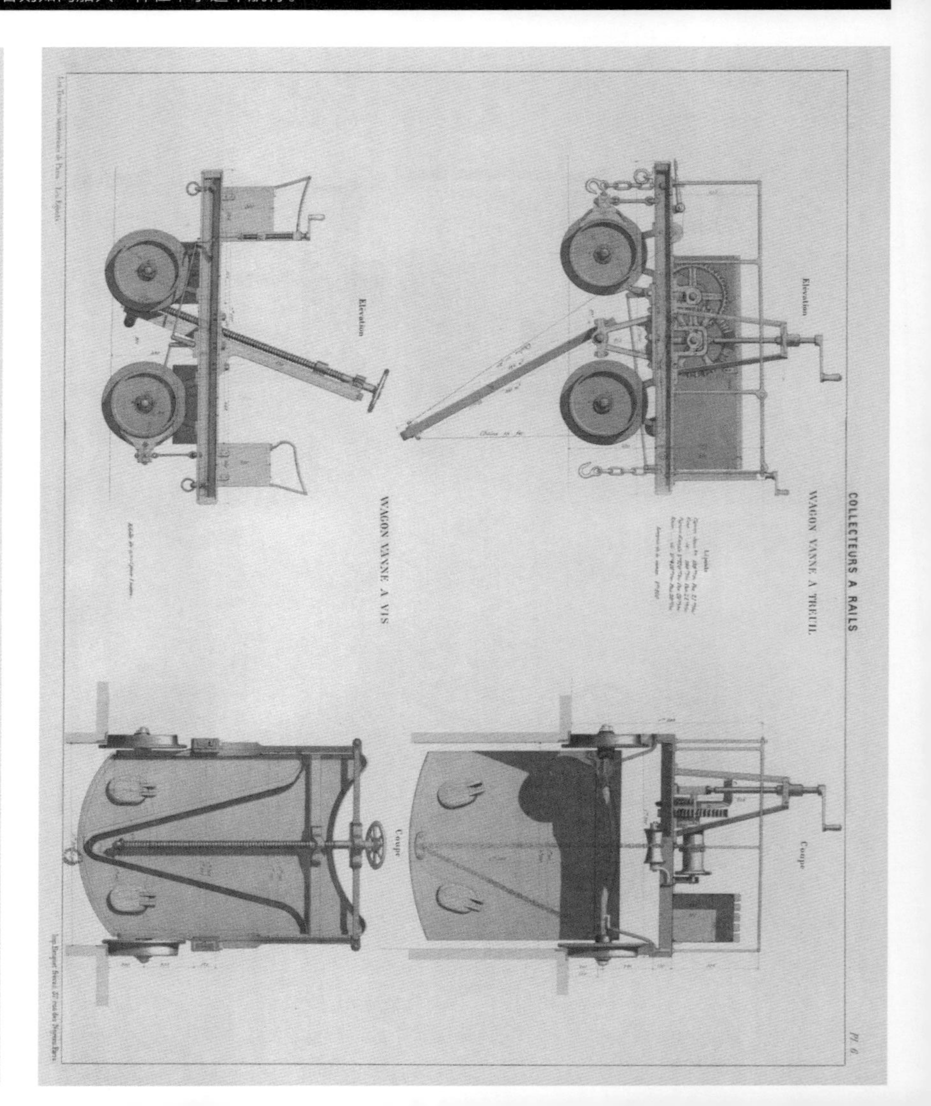

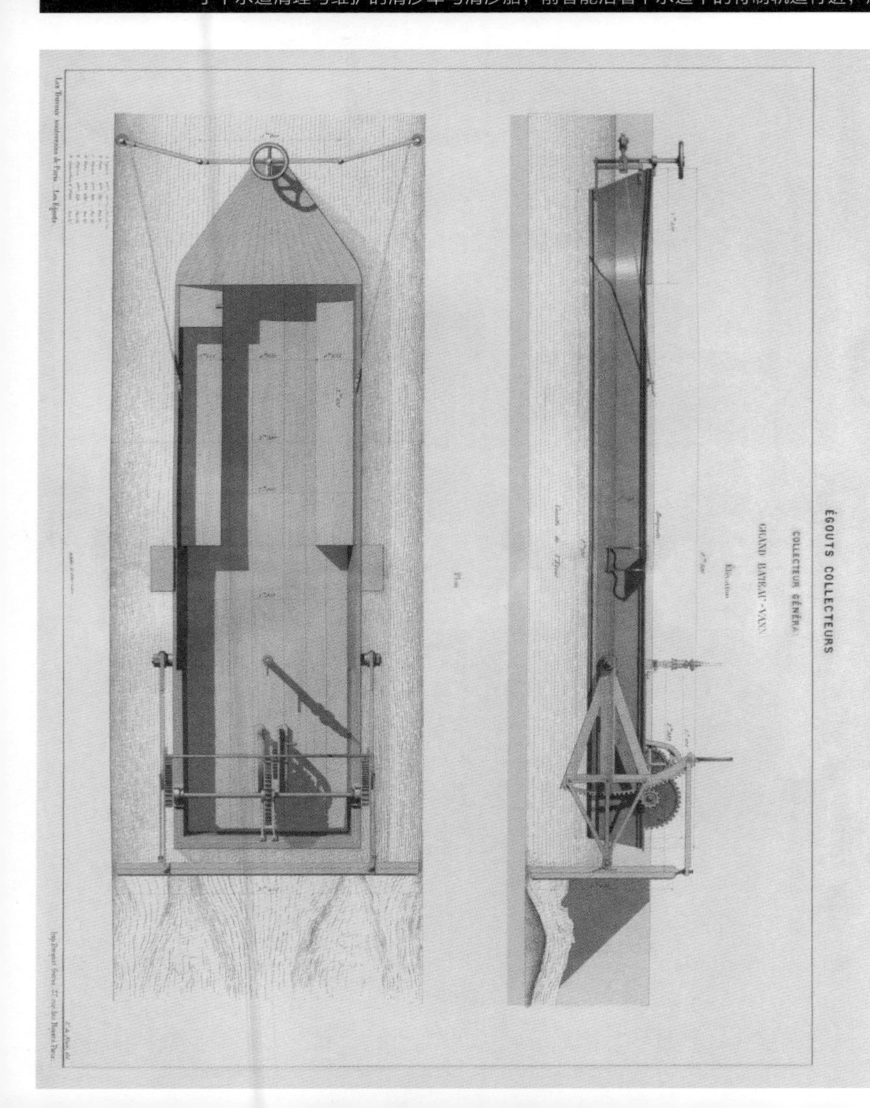

ÉGOUTS COLLECTEURS

Pl. II.

COLLECTEUR GÉNÉRAL

VANNE DE BARRAGE ET SA CHAMBRE.

COLLECTEUR GÉNÉRAL

Coupe en Long.

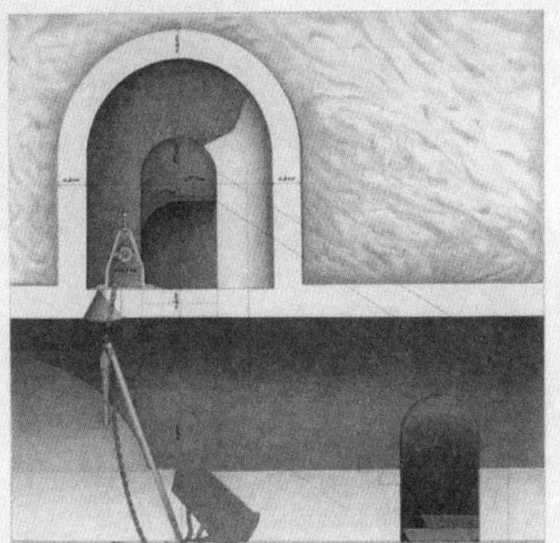

COLLECTEUR GÉNÉRAL

Coupe en Travers.

Echelle de 0m.025 pour un mètre.

Les Travaux souterrains de Paris _ Les Égouts.

Imp. Becquet frères, 37 rue des Noyers, Paris.

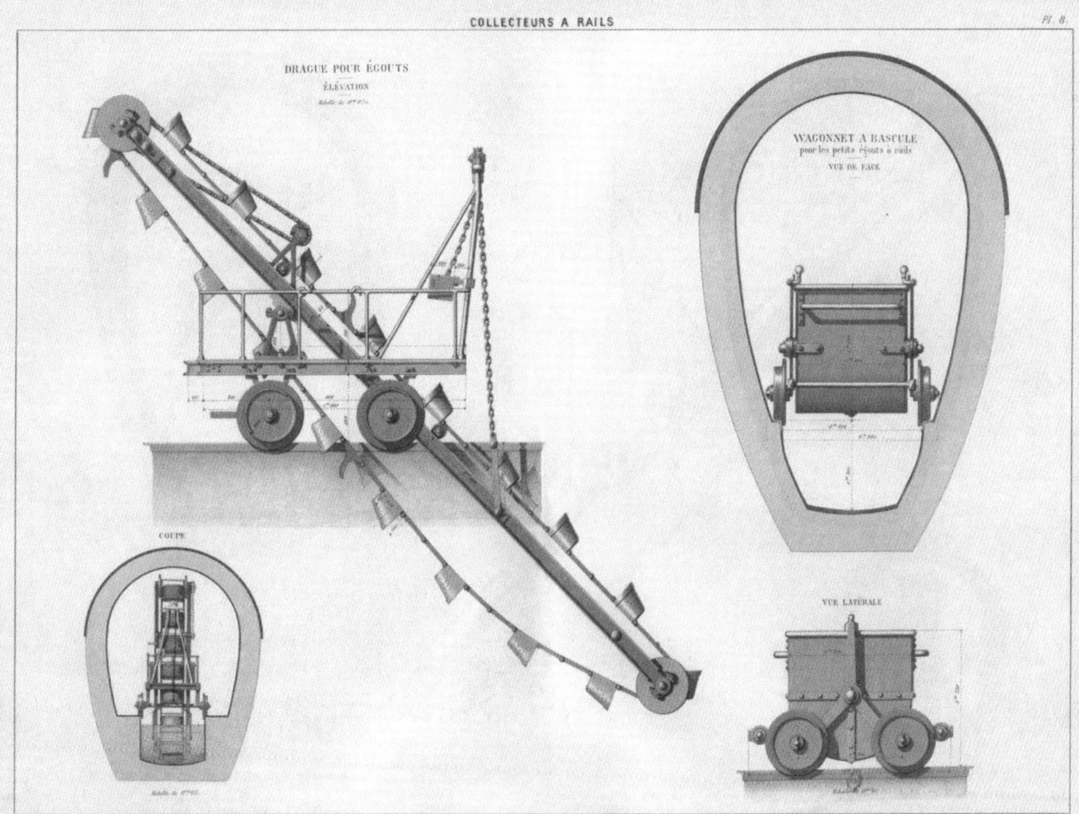

贝尔格朗负责施工的下水道系统固然很壮观，但存在一个巨大的缺点：这些下水道能够收集巴黎的雨水，以及用塞纳河水从街道上冲下来的废弃物，包括污泥、厨余垃圾、马粪、泥沙、尘土与沙砾，却不能收集人类粪便。奥斯曼确实考虑过在众多下水道中设置一条专门的管道处理粪便，却只在阿涅勒附近修建了一小段。他主张在房屋中设置“分离器”（实际上就是过滤器），将尿液等液体过滤掉，但整个第二帝国的粪便依然得靠五十支夜香工人队伍收集。奥斯曼对粪便处理不感兴趣，当然也不希望粪便令他样板工程般的下水道变得臭气熏天，因此他在粪便处理方面贡献甚少。但在巴扎尔盖特整治伦敦的计划中，粪便处理是重中之重。据估计，在 1883 年，每逢暴雨，巴黎至少有两万五千口水井被粪池漫出的污水污染。

巴黎市的首席工程师阿道夫 · 米勒（Adolphe Mille）曾在巴黎北部的拉维莱特与热讷维耶做过一些实验，将夜香工人收集来的粪便泼洒在曾经贫瘠的土地上。就连奥斯曼也亲口承认，这些粪便使土壤肥力增加了（由此引起土地租金上涨），确实鼓舞人心。后来，这一做法在 5000 公顷的土地上得到推行。在 20 世纪 80 年代，巴黎采用现代污水处理体系很久以后，拉维莱特被改造成一座公园。最终，是阿道夫 · 米勒将人类粪便处理纳入下水道体系，巴黎的粪便开始通过下水道收集和处理。这事奥斯曼原本是不可能同意的。

下水道工程的巨大开销最终导致了奥斯曼的“下台”。因为反对工程开销的呼声越来越大，拿破仑三世解雇了奥斯曼。而此后不到一年，法军在普法战争中大败，拿破仑三世自己也被废黜，流亡至英国肯特郡的奇斯尔赫斯特。据估计，奥斯曼的巴黎改造工程共花费约 100 万英镑，而巴扎尔盖特仅花 21 万英镑（包含街道、桥梁与公园修建的开销）就建成了一个完备的排水系统，服务人口是巴黎的 1.5 倍。法军在战争中落败是因为士兵疏于训练，装备陈旧过时。如果将巴黎改造的钱款拨出一部分，用于提升军队的武器装备，战争也许会有不同的结局。

贝尔格朗在巴黎下水道的规划建设中成就卓著，当选为法国科学院（成立于 1666 年，与英国的皇家学会相似）院士。他的名字与七十一位科学家、工程师和数学家一起，被镌刻在埃菲尔铁塔第一层平台下方四周的壁面上。奥斯曼的名字不在其中，但是我们今天所见、所欣赏的巴黎，正是奥斯曼、拿破仑三世和贝尔格朗共同留给后人的宝贵遗产。可以说，恢宏的奥斯曼大道是对其创造者奥斯曼的重要纪念。不过提起下水道，尽管奥斯曼将其修建得同样巨大恢宏，却只完成了下水道的部分任务。

图 59　**乘船在下水道中行进**，纳达尔摄，1865 年。下水道工人正乘着大清沙船，清理集成式下水道中的一条。

图 60—61 **在巴黎下水道中铺设电缆**，1928 年。工程师在下水道中沿着先前安装的水管铺设电话用的电缆。

图 62—63 **在巴黎下水道中铺设电缆**，1928 年。
水管与电话电缆“争夺空间”。

图 64　巴黎圣曼德大街下方的皮克毕（Picpus）下水道拆除工事，1905 年。

由于一条新地铁线路的建设，这条位于圣曼德大街下方的下水道正被拆除。

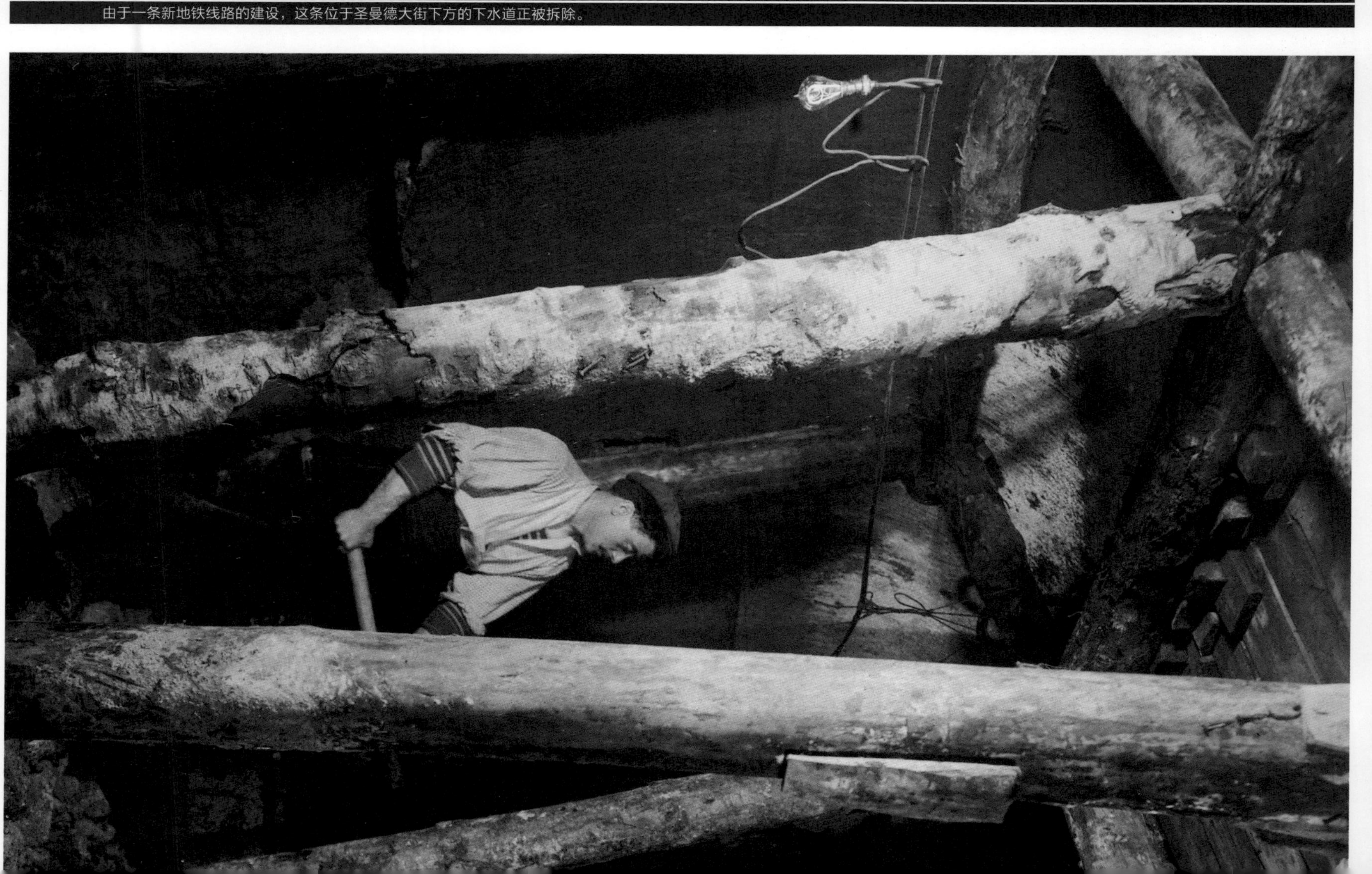

Prolongement de l'émissaire général des eaux d'égout vers Triel
2e lot de l'aqueduc
Tête amont du souterrain de Maurecourt.
2 novembre 1897

Agrandissement de l'usine de Colombes.
Vue prise dans l'intérieur de la salle des machines
7 février 1898

图 65－73　巴黎下水道网络的扩建，1897－1898 年。这些照片记录了将阿谢尔（Achères）引水渠延长至瓦兹河畔的梅里（Méry-sur-Oise）与塞纳河畔的特列勒（Triel-sur-Seine）的施工。它们均使用了市政工程师埃梅·邦纳（Aimé Bonna，1855－1903）设计的水泥管道。

l des eaux d'égout vers Triel.
l'aqueduc

rrain de l'Hautie (Côté de Triel).
érieur du souterrain.

19 octobre 1897

Branche de Méry

Chantier de construction

29 octobre 1897

al des eaux d'égout vers Triel
l'Oise

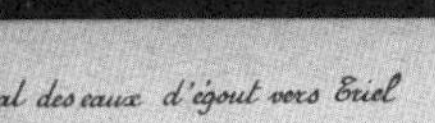

bas.

11 novembre 1897

Prolongement de l'émissaire général des eaux d'égout vers Triel.
Siphon de l'Oise

Vue intérieure du bouclier

11 novembre 1897

e Clichy

e d'égout avec la galerie du quai.

25 février 1898

Canalisations (2e Lot). – Chantier des Courlins.

Chantier de fabrication (Vue de face)

27 mai 1898.

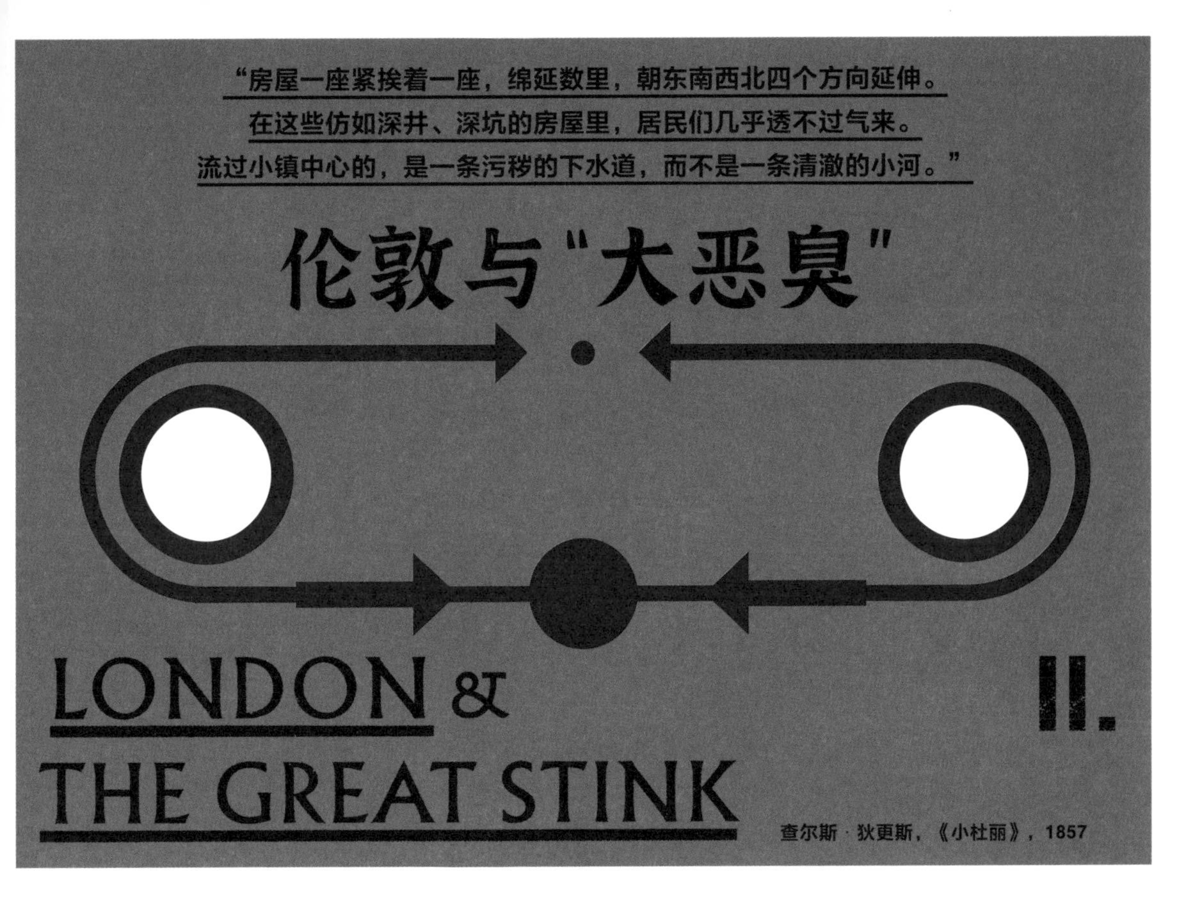

“房屋一座紧挨着一座，绵延数里，朝东南西北四个方向延伸。
在这些仿如深井、深坑的房屋里，居民们几乎透不过气来。
流过小镇中心的，是一条污秽的下水道，而不是一条清澈的小河。”
伦敦与“大恶臭”
LONDON &
THE GREAT STINK
II.
查尔斯·狄更斯，《小杜丽》，1857

到了1801年，伦敦人口已将近100万。此后多年，伦敦饱受从中世纪遗留下来的污水处理系统之苦。夜香工人清理完粪池，然后把粪便卖给城外的农民。城市地上与地下的公共下水道原本是用来排放雨水的，可实际上，在爱德华三世统治时期（1327—1377），人们就将生活垃圾，包括肉贩扔掉的动物内脏，都偷偷丢进阴沟或明沟中。尽管如此，泰晤士河仍然算得上干净，在19世纪的前几十年人们还能在河里捕捞到鲑鱼——这种鱼可是检验水质的活试纸。但是，有三个因素令泰晤士河不复清澈。首先是伦敦城市的扩张及乡村的外移。在18世纪末，莫尔菲尔兹（Moorfields）与斯皮塔弗德（Spitalfields）不再是田地，因此夜香工人不得不把污物运到更远的地方去卖。其次，从1847年起，从智利沿岸海岛进口的海鸟粪（固体鸟粪）肥力更高，购买也方便。吉布斯家族（Gibbs）靠进口鸟粪挣来的巨款，在萨莫塞特郡盖起了廷斯菲尔德庄园（Tyntesfield），现在庄园由国家信托组织管理。夜香工人当时无法与吉布斯家族竞争。

图1　伦敦默尔兰兹（Morelands）水泵站内装置的里弗代尔发动机（Riverdale engine）。默尔兰兹水泵站由萨瑟克和沃克斯豪尔水务公司建立，从泰晤士河的莫勒西（Molesey）水闸抽水，输送至远处的各个蓄水池。

图 2 **詹宁斯设计的公共厕所**，1858 年，英国伦敦。乔治 · 詹宁斯向伦敦市提交的这个设计方案虽然并未实施，不过 1885 年伦敦修建第一批公共厕所时，采用了方案中的许多元素，比如给小便池安装内环，以及在地面上安装煤气灯来促进空气流通等。

不过，最具决定性的因素当属抽水马桶的应用，其发明者约翰 · 哈灵顿爵士在本书第一章中已有所介绍。1775 年，邦德街上一个名为亚历山大 · 卡明斯（Alexander Cummings，1733—1814）的钟表匠改进了哈灵顿的设计，并注册了专利。1778 年，约克郡出生的木匠兼发明家约瑟夫 · 布拉马（Joseph Bramah，1748—1814）受邀去一处私人住宅安装抽水马桶，突然意识到自己可以进一步改进马桶设计，简化马桶零件的生产过程。他为这个改进版本的抽水马桶注册了专利，并开始批量生产。到 1797 年，他已经生产并出售了逾 6000 个马桶，其公司的生意一直兴隆到 1890 年。在维多利亚时代的 1861 年，一位名叫托马斯 · 克拉普（Thomas Crapper，1836—1910）的商人在切尔西开办了一家很有竞争力的抽水马桶公司，九年后，他开设展厅展示公司的产品，产品上方写着广告标语："轻轻一拉，干干净净。"这家位于切尔西国王大街 120 号的门店一直营业到 1966 年，公司至今仍在线上销售抽水马桶。其生产的抽水马桶质量上乘，有很多至今仍在使用，比如一处名为帕斯尔庭院（The Parcel Yard）的公共建筑还在用其生产的马桶，该建筑就在伦敦国王十字车站的《哈利 · 波特》“九又四分之三站台”附近。1849 年，托马斯 · 特怀福德（Thomas Twyford，1849—1921) 在特伦河畔的斯托克城开设了一家生产洁具的工厂。工厂 1883 年开始生产“尤尼塔斯”（Unitas）系列陶瓷抽水马桶，并远销海外。直至今日，unitas 这个词在俄语中仍指“厕所”。抽水马桶无愧为英国带给人类文明的伟大礼物。

不过，这段历史中最伟大的革新还要数乔治 · 詹宁斯（George Jennings，1810—1882）的发明。他生于汉普郡，后来加入了叔叔在南安普敦的水管生意。詹宁斯凭借 1851 年在伦敦世界博览会会场水晶宫内安装抽水马桶而名声大噪。

> **没有人能够否认修建下水道干线带来的巨大好处。将污水排入流经伦敦市中心的泰晤士河已经让人难以忍受，停止向泰晤士河排污对改善市民健康状况产生了极大影响。这套系统不但为伦敦人口最稠密的地区除去了讨厌的隐患，而且促进了公众健康。**
>
> 土木工程师协会为约瑟夫 · 巴扎尔盖特撰写的讣告，1891

图 3　**托马斯 · 克拉普在伦敦切尔西马尔堡街（Marlborough Street）开办的工厂**。据说，站在工厂外的这群人当中就有托马斯 · 克拉普本人。

图 4　**特怀福德公司的工厂**，1900 年，英国特伦河畔的斯托克城。公司在克里夫山谷（Cliffe Vale）的工厂建于 1887 年，位于特伦特河与默西运河（Mersey Canal）、一条铁路与一条主干道之间，地理位置十分优越。

图 5 ↓　詹宁斯销售的马桶样品，1895—1905 年。该设计曾用在 1851 年世界博览会的公共厕所中。

图 6–11 ↓↓　特怀福德公司的产品图录，1894 年。特怀福德公司展示了一系列陶制和瓷制的抽水马桶，并有多种装饰图案可供选择。

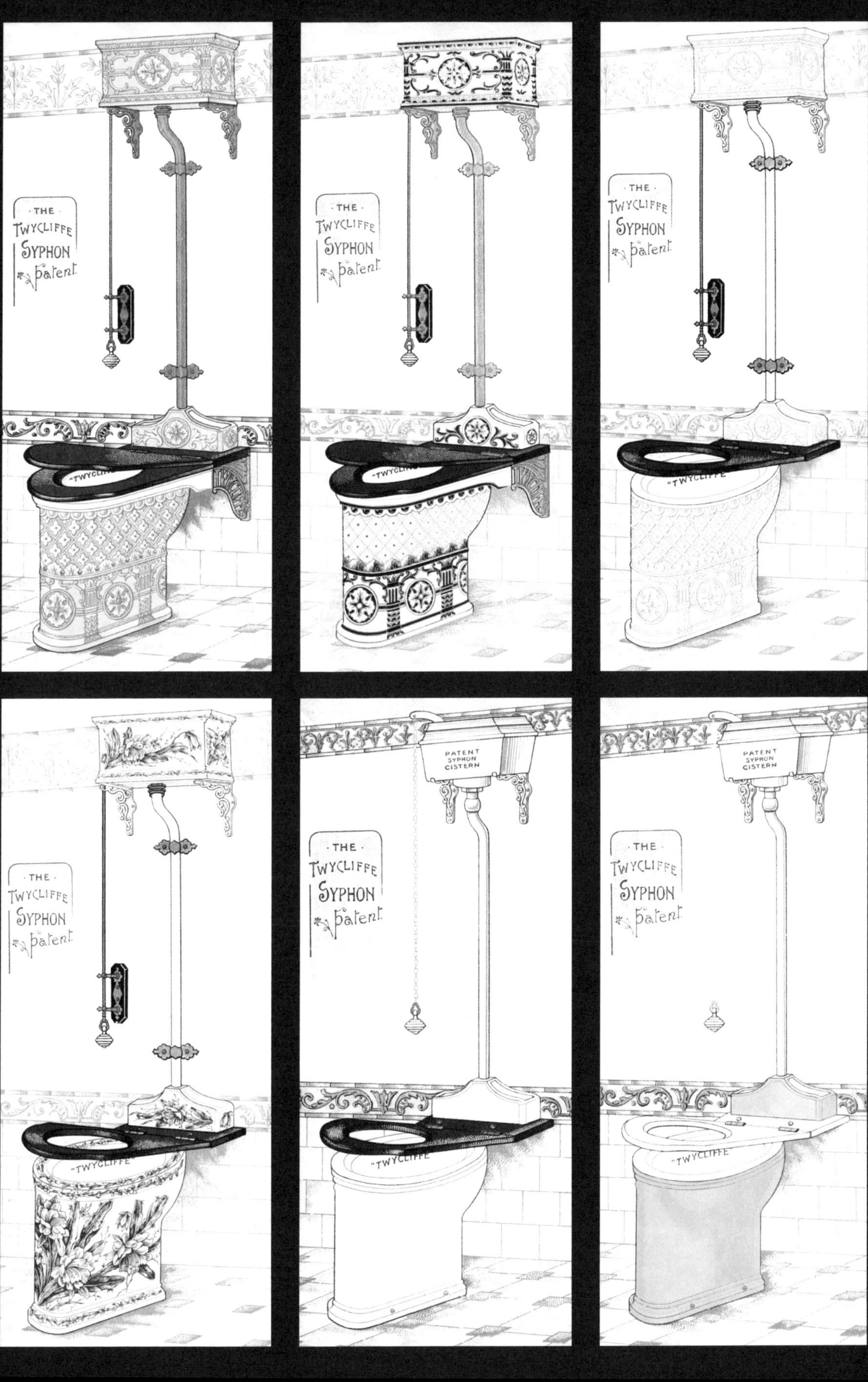
THE
TWYCLIFFE
SYPHON
Patent
"TWYCLIFFE"
THE
TWYCLIFFE
SYPHON
Patent
"TWYCLIFFE"
THE
TWYCLIFFE
SYPHON
Patent
"TWYCLIFFE"
THE
TWYCLIFFE
SYPHON
Patent
"TWYCLIFFE"
PATENT
SYPHON
CISTERN
THE
TWYCLIFFE
SYPHON
Patent
"TWYCLIFFE"
PATENT
SYPHON
CISTERN
THE
TWYCLIFFE
SYPHON
Patent
"TWYCLIFFE"

图 12-13　**修建中的伦敦舰队街下水道**，1845 年。

这些插图展现了在巴扎尔盖特担任都市工作委员会总工程师之前，舰队街下方的下水道修建情况。

图 14—16 **梅修的伦敦**，1851 年。在巴扎尔盖特改造下水道前，人们很容易就能进入下水道。社会学家亨利 · 梅修（Henry Mayhew）在作品《伦敦劳工与伦敦贫民》（*London Labour and The London Poor*）中描述的很多人物，都能在下水道中找到踪影。此处插图中描绘的人物是“下水道猎人”（搜寻硬币和珠宝的人），受雇清洗下水道的工人，以及捕捉老鼠的人。

伦敦世博会期间，共 82.7 万人使用了这些马桶。很多人都是第一次体验，只需花一便士，英语中“spend a penny”（即上公共厕所）的说法就是由此而来的。这种马桶的种种优势也在会上备受瞩目。不过，连着化粪池的抽水马桶有一个很大的缺点：每次冲厕所，都要用掉 8 升甚至更多的水，但只能冲走少量的潜在肥料——粪便和尿液，以至化粪池很快就被大量的液体填满。化粪池容易泄漏，农民也不愿意购买这种掺水的肥料。

迈克尔 · 法拉第在 1855 年关注到了这些情况，因此创立了伦敦都市工作委员会，并于第二年展开工作。都市工作委员会取代了许多已存在几百年的教区委员会、自由派联盟及其他类似组织，其主要宗旨有二：一是尽可能地少花费地方纳税人的钱，二是尽快把污水排至毗邻的行政堂区（英格兰乡村的基层行政单位）。此时，伦敦下水道的大小与形制并未统一，这种做法对位于伦敦低洼地区且靠近泰晤士河的行政堂区而言格外不利，因为全市的排泄物都会聚积到这里，然后排进河里。都市工作委员会是第一个对伦敦进行整体规划的组织，拥有修路架桥、建造公园的权力，最为重要的是，有权管理街上的下水道、截流污水管道（或者说“集水管道”）。

1856 年，约瑟夫 · 巴扎尔盖特被任命为都市工作委员会的总工程师。他出生于英格兰，不过其祖父是法国人，18 世纪 70 年代移居英格兰。和当时的大多数人一样，巴扎尔盖特与约翰 · 麦克尼尔爵士（Sir John MacNeill，1793—1880）签订合同，在他手下当学徒，学习工程学。在当学徒期间，巴扎尔盖特负责了北爱尔兰的一项地面排水方案，这是他第一次接触到排水体系。他也参与过铁路提案的项目，这让他拥有了与官员打交道的经验。1838 年，巴扎尔盖特成为土木工程师协会的一员。巴扎尔盖特申请都市工作委员会的总工程师职位时，“火箭号”蒸汽机车的设计者罗伯特 · 斯蒂芬森（Robert Stephenson，1803—1859），以及工程师伊桑巴德·金德姆·布鲁内尔（Isambard Kingdom Brunel，1806—1859），都是他的推荐人。

巴扎尔盖特并不是第一个被委以此任的工程师。1847年5月，詹姆斯·纽兰兹（James Newlands，1813—1871）被任命为英国首位自治市镇的工程师，为问题重重、疾病肆虐的利物浦市制订全面的污水处理方案。当时的利物浦人满为患，大批身无分文的爱尔兰灾民因马铃薯饥荒而来到这里，住在污秽不堪的地下室里——地面都是积水，也没有卫生设施。当时除了伦敦，就属利物浦的人口最为稠密，有将近40万人。在纽兰兹被任命之前，同年1月，威廉·亨利·邓肯博士（Dr. William Henry Duncan，1805—1863）被任命为英国首位医务官。两人相互配合，成功修建下水道系统，清理地下室污物。此举意味着，当1854年霍乱再度肆虐英国时，造成的影响远远小于之前的几次疫情。纽兰兹声称自己是引进蛋形下水道（有时也被称作“英国式下水道”）的第一位工程师，这种设计能够在水量较低时将水流集中在狭窄的下水道中，以提高水的流速，从而加快冲走固体垃圾的速度。但是所有大型下水道的始祖马克西姆下水道，就已经是高度大于宽度的狭长形了。克里米亚战争期间，詹姆斯·纽兰兹被派往克里米亚担任卫生长官，赢得了弗洛伦斯·南丁格尔的赞扬：“我认为，我们卫生系统的救星

图17　**工人修理舰队街的下水道**，1854年。此时，法林顿路（Farringdon Road）下方的舰队河已经成为一条地下的下水道，将伦敦大量污水排入黑衣修士地区的泰晤士河。

伦敦下水道截面图

石灰窑码头（Limekiln Dock）下水道

萨沃伊街下水道

摄政街下水道

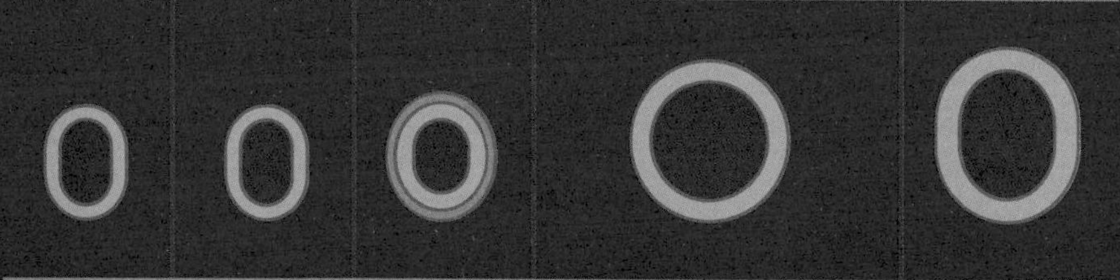

拉内拉赫（Ranelach）公园主下水道

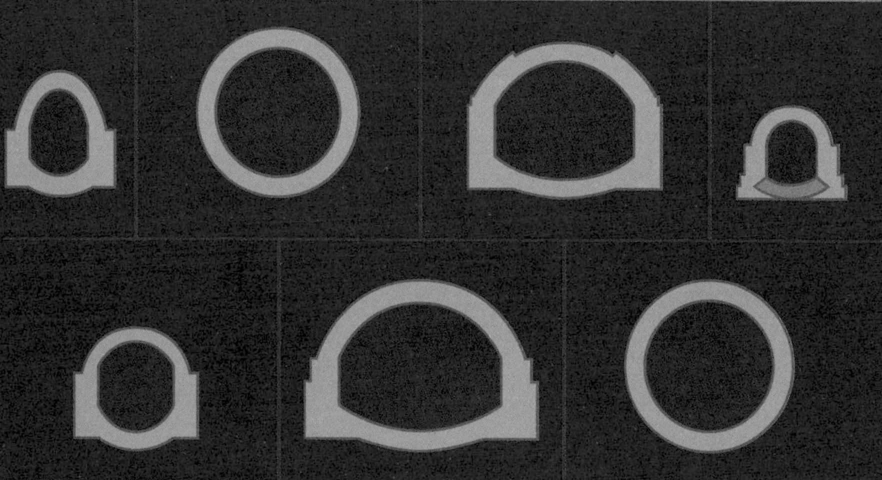

城市污水项目官员采纳的各种下水道截面图

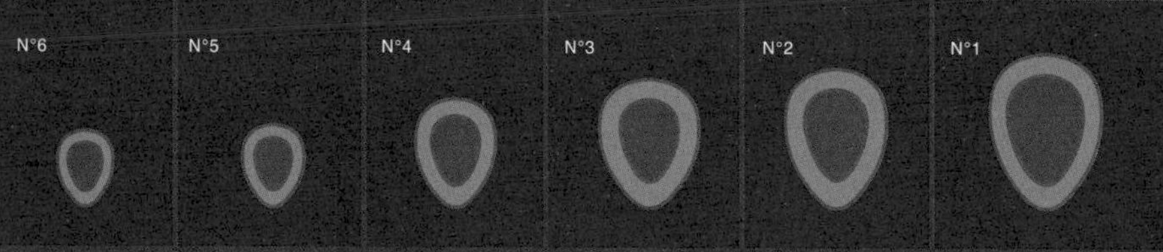

N°6 N°5 N°4 N°3 N°2 N°1

LONDON SEWER SECTIONS

国王学者池塘下水道

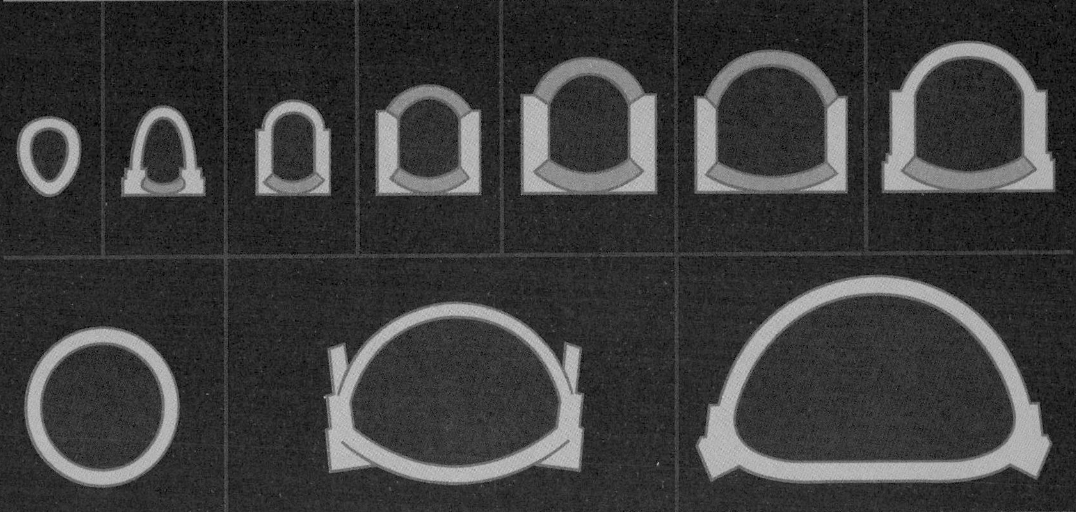

朗斯代尔广场（Lonsdale Square）下水道支线

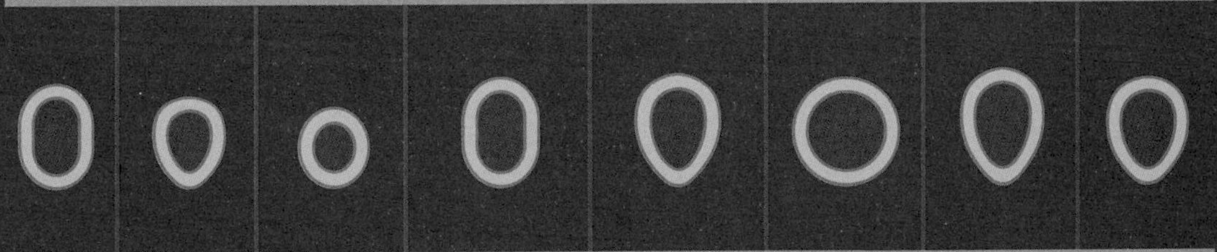

城市路（City Road）下水道支线

不同形状的下水道截面图

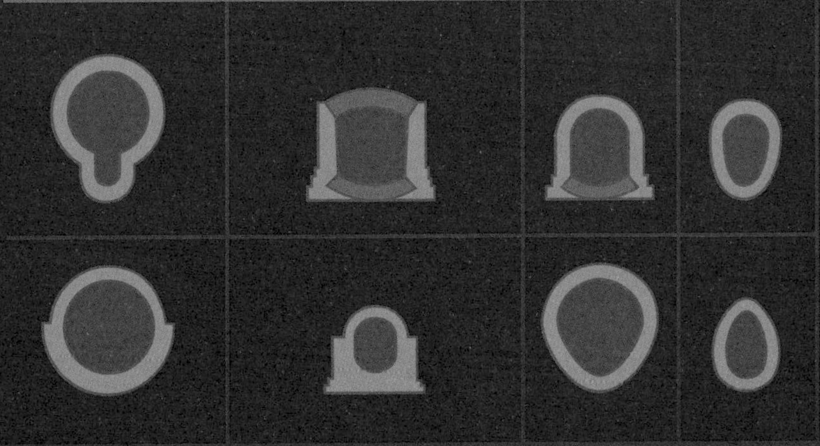

这里展示的是不同形状和样式的下水道截面图。巴扎尔盖特继续沿用它们，并将其与自己的设计相结合，以形成一个完整的系统，收集起伦敦所有的污水，并输送到贝克顿与克罗斯内斯的污水处理厂。有趣的一点是，同一条下水道可能会因为沿途水流量不同而被设计成不同的形状。

图片选自伦敦都市工作委员会 1857 年发布的剖面图，出自首席工程师巴扎尔盖特之手。

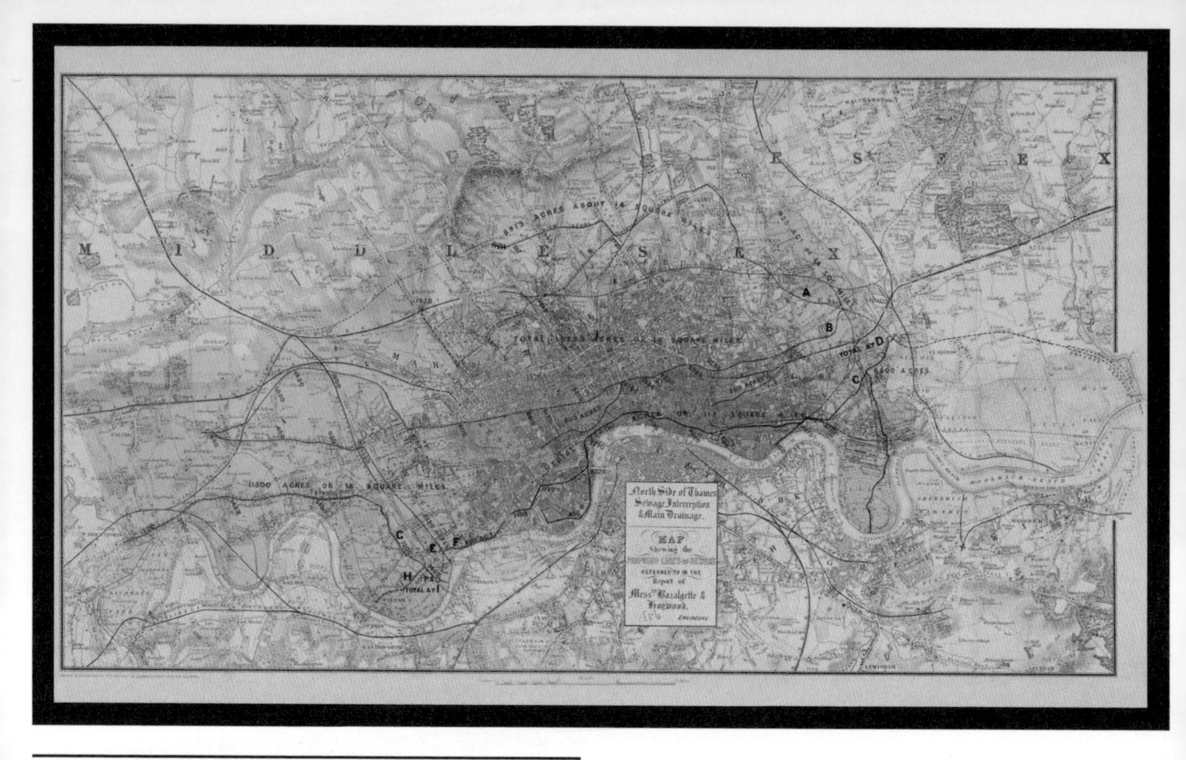

图 18　**伦敦下水道提案**，1854 年。约瑟夫 · 巴扎尔盖特与威廉 · 海伍德（Willian Haywood）提议，在泰晤士河北岸修建下水道管网。

来自利物浦。”为了纪念邓肯博士的功绩，利物浦市中心的一家酒吧就以“邓肯博士”命名，其中有一款啤酒就叫“邓肯博士印度淡色艾尔啤酒”。

被委以重任后，巴扎尔盖特立刻展开工作。他以前受雇做过这方面的一些准备工作，还为几条街道建过下水道，所以十分了解自己此次的任务。 1856 年 6 月，他提交了方案，计划修建一个与泰晤士河平行的截流污水管道系统。他提议，泰晤士河北岸的污水可以靠重力流至伦敦东部的阿比米尔斯（Abbey Mills）水泵站，然后用巨型水泵抽起，输送至排污总管，最后向东流到埃塞克斯郡的贝克顿（Beckton），趁涨潮时排出。泰晤士河南岸的污水可以输送至肯特郡的克罗斯内斯（Crossness）水泵站，那里配备着有史以来最大的梁式蒸汽发动机，能够将污水抽到蓄水池。之后，蓄水池中的水被排入泰晤士河，然后一路流入北海。

根据都市工作委员会的相关规定，巴扎尔盖特要向首席工程长官提交他的设计方案。首席工程长官是政府大臣，一切方案只有经过他的同意才能够执行，当时担任这一职位的是本杰明 · 霍尔爵士（Sir Benjamin Hall，1802—1867）。霍尔本人也是一名土木工程师，当时正忙着重建泰晤士河畔的议会大厦（又称威斯敏斯特宫）——1834 年的一场大火烧毁了大厦的大部分建筑，只有威斯敏斯特厅逃过一劫。霍尔身材高大，也是巴扎尔盖特强有力的竞争者，享有盛誉——议会大厦报时的钟表“大本钟”（Big Ben）就是以霍尔的名字命名的。所以，霍尔需要再三确认巴扎尔盖特的排

图 19　**《沉默的强盗》**，1858 年，英国伦敦。1858 年 7 月 8 日（伦敦大恶臭期间），《潘趣》杂志刊登了一幅约翰 · 利奇（John Leech）的漫画，从画中可以看到寓言人物“死神”正在受污染的泰晤士河上划船，各种动物尸体从船边漂过。

图 20　**《老父亲泰晤士河正在向美丽优雅的伦敦介绍自己的子孙后代》**，1858 年，英国伦敦。该漫画 1858 年 7 月 3 日发表在《潘趣》杂志上，描绘了来自泰晤士河的三种疾病：白喉、淋巴结核与霍乱。事实上，只有霍乱是通过水传播的疾病。

污系统能否容纳伦敦的污水。最重要的是，他要确保能将污水排放到河流下游足够远的地方，哪怕潮水很大也不会将污水冲回伦敦。为此，他聘请了两位著名的水利工程师詹姆斯 · 辛普森（James Simpson，1799—1869）和道格拉斯 · 高尔顿（Douglas Galton，1822—1899）来检验巴扎尔盖特的方案是否可行。两位工程师的态度模棱两可，他们用浮标做了实验，结果表明污水在某些特殊情况下确实有可能返回威斯敏斯特地区。作为议会大厦重建的主持者，霍尔自然不希望因为批准了一个破坏威斯敏斯特环境的污水处理设计方案而被载入史册。组建的特别委员会反复思忖着，工程师也在不断推敲，与此同时，化粪池也继续向土壤和河流渗着污水。巴扎尔盖特当时在估算，将排水口从原定于北岸埃塞克斯郡的贝克顿与南岸肯特郡的克罗斯内斯移到更远的位置，需要增加多少成本。紧接着有人建议，既然首都的下水道是“一项帝国事务”，花费不应仅由伦敦市民来出，应该由帝国来承担。这项建议遭到了其他城市的反对，不久就被否决了。

这样一来，此事就搁置了下来，直到大自然的力量打破了这一僵局。迈克尔 · 法拉第曾给《泰晤士报》写信反映泰晤士河的状况，就在这封信刊登三年后，也就是 1858 年夏天，法拉第预见的夏天来了，天气炎热干燥。议会又展开了讨论，据 1858 年 6 月 7 日的议会议事录记载：“这些正坐在各委员会的会议室和图书馆里的尊贵绅士们再也坐不住了，他们无法忍受河水散发出来的恶臭，这事已经臭名昭著了。”哪怕将议会大厦的窗帘在漂白粉中浸泡，也掩盖不了窗帘上的臭味。不要忘记，当时哪怕是最博闻强识的人，包括议员们，也都是“瘴气致病”论的支持者，相信病菌不是通过污染的水源传播，而是通过污浊的空气传播。如今我们知道这种说法并不正确，但这一理论却帮助了巴扎尔盖特。由于担心议员们会被难闻的臭气所毒害，首相迪斯雷利（Disraeli）提出了一项法案（他将泰晤士河称作“那条冥河”），驳回了霍尔的否决，

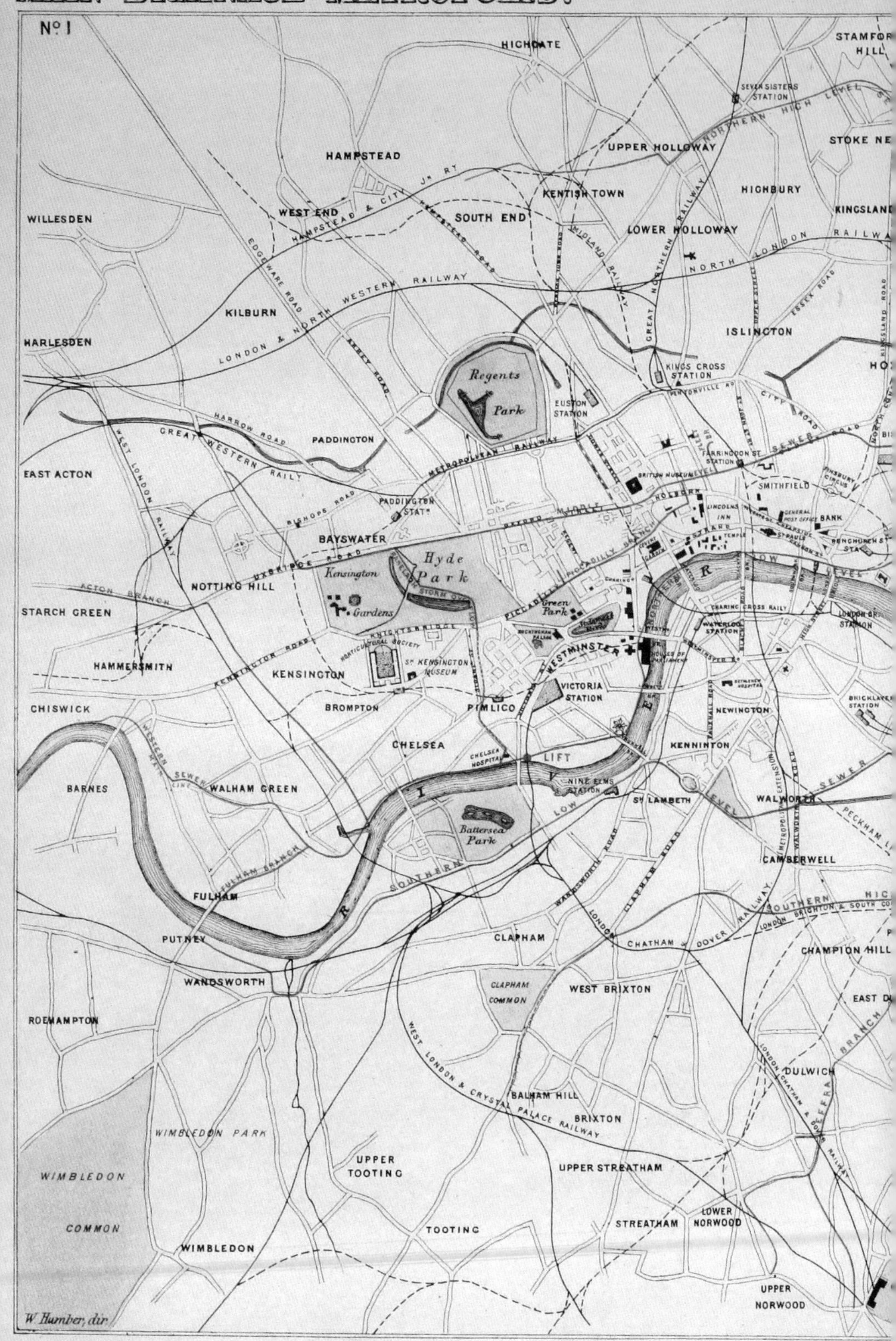

图 21　伦敦的主排污系统，1865 年。这张地图展示了巴扎尔盖特最终核准的排污系统，标注了泰晤士河北岸与南岸的排水下水道，以及克罗斯内斯与阿比米尔斯的水泵站。绘制这张地图时，泰晤士河南岸的大部分工事已经竣工。

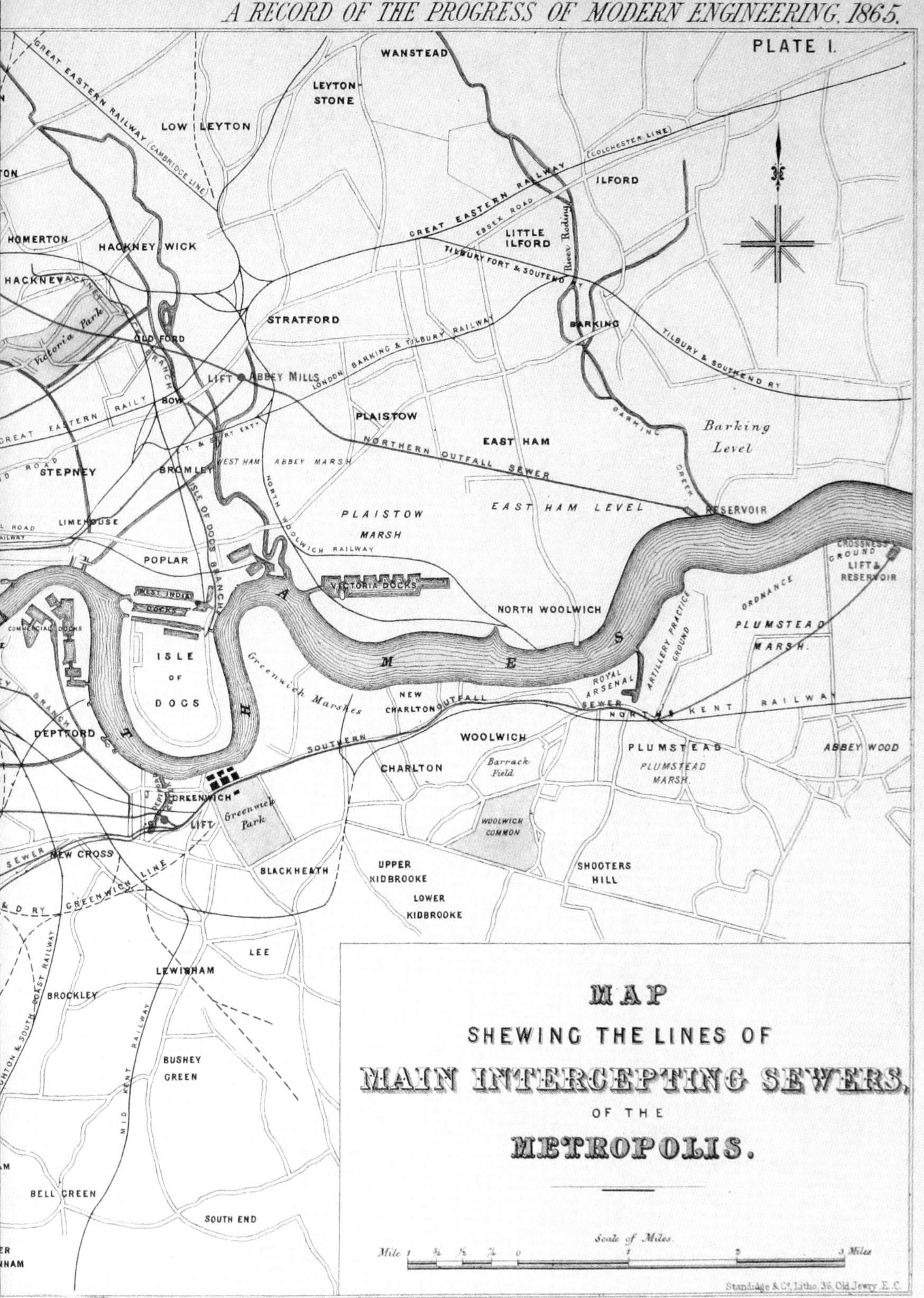

7, Stationers' Hall Court

图 22–25 **伦敦泰晤士河堤岸改建提案图**，1863 年。巴扎尔盖特向都市工作委员会提交了修建码头的计划方案。虽然方案图看起来诗情画意，但由于修建成本高昂，在实际执行中缩小了规模。

并且授权巴扎尔盖特立即开工。这项法案也使得都市工作委员会用于建造下水道的所有开销都由财务局做担保，从而以低利率贷到款项。

施工始于 1859 年 1 月，到了 1865 年，泰晤士河南岸的下水道因服务的人口相对较少已经完工，肯特郡阿比伍德附近的克罗斯内斯污水处理厂也已竣工。1865 年 4 月 4 日，威尔士亲王阿尔伯特 · 爱德华亲临现场，宣布克罗斯内斯污水处理厂正式启用，当天在场的还有两位大主教、其他皇室成员、议员和很多显要人物。现场有四台巨大的梁式蒸汽发动机抽取污水，亲王亲手启动了以他名字命名的那台；其他三台上也都有皇室成员的名字，分别是维多利亚女王、王夫阿尔伯特亲王和威尔士亲王夫人“丹麦的亚历山德拉”。从此，泰晤士河南岸再未受到霍乱侵袭。在过去的三十年间，一支支由志愿者组成的队伍认真修复了克罗斯内斯水泵站。其中一台梁式蒸汽发动机“王夫阿尔伯特亲王”现在已经恢复使用，运行时会对公众开放，官网上还刊登了相关广告。维多利亚时代是工程建设的全盛时期，水泵站和梁式蒸汽发动机虽然如今已被现代设备所取代，但当时是难以超越的工程典范。水泵站处处可见色彩鲜艳的锻铁装饰，这是维多利亚时代重视公共工程设计的体现，因为这两座水泵站都在相对偏远的地区，只有污水处理工可以看到这些华丽的设计。而这还不是孤例，在莱斯特城的科技博物馆和剑桥的技术博物馆也可以看到相似的情形，与克罗斯内斯一样，这两座博物馆的前身都是水泵站。

泰晤士河北岸的任务更复杂，因为这一片人口稠密，挖开繁忙的街道来建造下水道引起了人们的不满。巴扎尔盖特解决了其中最棘手的问题，即泰晤士河北岸的低线下水道（low level）的路线，方法如下：利用泰晤士河边近 16 公顷的土地，修建了由威斯敏斯特桥至黑衣修士桥的维多利亚堤岸；还修建了维多利亚女王街，将威斯敏斯特和市中心的英格兰银行连接起来。维多利亚堤岸除解决了低线下水道路线问题，还带来了额外的好处——增加了一条连接威斯敏斯特和城市的道路，也让地下的“大都会区域铁路”（现在的“区域线”）能够从黑衣修士地区通到威斯敏斯特。最后，有了堤岸，他才得以造出威斯敏斯特中心地带急需的绿地——维多利亚堤岸花园。花园位于白金汉宫街尽头的约克水门——站在花园里，想象堤岸尚未建成的 19 世纪 60 年代，约克宫与白金汉宫的公爵们会从水门登上接驳船，你就能感受到这些工程的规模有多大。水门现在距泰晤士河约 100 米，那里的河道比原来窄得多，水流也更急。威尔士亲王主持了维多利亚堤岸的落成典礼，除维多利亚女王因头痛而未能出席外，皇室成员、二十四位大使、上下两个议院几乎全部的议员们，以及一万名持票参与者，都参加了典礼。现场还有近卫步兵团和冷溪近卫团的乐队演奏。

图 26—27 **建造维多利亚堤岸**。萨默塞特府最初打算临河而建，但因为维多利亚堤岸的建造而与泰晤士河隔了一段距离。

图 28－31　**克罗斯内斯水泵站的开幕典礼**，1865 年。威尔士亲王出席了克罗斯内斯水泵站的开幕仪式，这在当时是件大事。皇家庆典由巴扎尔盖特致辞。宾客们参观完工事与蓄水池后，亲王受邀转动轮盘，启动了发动机。

图 32 克罗斯内斯水泵站中心的八边形装饰，1865 年。20 世纪 80 年代开始的修复工作最大限度地保留了克罗斯内斯水泵站昔日的雄伟，还使梁式蒸汽发动机“王夫阿尔伯特亲王”恢复运行。

在泰晤士河北岸下水道的施工中，巴扎尔盖特面临的另一项重大挑战，是西汉姆的阿比米尔斯和贝克顿之间排污总管的修建。污水主要借助重力流至阿比米尔斯，在那里被抽至 10.9 米高，输送到总管中，再流过 8 千米的湿地，途中还要穿过公路和铁路，最后才到贝克顿污水处理厂。为了让下水道从崎岖的地势中穿行，人们修建了大型的堤岸，对两条铁路线做了下沉处理，将五条公路架高 1.8 米至 4.9 米，这样就可以在穿越铁路上方或公路下方时保持平稳向下的斜度。工程开始的时候，人们还在贝克顿建了一座临时的混凝土工厂，还有一条临时的铁路，用于将材料运输到阿比米尔斯。随着排污总管铺设的推进，铁路逐渐拆除，等总管铺设到贝克顿，这些临时的设施都被拆除并挪作他用。

1866 年夏天，在距离伦敦白教堂 3 千米的区域，暴发了最后一次霍乱疫情，5596 人因此丧生。当时，这片区域是巴扎尔盖特排污系统唯一未覆盖的地方——很难想象如果伦敦的其他地区也没有铺设下水道，死亡人数该有多少！巴扎尔盖特写道：

图 33—35 **阿比米尔斯水泵站设计图**，1867 年。巴扎尔盖特精细华美的设计图，作为一篇解释性文章的重要组成部分，发表在《工程师》(*Engineer Magazine*)杂志上。杂志记者称赞这些图是“工程学中的高雅艺术”。

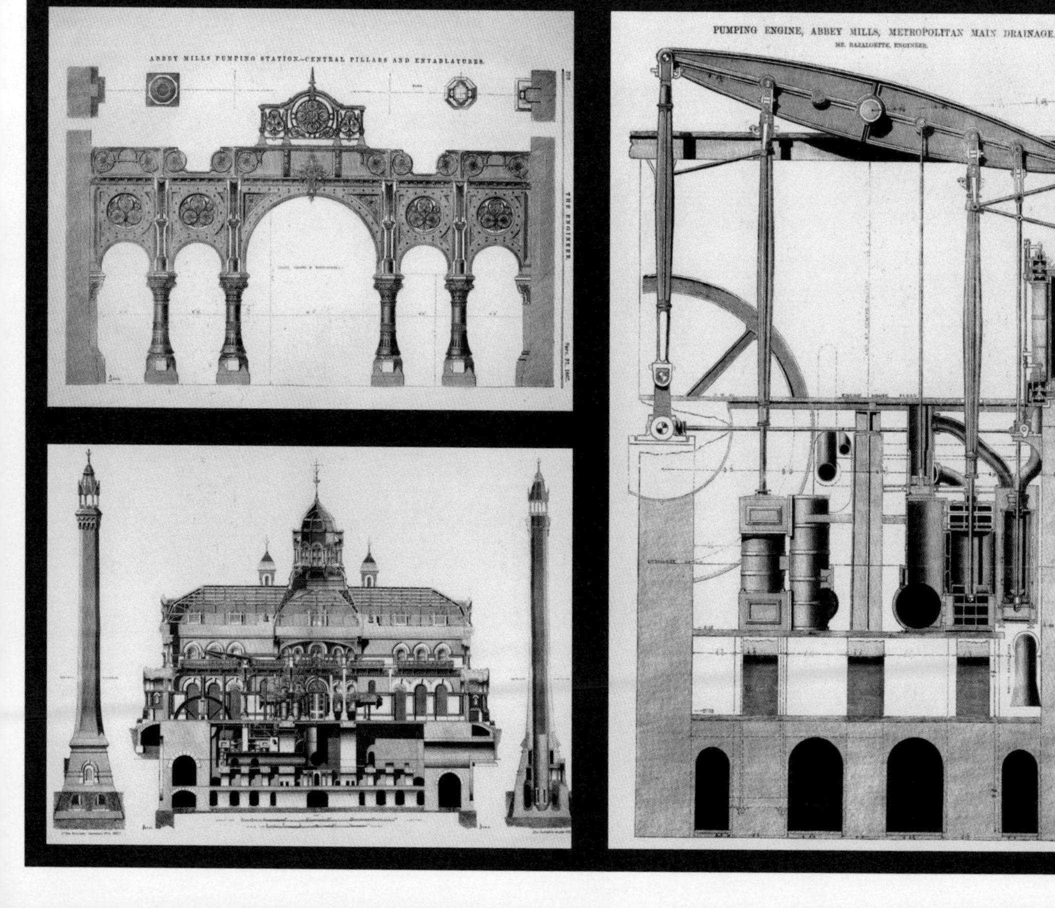

实在不幸，那片区域就剩主排水工程未完工。低线下水道已经建好了，但是阿比米尔斯的水泵站要到明年夏天才能完工。我会建议工作委员会在阿比米尔斯建造一座临时的水泵站，将这一地区的污水抽送到北部的排污总管。临时水泵站的修建大约可在三周内完工。

这座临时的水泵站后来建好了，于是污水不再被排入供水体系，而是被输送到贝克顿，霍乱疫情也得以减弱。1868 年，可长期使用的新水泵站建成了，该水泵站位于西汉姆附近的阿比米尔斯，至今仍在使用。1892 年，当霍乱席卷伦敦最主要的一个贸易伙伴汉堡时，伦敦做好了迎接又一次疫情的准备，但疫情没有发生。据报道，英格兰六十四个城镇中有 132 人因此丧生，其中 17 例来自伦敦——这些患者可能是在国外感染了霍乱。巴扎尔盖特在此前一年去世，但他留下的遗产——这套下水道系统——保护了伦敦的供水系统。

图 36　**泰晤士河北岸排污总管地图**，1891 年。这张地图展示了北岸的排污总管通往加量斯河段（Gallions Reach）的贝克顿污水处理厂，污水在涨潮时由此排入泰晤士河。

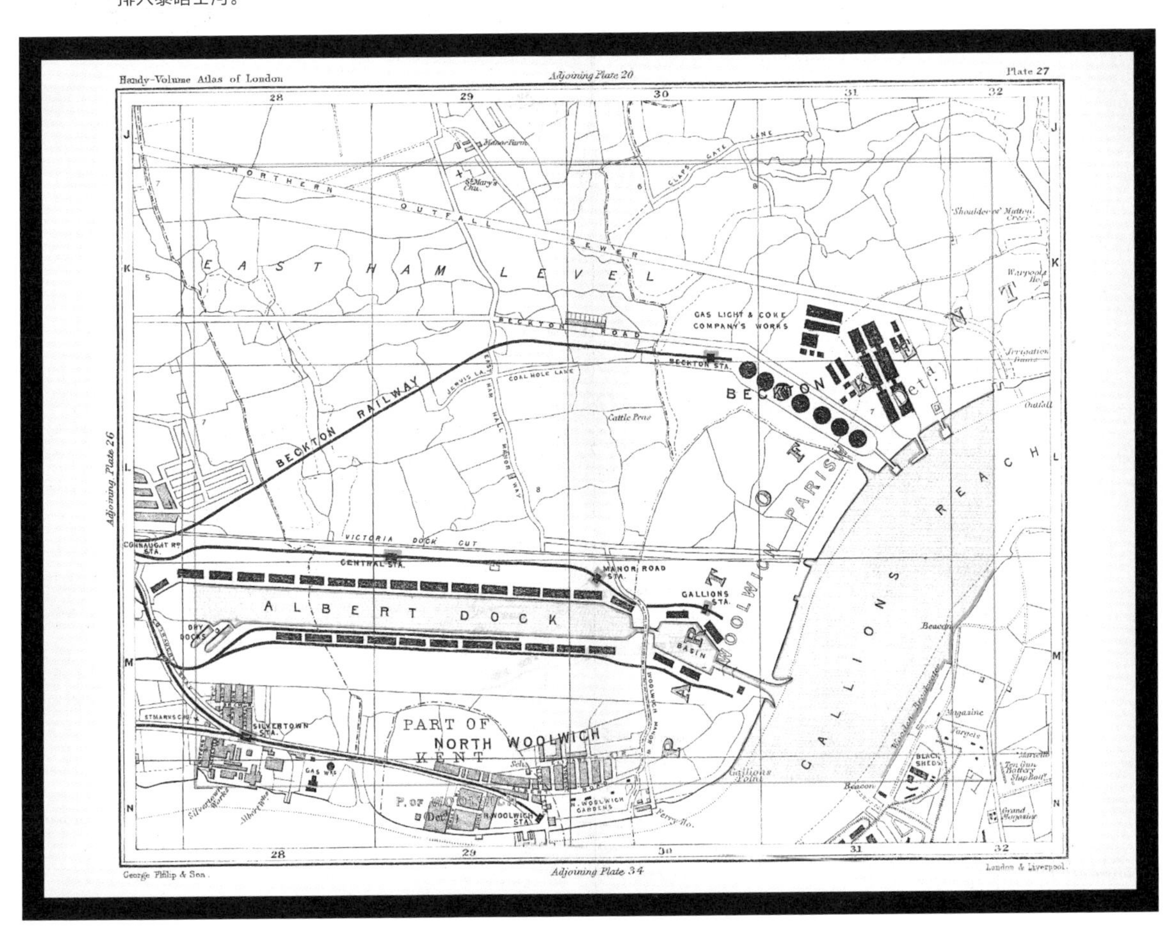

图 37－40 **北岸排排污总管的修建**。泰晤士河北岸排污总管长 8 千米，从阿比米尔斯水泵站至贝克顿污水处理厂。施工工程包括降低两条铁轨与抬高五条公路。

图 41　经久耐用的下水道，英国伦敦。此图为国王学者池塘下水道的一处枢纽。请留意图中下水道底部特别烧制的砖，它们承担了主要负荷。最右侧隧道墙砖的颜色，就是“斯塔福德郡蓝”。

图 42—43　　伦敦德特福德（Deptford）水泵站。

修建德特福德水泵站是为了将伦敦南部的污水抽至排污总管中，污水流经伍利齐（Woolwich）后到达克罗斯内斯。

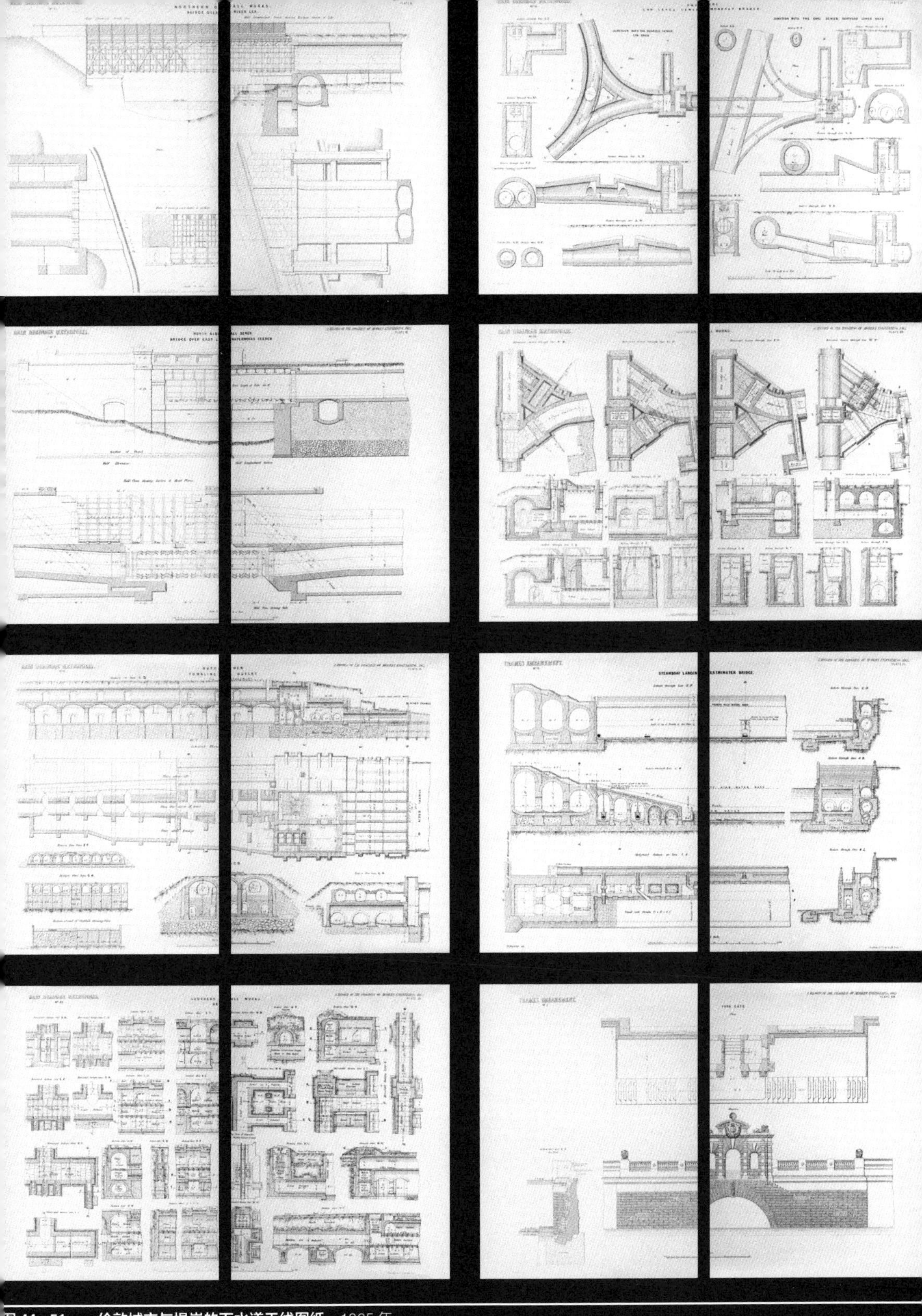

图 44–51　伦敦城市与堤岸的下水道干线图纸，1865 年。

巴扎尔盖特规划的北岸低位下水道图纸，污水从维多利亚堤岸下穿越而过，这条下水道是泰晤士河的最后一道防线。

在整个工程中，下水道工事共耗资 420 万英镑，堤岸的建设耗资 240 万英镑。奥斯曼主持的巴黎改建计划完备程度不及伦敦，服务的城市面积也要更小，但开销却几乎是伦敦改造工程的五倍之多。

巴扎尔盖特建立的下水道系统是一个“复合系统”，既能够收集商业场所的废水，又能收集落在街面的雨水。工程师了解人们的作息时间和商业场所的营业时间，能够近乎精确地推测出每小时的废水排放量。然而降雨量却难以这样精确预测——众所周知，降雨量有大有小，夏日一场突然的暴雨在几个小时内的降雨量，可抵得上其他季节整个月的降雨量。为了应对所有无法预测的事件，下水道必须修建得足够大，可这么做有些不切实际，所以人们一致认为，在极端情况下，可以将下水道无法容纳的雨水直接排放到泰晤士河。1867 年 7 月 26 日，这套系统进行了初次测试，那天九小时内的降雨量就达到平均年降雨量的八分之一。当时系统虽然尚未完工，却很好地应对了这一挑战。新建城镇和房地产项目中所采用的现代排水系统通常是“独立系统”，废水和雨水各自通过单独的管道收集。这样就减少了进入污水处理厂的水量，减轻了污水处理的负担。而且，让相对清洁的雨水流入河流和湖泊，也无污染之虞。

越来越多的人开始相信“有淤泥的地方就能有钱”（这个说法在英国北部流行），这给约瑟夫·巴扎尔盖特带来巨大压力，他必须为污水系统制订一套资源回收方案，从而不浪费这些重要的国家财富。这个方案得到了广泛的关注，1860 年《农民杂志》（*The Farmer's Magazine*）热情洋溢地介绍道：“如果我们能把污水的财富价值转化为一堆堆闪闪发光的金币，让英国农民看看，他们会大为震惊，并愿意为获得这巨大的财富而付出无限努力。”于是，1865 年议员威廉·纳皮尔（William Napier）和获得维多利亚十字勋章的陆军中校威廉·霍普（William Hope）尝试推行一套计划，将伦敦的污水送去灌溉埃塞克斯海岸的登革平原（Dengie Flats）和马普林沙滩（Maplin Sands），好让这由填海造田而来的 81 平方千米土地肥沃起来。这个计划最终因奥弗伦–格尼银行的倒闭而告终。在此之后，人们又尝试了多种方案：1871 年，天然鸟粪公司在克罗斯内斯水泵站建立工厂，生产粪肥；20 世纪 50 年代，伦敦达格汉姆附近的巴金（Barking）排水口处成立了一家小公司，公司将粪肥干燥后装袋，命名为“达格法特”（Dagfert，意为“达格汉姆肥料”）出售；直到不久前的 1987 年，泰晤士水务公司还在位于白金汉郡的小马洛（Little Marlow）污水处理厂成立了一个试点，出售各种肥料和栽培袋。

1878 年，一艘名叫“爱丽丝公主号”的豪华轮船与“拜威尔城堡号”货轮相撞，前者沉没，造成许多人丧生。由于事故地点与克罗斯内斯污水处理厂相距不远，事故发生的时间与污水排放的时间也很接近，有人认为遇难者中有一部分人可能是因污水中毒

图 52 **伦敦低位下水道的一条分支**，1896 年。随着伦敦城市的扩张，巴扎尔盖特的排水系统也在不断扩建，图中这条典型的蛋形下水道建于 1896 年。

图 53　**伦敦南海德（Nunhead）下水道干线**，1889 年。一条直径 1 米的管道正在被吊起，准备放入南海德的下水道新干线，这条干线完工于 1889 年。

图 54　伦敦下水道系统图，1880 年。

这地图展示了巴扎尔盖特留给伦敦的下水道系统，鲜亮的红线标出的是截流污水管道干线。

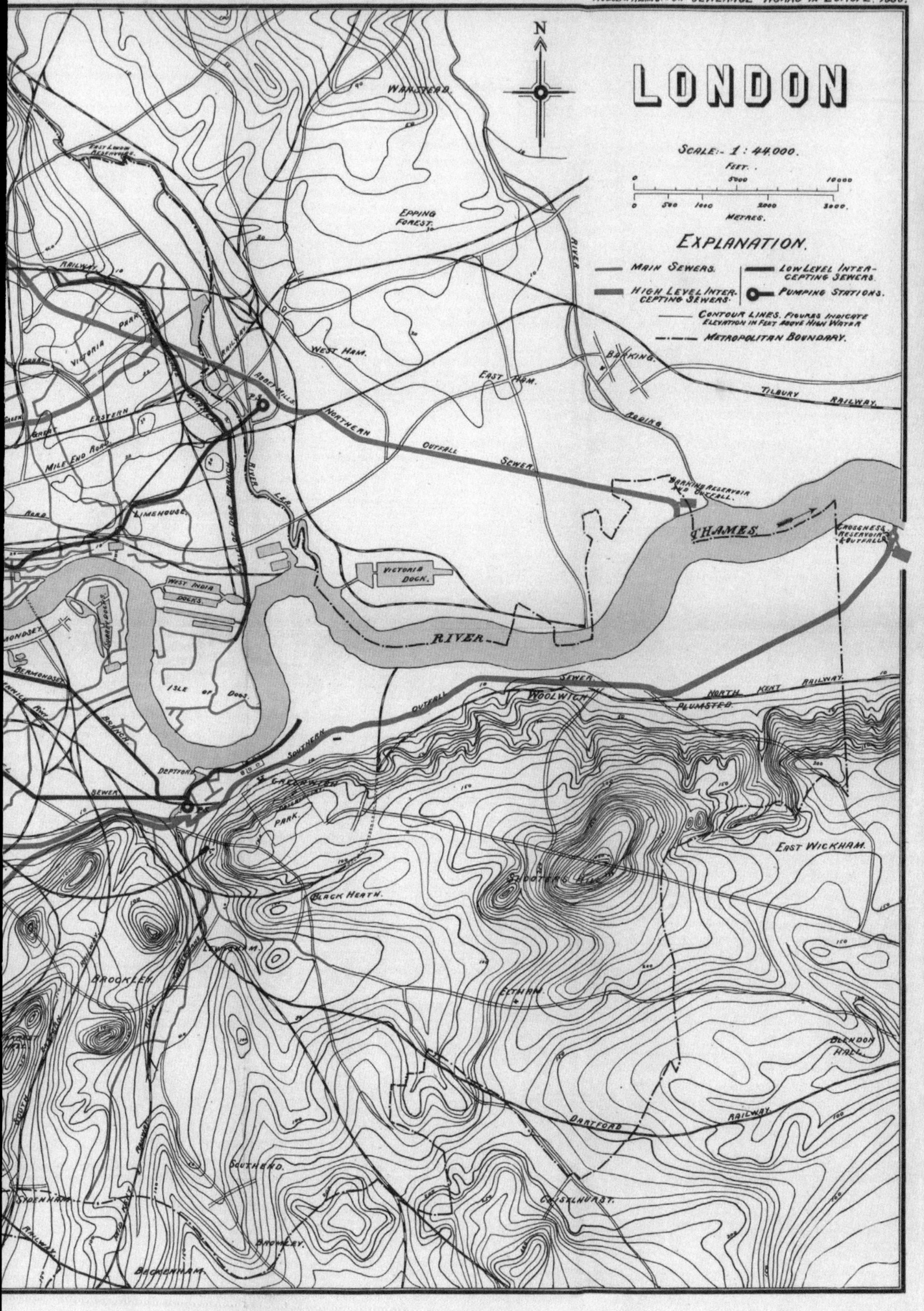

LONDON
N
SCALE:- 1 : 44,000.
FEET.
0
5000
10000
0
500
1000
2000
3000.
METRES.
EXPLANATION.
MAIN SEWERS.
HIGH LEVEL INTERCEPTING SEWERS.
LOW LEVEL INTERCEPTING SEWERS.
PUMPING STATIONS.
CONTOUR LINES. FIGURES INDICATE ELEVATION IN FEET ABOVE HIGH WATER
METROPOLITAN BOUNDARY.
WANSTEAD.
EPPING FOREST.
RIVER
WEST HAM.
EAST HAM.
BARKING.
RODING
TILBURY
RAILWAY.
NORTHERN
OUTFALL
SEWER.
BARKING RESERVOIR AND OUTFALL.
THAMES.
CROSSNESS RESERVOIR & OUTFALL.
VICTORIA DOCK.
RIVER
RIVER LEA
VICTORIA
PARK
EASTERN
MILE END ROAD
LIMEHOUSE.
WEST INDIA DOCKS.
ISLE OF DOGS.
BERMONDSEY
DEPTFORD
SEWER
SOUTHERN
OUTFALL
SEWER
WOOLWICH
NORTH KENT RAILWAY.
PLUMSTED.
GREENWICH
PARK.
BLACK HEATH.
SHOOTERS HILL
EAST WICKHAM.
LEWISHAM.
BROCKLEY
ELTHAM.
BLENDON HALL.
DARTFORD
RAILWAY.
SOUTHEND.
CHISELHURST.
SYDENHAM
BROMLEY.
BECKENHAM.

图 55 **装载淤泥**，英国伦敦。贝克顿污水处理厂的“固体”垃圾正在被装入一艘运泥船。其中一艘运泥船被命名为“约瑟夫·巴扎尔盖特爵士号”。

图 56 **“爱德华·克鲁兹号”泥驳**，英国伦敦。一艘泥驳正航向北海，以倾倒臭气熏天的污泥。

而死，而非死于溺水。过去，克罗斯内斯和贝克顿周边是污染环境的重工业区；如今，克罗斯内斯和贝克顿附近已经变成了住宅区。几经拖延后，才终于决定，以后贝克顿和克罗斯内斯的污水不再直接排放到泰晤士河，而是要抽到沉淀池中。在池中投入石灰，以加快沉淀，并为液体除臭，然后再将经过处理的水排放到河里。沉淀的淤泥会被抽到船上（其中一艘船名为“约瑟夫·巴扎尔盖特爵士号”），最后倾倒在泰晤士河的北海入海口之外。这套污水处理系统就是巴扎尔盖特留下的遗产。他 1889 年从首席工程师这一职位上退休，两年后去世，而他的污水处理系统几乎没被改建过，一直沿用至 1998 年才被现代系统所取代（参见第 220 页）。

巴扎尔盖特的排污工程还产生了其他影响 。其中之一是道尔顿和瓦特公司（Doulton and Watt）的快速壮大 。这家公司由约翰·道尔顿（John Doulton，1793—1873）在兰贝斯区建立，主要经营精美瓷器 。他颇有先见之明，在伦敦那片贫民区廉价买下了一大块土地，其面积仅次于坎特伯雷大主教居住的兰贝斯宫。公司靠生产大型的陶瓷罐子生意兴旺，直到 1845 年，无人不知的“卫生科学之父”埃德温·查德威克说服了约翰·道尔顿的儿子兼继承人亨利和弗雷德里克，让他们相信未来釉面陶瓷下水道商机无限。道尔顿在兰贝斯的那块土地上建了一家工厂，据《建设者》（*The Builder*）杂志报道，1854 年该工厂每周能生产 16 千米下水道管道。工厂一直生产到 20 世纪 30 年代，其中大部分管道都出口外销。该公司生产的釉面陶管被广泛安装在巴扎尔盖特的截流污水管道中。不过，由于这些体量巨大的下水道尺寸不等，西端的直径为 1.4 米，到东端的阿比米尔斯就成了 3.3 米，所以由砖砌成。下水道底部铺设的许多砖块也是道尔顿的工厂生产的。在 19 世纪 50 年代，砖块使用斯塔福德郡的黏土高温烧制而成，有很高的强度，吸水率极低，且呈深蓝色，故以“斯塔福德郡蓝”闻名。这些砖块在 21 世纪仍然效力于巴扎尔盖特的下水道，也被应用于许多现代建筑的地基。

1861 年，巴扎尔盖特开始施工时，伦敦的人口是 280 万。到 1901 年，即他去世后十二年，伦敦人口已高达 650 万。幸运的是，巴扎尔盖特在设计排污方案时已经预计到伦敦人口会大幅增加，但他没想到 1939 年第二次世界大战爆发时，伦敦人口将达到 860 万的峰值。为了容纳激增的人口，伦敦政府开启了庞大的公共住房开发工程。在 1921 年至 1935 年间，世界上最大的公共住宅区在伦敦东部的贝肯特里建成，共有房屋 26000 栋，可解决 10 万人的住房问题。这就令扩建巴扎尔盖特的下水道系统迫在眉睫，尤其是要扩建从阿比米尔斯到贝克顿的排污总管。现在，东部的陶尔哈姆莱茨区（Tower Hamlets）有一条长 8 千米的步道和自行车道，从鲍尔（Bow）的威克巷（Wick Lane）一直延伸到贝克顿。道路下方即是扩建的下水道工程。以前，这里有一个名副其实却令人生畏的名字——“臭水道”。20 世纪 90 年代，政府对这里进行了修缮和环境美化，修建出这条名叫“绿道”的路。如今，这里风景宜人，地理位置高，可以将下方的景观尽收眼底，其中包括奥林匹克公园的优美风光。这也让人们对巴扎尔盖特及其继任者们的工程规模刮目相看。

伦敦人口在两次世界大战之间的增长趋势，在第二次世界大战后演变为缓慢持续的下降，1991 年人口不到 660 万。由于许多公共住房在战争中被炸毁，大部分人

图 57 **道尔顿生产的下水道管**，英国伦敦。这种管子用于房屋管道和街道下水道的连接。

图 58 ↑ **道尔顿生产的“斯塔福德郡蓝”砖块**，英国伦敦。斯塔福德郡砖块用来铺设下水道的底部（仰拱）。

图 59 ↓ **建设中的砖砌下水道**，1936 年。正在用斯塔福德郡砖块铺设下水道的底部。

图 60—61　　伦敦议员街（Councillor Street）仓库的木工和金属工人。20 世纪初，大量工人参加了下水道的扩建。

图 62—63　**安装前的下水道**，1911 年。从下水道组件异乎寻常的高度与重量来看，整个下水道系统的规模非常庞大。

从这些破败的住房中搬迁到海默尔亨普斯德（Hemel Hempstead）、斯蒂夫尼奇（Stevenage）、克劳利（Crawley）等新建城镇的社区中。此外，尽管都市人口在下降，但在20世纪50年代，由于伦敦破败的住房被新房替代，许多家庭首次通上冷热自来水，第一次用上抽水马桶，这给排水系统带来了更大的压力，需新建更多排水管提升排污量。约瑟夫·巴扎尔盖特在世时便广受赞誉，其工程的重要性也得到了伦敦市民的认可。他对伦敦的贡献并不仅限于建立污水处理系统和修建堤岸，还主持修建了伦敦的许多桥梁，包括哈默史密斯大桥和普特尼桥，以及多条重要道路，包括沙夫茨伯里大街和查令十字路。巴扎尔盖特对伦敦的发展与繁荣做出了独特的贡献，1875年他受封为爵士，1883年荣获巴斯勋章，并于同年当选为土木工程师协会主席。1891年3月16日，《泰晤士报》刊登了巴扎尔盖特的讣告，介绍了他下水道的创新设计带来的影响。提到他最引人瞩目的工程——维多利亚堤岸时，讣告执笔者这样写道：

> **由于壮观的下水道系统埋藏在地下，伦敦市民通常对此一无所知。但登记总长却可以告诉市民，下水道的存在把他们的寿命延长了大约二十年。**

虽然巴扎尔盖特原本的预想如今无法满足伦敦的排水需求，但他主持的工程却继续为这座城市提供着服务。伦敦旧时的码头已经变成办公室，岸上的仓库变成了豪华住宅，里面奢侈地配备着市面上可以见到的所有用水设施。此外，在20世纪的最后十年，伦敦人口开始恢复增长，现在已经超过1939年的峰值水平，在21世纪的第二个十年首次达到900万。关于人口增长对巴扎尔盖特排污系统产生的影响，本书将在最后一节“污水处理的未来”中进行讲述。

> **约瑟夫·巴扎尔盖特创建下水道系统时，先估算出当时伦敦的排水需求，然后以两倍于此的体量进行建设，以备未来之需。巴扎尔盖特的深谋远虑令我十分佩服。**
>
> 诺曼·福斯特
>
> （著名建筑师，设计建造了伦敦诸多地标性建筑，如伦敦市政厅、千禧桥和“小黄瓜”大厦）

图64—81　**工作中的下水道工人**，英国伦敦。下水道工人均需身穿防护服，有时还需佩戴面罩，以防感染。

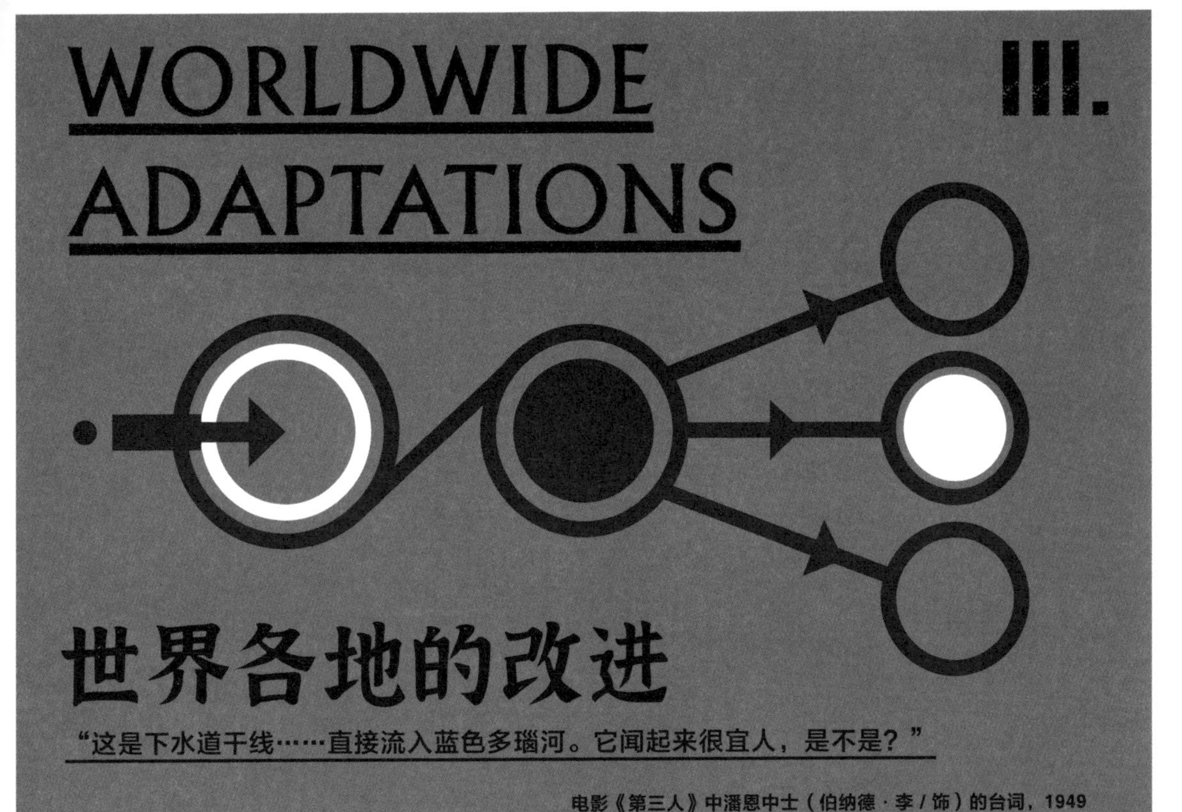

WORLDWIDE ADAPTATIONS
III.
世界各地的改进
“这是下水道干线……直接流入蓝色多瑙河。它闻起来很宜人，是不是？”
电影《第三人》中潘恩中士（伯纳德·李/饰）的台词，1949

进入 19 世纪晚期，中欧国家、澳大利亚和日本等地的城市人口不断增长，介水传染病也伴随而来，这些地区的居民不得不效仿前述的法国与英国，开展规模巨大的工程建设，引进高效的污水处理系统。不过，他们在前人的基础上又发展出了一些新技术，并进一步整合了污水收集与处理过程，为未来的技术发展提供了蓝本。当时还诞生了诸多有关污水流动的新概念和新技术，比如真空排污技术（如今被应用在火车和飞机等交通工具上，也在挪威、瑞典等地普及），使用沙石过滤器净化饮用水等。

当时，德国乃至中欧大部分地区污水处理系统的发展都离不开一对父子，即英国工程师威廉·林德利（William Lindley，1808—1900）和儿子威廉·赫尔莱恩·林德利爵士（Sir William Heerlein Lindley，1853—1917）。他们主持的工程遍布欧洲大陆的众多城镇，尤其是德国。老威廉·林德利出生于伦敦，尚在襁褓之中时父亲就过世了。16 岁那年，他去汉堡学习了十个月，因此精通德语。随后他回到英国，成为一名工程专业的学徒，和伊桑巴德·金德姆·布鲁内尔一起修建泰晤士河隧道。泰晤士河隧道由

图 1　**水坝**，1909—1928 年，澳大利亚新南威尔士州。在这片干旱的大陆上，新南威尔士州修建了许多这样的水坝储存并净化水源，以供人使用。

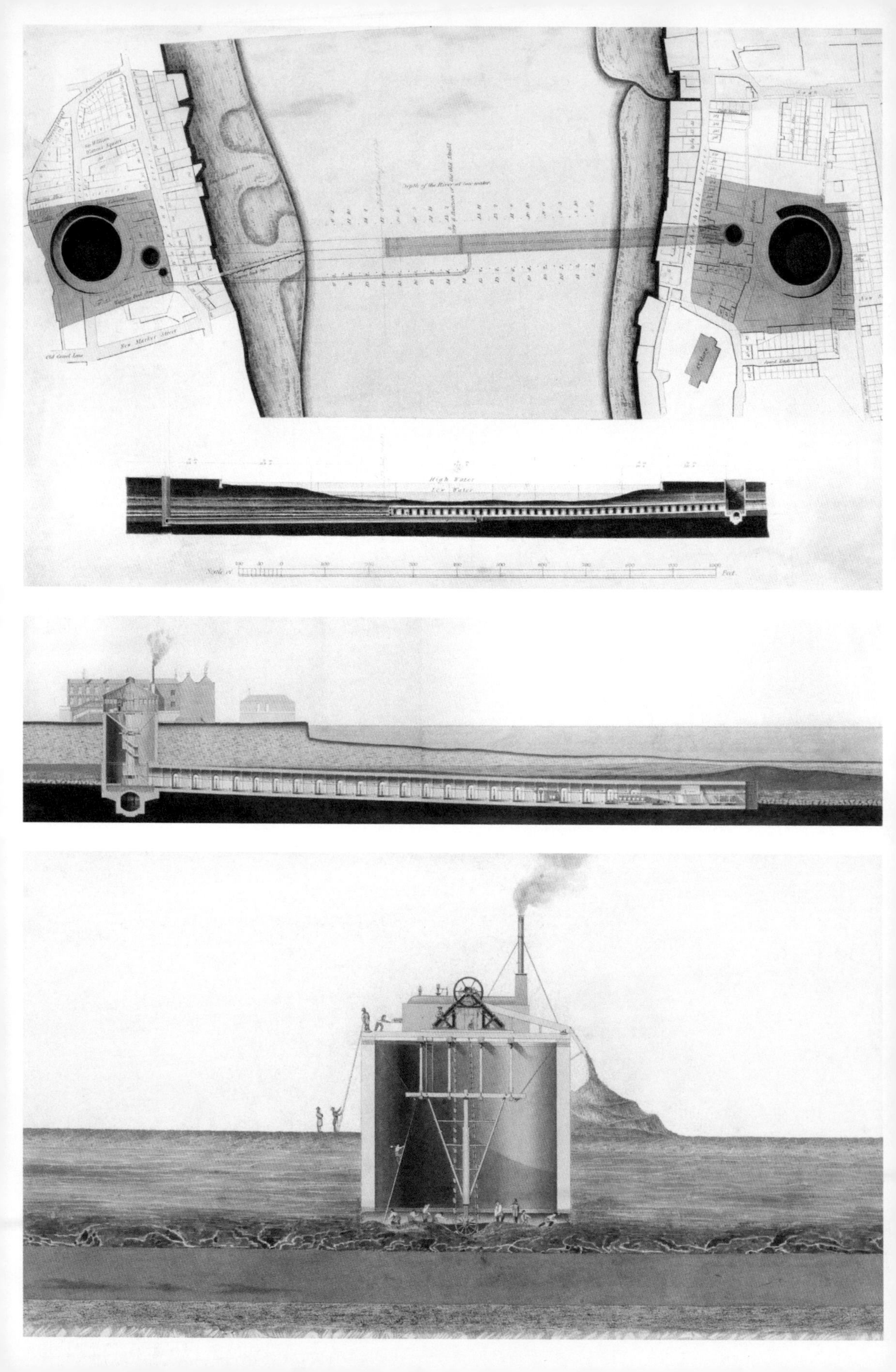

New Market Street
Old Gravel Lane
High Water
Low Water
Feet

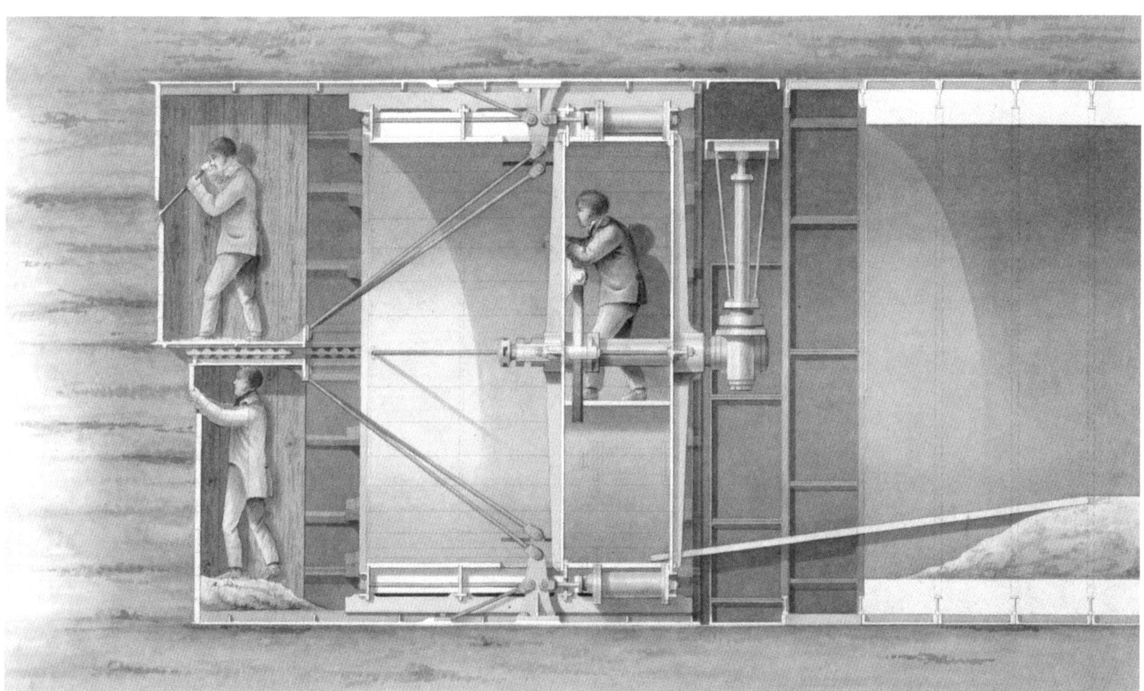

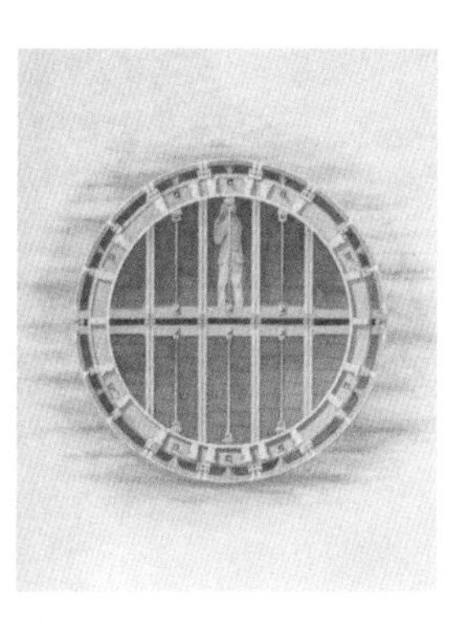

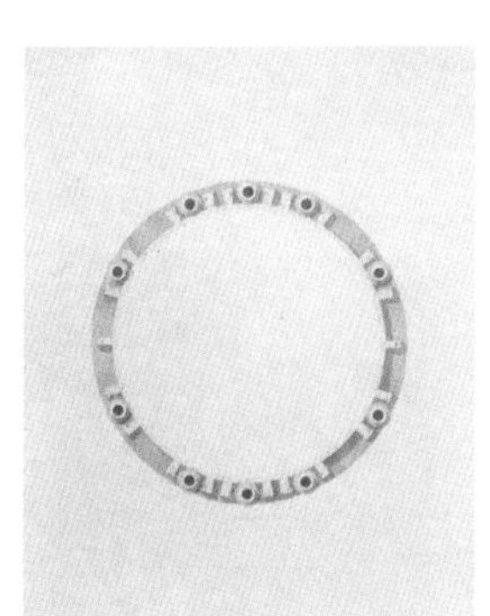

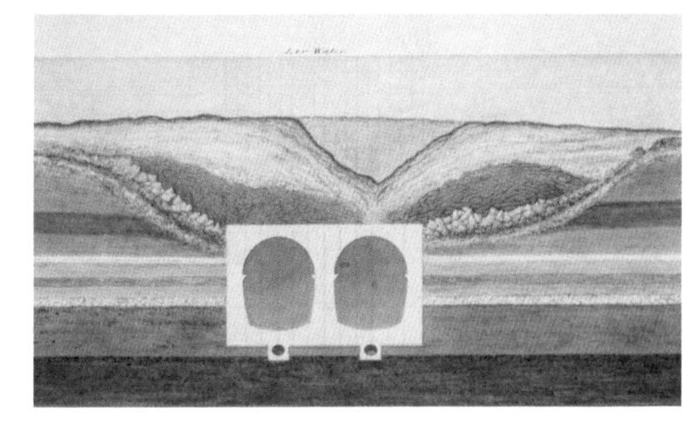

图 2—9　马克·伊桑巴德·布鲁内尔为泰晤士河隧道所作的水彩画稿，1827 年，英国伦敦。这条隧道连通了泰晤士河两岸的沃平和罗瑟希德，是世界上首条水下隧道，由马克·伊桑巴德·布鲁内尔设计，由其子伊桑巴德·金德姆·布鲁内尔，以及威廉·林德利协助修建。隧道的修建耗时十八年，于 1843 年开通。

伊桑巴德的父亲马克（Marc）设计。马克首创盾构法，在沃平（Wapping）和罗瑟希德（Rotherhithe）之间的泰晤士河下方建造了一条隧道。

1837年，林德利回到汉堡从事铁路项目。1839年，年仅31岁的林德利在伊桑巴德·金德姆·布鲁内尔和罗伯特·斯蒂芬森的推荐下承担了汉堡第一条铁路的修建任务。1842年，铁路建成后，原定于5月7日正式投入运营，不料却被5月5日的汉堡大火耽搁。大火持续了三天，烧毁了城市的三分之一。林德利借助新建铁路把消防员运送到火灾现场，并把群众从现场撤离，还用炸药炸出隔火带，以减缓火势蔓延，凭借这些举措获得了市长与议会的尊敬。随后，林德利被聘为汉堡重建工程的顾问工程师。汉堡中心东部有一块面积约607公顷的沼泽地，名为哈默布鲁克（Hammerbrook）。在1842年至1847年间，林德利修建了一套由运河和水闸构成的复杂系统，将哈默布鲁

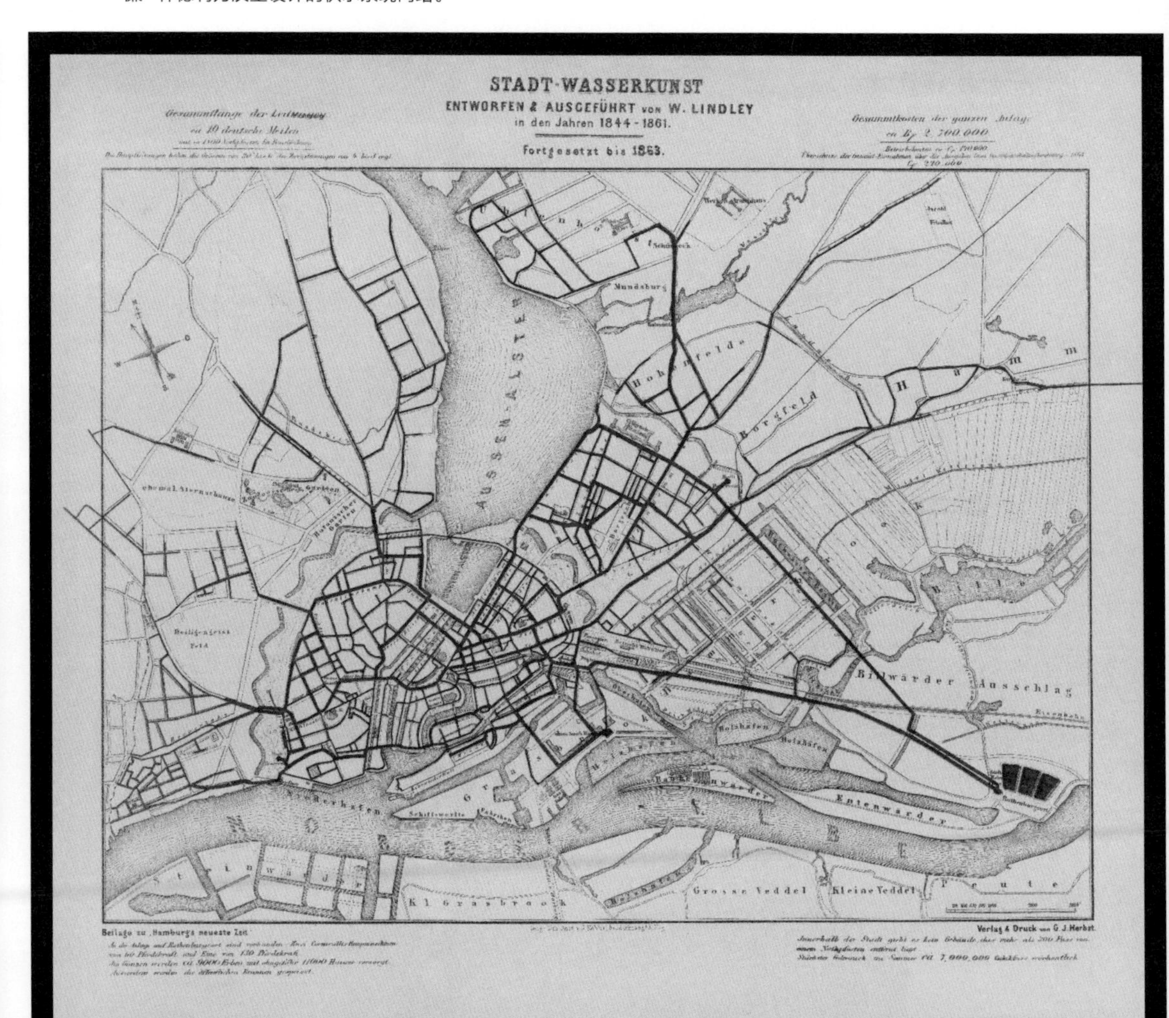

图10 **汉堡的供水系统**，1864年。地图展示了英国工程师威廉·林德利为汉堡设计的供水系统网络。

图 11—12 **汉堡下水道建设。**汉堡污水处理系统的施工方案由威廉·林德利设计，修建于 1848 年至 1860 年间。这一系统的管道由易北河河水冲刷清洗。不幸的是，1892 年易北河将霍乱带入了汉堡。

克沼泽中的水排入易北河。在 1844 年至 1848 年间，林德利为汉堡设计了一套供水系统，并提议使用沙石过滤器来确保饮用水的纯净。但在之后的近五十年里，该提议都没有被采用。最后，他提出了一套全面的污水处理系统改造方案，并于 1848 年开始修建，成为全德国的首创。至 1860 年，他已经修建了 64 千米的下水道干线，管道的尺寸足以应对日趋流行的抽水马桶。未经处理的污水直接排入易北河，而污水管道系统则用从屋顶收集的雨水进行冲洗，林德利还做了在雨量少时使用易北河的潮水冲洗管道的规划。这套机智的工程方案确实能够清除下水道中的废弃物，但 1892 年霍乱侵袭汉堡时，其弊端也暴露无遗。

林德利还为汉堡执行过一项不同寻常的任务：售卖汉萨同盟（Hanseatic League）位于伦敦市中心的废弃地产“钢院商站”（Steelyard）。汉萨同盟由一百个欧洲城市组成，从 13 世纪至 16 世纪一直主导着欧洲大陆的贸易往来，汉堡是该同盟的重要成员之一。汉堡曾和不来梅、吕贝克一起将“钢院商站”作为仓库和贸易场所，但后来“钢院商站”搁置不用了。1852 年，林德利安排“钢院商站”售卖事宜，将其出售给东南铁路公司（South-Eastern Railway）。铁路公司将这里改造为坎农街车站（Cannon Street Station）。

在 1867 年至 1868 年间，德国许多城市备受霍乱困扰。尽管和英国一样，德国在传染病是由污水引起还是恶臭引起这一问题上存在争议，但人们普遍认同，建造污水处理系统，清除污物以及相伴而生的恶臭，是补救措施之一。 威廉·林德利于 1863 年被任命为法兰克福的顾问工程师，并在 1867 年霍乱疫情暴发后开始施工，修建了 129 千米的街道下水道，足以处理 19000 个抽水马桶排出的废水。1887 年，德国首座污水处理厂在法兰克福建成。林德利在法兰克福修建了蛋形下水道——虽然伦敦与利物

图 13–20　纪念威廉·林德利在汉堡功绩的画册，1852 年。威廉·林德利的儿子威廉·赫尔莱恩·林德利，委托德国插画家赫尔曼·威廉·索尔陶（Hermann Wilhelm Soltau）创作了这个精美的画册，以纪念父亲为汉堡公共工程做出的杰出贡献。

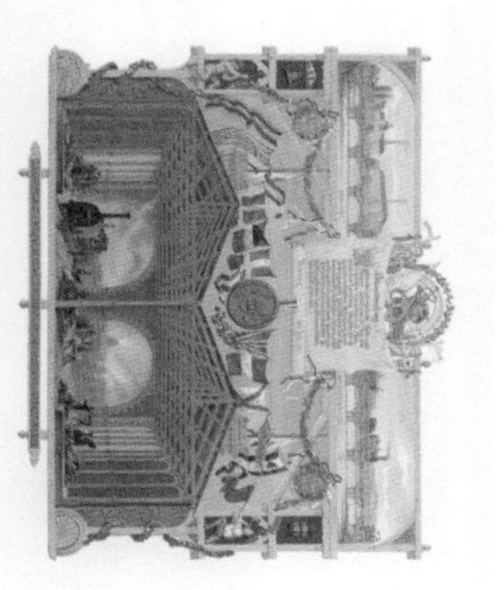

No 5.

No 8.

No 10.

No 11.

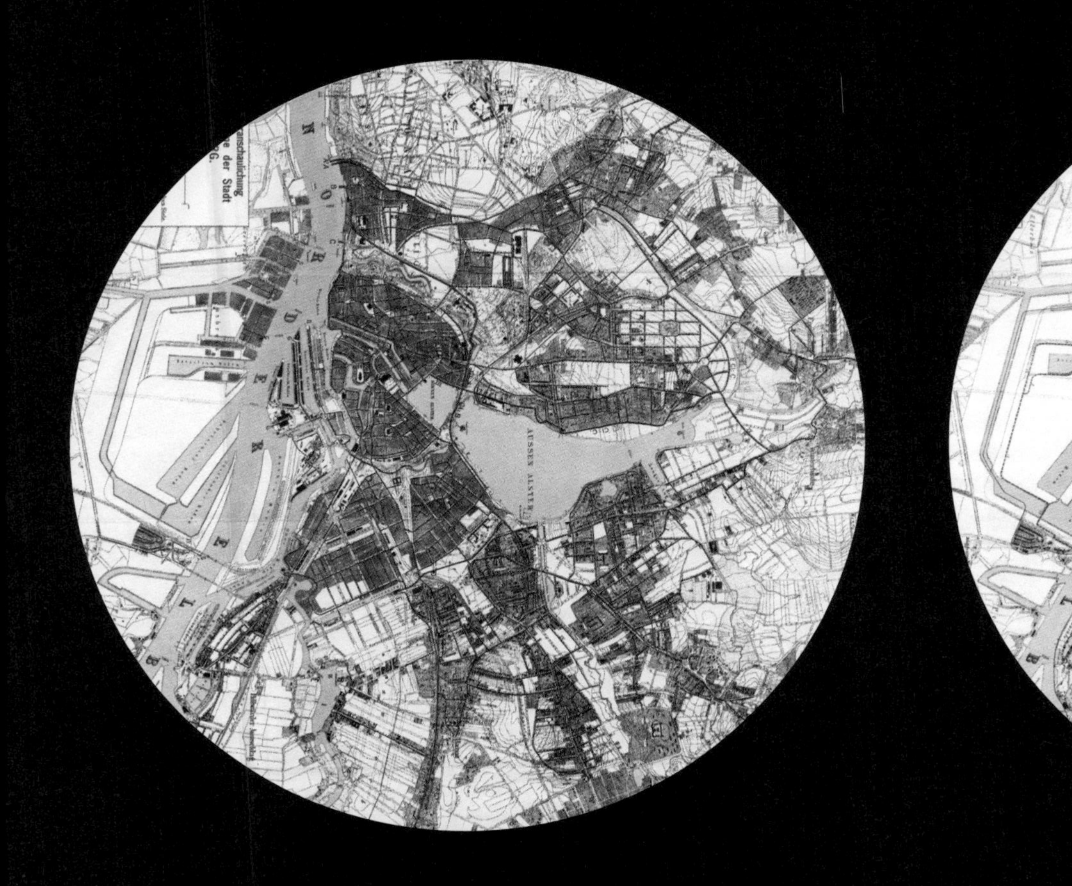

图 21 **汉堡污水处理系统**，1887 年。

威廉 · 林德利的污水处理系统于 1860 年建成，此后三十年内基本上没有改建过。

图 22 **汉堡供水系统**，1887 年。

汉堡整个供水系统中只规划了一处过滤厂，平面图中呈现了过滤厂的位置。

图 23　汉堡污水处理系统，1904 年。

到 1904 年，汉堡人口迅速增长，建筑用地迅速扩大。为了满足这座港口城市快速发展的需求，污水处理管道也变得更加密集，分布也更加广泛。

图 24 **柏林下水道**，1907 年。柏林的污水处理系统修建于 19 世纪晚期。20 世纪，人们通过下水道从东柏林偷渡到西柏林。

图 25—26 → **《第三人》剧照**，1949 年，奥地利维也纳。电影《第三人》中，由奥逊·威尔斯饰演的哈利·莱姆试图通过下水道逃脱追捕。

浦早在 19 世纪早期便修建了蛋形下水道，但在德国这可能是首例。林德利还参与了杜塞尔多夫和莱比锡的污水系统设计。在 1868 年至 1883 年间，当另一种介水传染病伤寒侵袭这些城市时，人口死亡率下降了八成。

19 世纪 50 年代，林德利在维也纳设计完成了一套排水系统，以防止多瑙河（尽管不是下水道）洪水泛滥。1949 年上映的电影《第三人》，其高潮就是由奥逊·威尔斯饰演的哈利·莱姆从下水道中逃之夭夭。澳大利亚曾邀请林德利为悉尼设计污水处理系统，但当时他正忙着为华沙设计，不得不拒绝了。林德利还为华沙修建了一座过滤厂，从维斯杜拉河（Vistula River）引水，过滤为饮用水。过滤厂采用慢砂过滤器，1886 年开始为市民提供清洁的饮用水。这座过滤厂至今仍以林德利的名字命名，被称为“Filtry Lindleya”。华沙的一条街道也以林德利的名字命名。林德利的儿子威廉·赫尔莱恩·林德利对华沙的排水系统进行了现代化改造，还为布拉格设计了排水系统。

柏林曾先后是普鲁士王国与德意志帝国的首都，1850 年就已经成为德国最大的城市。柏林地处中欧平原的平坦地带，位于施普雷河（Spree River）流域，多湖泊，周围的土壤相对贫瘠。1859 年，土地测量员詹姆斯·霍布雷希特（James Hobrecht,

1825—1902）接受任命，领导一个委员会制订柏林及其周边地区的土地使用计划。他预想到柏林会不断发展，将来人口可能高达 200 万人，据此设计了土地使用方案，随后又设计了一套城市污水处理方案。他规划了十二条呈放射状分布的下水道，七条向北延伸，五条向南延伸。下水道同时收集雨水与废水，利用重力与抽水泵将其输送到城郊灌溉田地。经过土壤的过滤，雨水和废水得到净化，最后通过水渠流入运河与河流。工程开始于 1873 年，完工于 1893 年，这套系统在两次世界大战中幸存，大部分至今仍在使用。

1961 年，无法穿越的柏林墙将柏林分为东柏林和西柏林。然而在地下，下水道网络却仍然连通着整个柏林，丝毫不受地上政治边界的影响。因此，下水道成了东西柏林走私货物或人员偷渡的重要通道。甚至早在柏林墙建成之前，人们就已经利用下水道在东西柏林之间运输香烟等货物了。但这在当时是违法的——也意味着，在修建柏林墙前，许多下水道就已经被关闭了。然而，一些敢于冒险的学生发现了一条从东柏林的克罗伊茨贝格通到西柏林的下水道—— 一条完美的逃生路线。这条下水道中粗重的格栅曾被锯断，至少有 134 名学生从这里逃到西柏林。

老威廉 · 林德利为华沙设计的下水道在 20 世纪也发挥了巨大的作用。1943 年，华沙的犹太人在反抗纳粹的起义期间，就曾藏身下水道中。1944 年 8 月，尽管苏联红军近在咫尺，波兰救国军解放波兰之举还是以失败告终。当纳粹占领者破坏城市时，救

林德利先生工程的主要特点，就是设计十分完备，且富有远见，总是考虑到遥远未来的需求。他注重施工细节，严谨认真地执行方案。

土木工程师协会为威廉 · 林德利撰写的讣告，1900

图 27 **建设中的柏林下水道**，1912 年。
工程是为柏林的下水道网络增建一条多层下水道。

图 28　**华沙水利工程设计图**，1863—1864 年。

图中的粗圆点虚线代表已有的管道系统，蓝色粗线表示马上要铺设铁制管道的路线，断点虚线则代表未来的管道铺设路线。

图 29　　华沙下水道系统设计图，1863—1864 年。

图中的红线部分，粗线代表下水道干线，细线代表下水道支线，虚线是已被拆除的下水道。

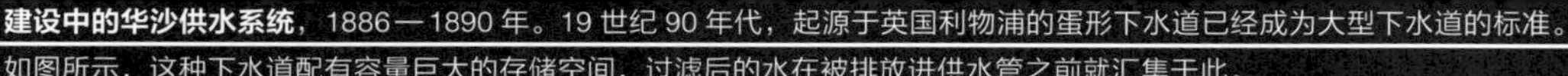

图 30-38　建设中的华沙供水系统，1886—1890 年。19 世纪 90 年代，起源于英国利物浦的蛋形下水道已经成为大型下水道的标准。如图所示，这种下水道配有容量巨大的存储空间，过滤后的水在被排放进供水管之前就汇集于此。

图 39 **铺设排水管**，1905 年，捷克布拉格。这条排水管不是陶管，而是木管。

图 40 **污水处理厂中的格栅间**，1906 年，捷克布拉格。污水处理厂由林德利设计，每天处理 16 万立方米的污水。

国军再次躲入下水道中避难。异乎寻常的是，这次起义的幸存者没有被屠杀，而是被当作战俘对待，因为当时苏军和同盟国军队正分别从东、西两面夹击波兰，纳粹的将军们或许思考过，此时他们如果继续实施暴行，等他们落到盟军手中后自己的命运又该如何。当时，波兰城市利沃夫（现为乌克兰城市）的下水道也庇护了以奇格家族（Chiger）为首的若干犹太家庭，他们在一个下水道工人利奥波德·索哈（Leopold Socha，1909—1946）的慷慨相助下幸免于难。这些家庭从 1943 年 6 月至 1944 年 7 月一直躲在下水道中，纳粹军撤离后，才从这个地下庇护所出来。索哈并非犹太人，但他说："这是我的职责，是我应该做的。这些犹太人都是我的同胞。"这个真实的故事后来被拍成了电影，名为《无光岁月》(2011)。

布拉格最早的现代下水道位于一所耶稣会的神学院中，学院用喷泉水冲洗厕所，污水连同厨房废水一起排放到易北河支流伏尔塔瓦河中。到了 19 世纪 20 年代，这个系统已增建了约 44 千米的下水道，仍然将未经处理的污水直接排入河中。从美军退役的荷兰籍军官查尔斯·里尔努尔（Charles Liernur，1828—1893）提出了一套依靠气动力的下水道系统，通过局部的真空将废物抽走，这样可以省去用持续的水流冲洗下水道的麻烦。该系统于 19 世纪 80 年代在英国和荷兰获得专利，并在荷兰、捷克布拉格的一处营房和法国城市特鲁维尔进行了小规模安装，一直使用到 1980 年。该系统还被用在飞机和一些火车上。对于安装在布拉格营房中的系统，人们质疑其有效性与安全性，拒绝安装。当时捷克工程师们提出了两套竞争方案，其中一套提议用处理的污物在豪勒索维奇（Holesovicky）附近的河中建一个岛，这令人想到英国和法国设想过的"污水炼金"计划（参见第 59 页），同为空想。林德利受邀来评判两套竞争方案。他后来基于二者的优势设计出一套覆盖面积更广的系统，配有一座污水处理厂，利用沉降与污泥处理法去除污水中的固体成分，再用驳船将固体废物运至城市外的田地。此时，竞争的几方开始进行人身攻击，布拉格市长的一位代表不得不向市民保证："有人中伤

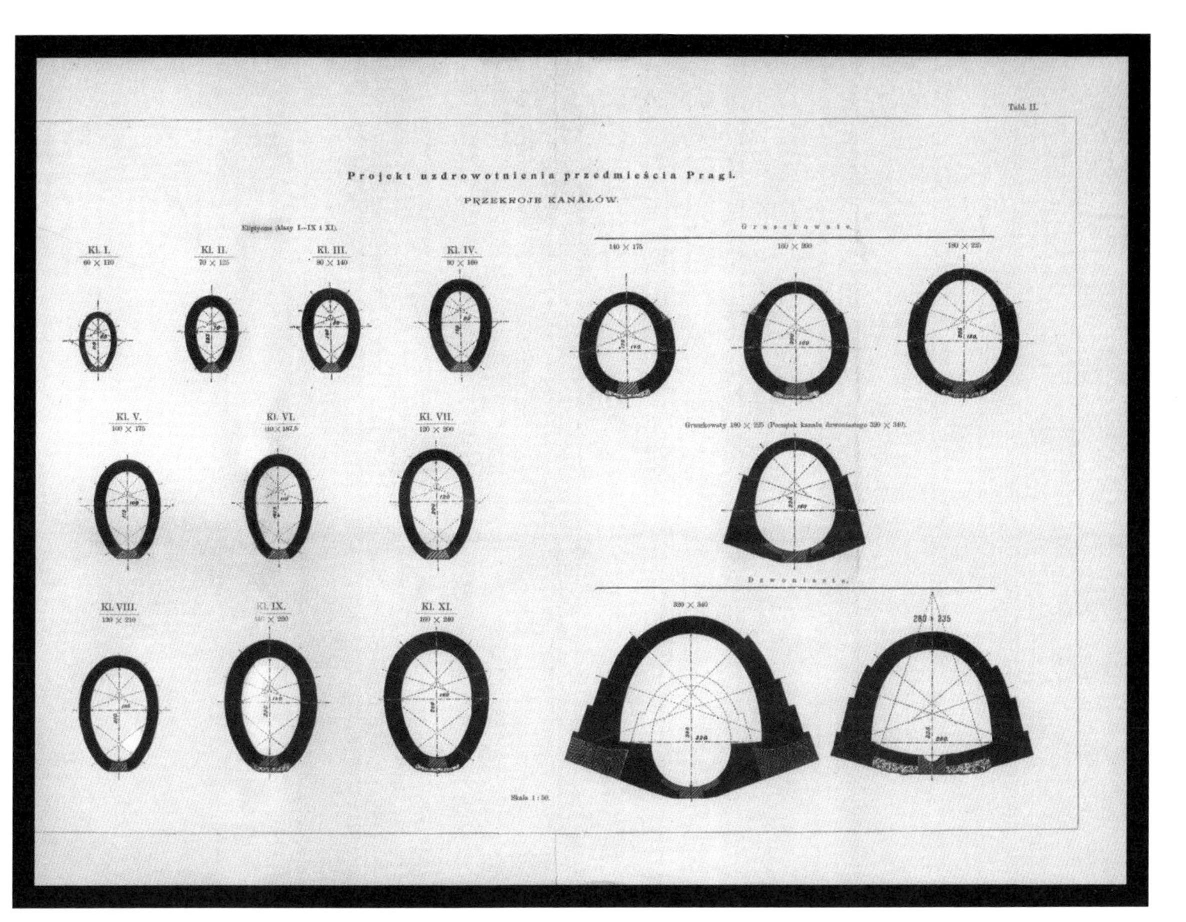

图 41　下水道设计图，1903 年，捷克布拉格。这张图题为《布拉格市郊恢复计划》，显示了各种尺寸的蛋形下水道。

林德利先生，说他是德国人，是犹太人。但实际上他是丹麦人，他的妻子是英国人，他是英国国教徒！”林德利的系统于 1895 年开始修建，至 1906 年完成，污水处理厂为布拉格服务到 1967 年，下水道则至今仍在使用。

老威廉 · 林德利承担过的最艰巨的任务之一，是为俄罗斯的圣彼得堡修建排水系统。圣彼得堡由沙皇彼得大帝建于 1703 年。事实上，沙皇在芬兰湾的东端建立圣彼得堡是为了实现自己的野心，即建立一个通往波罗的海和西方国家的海港。圣彼得堡大部分地区处于或低于海平面，其中约 10%的面积为水域，包括涅瓦河和城市中的湖泊。凯瑟琳大帝在统治期间（1762—1796），用砖石或掏空的木材修建了一套由地下渠道和管道组成的复杂系统——从涅瓦河抽取饮用水，同时将污水排放至波罗的海。不幸的是，尽管明令禁止将粪池中的污物直接排放到河里，但这一禁令未被强制执行，因而 1831 年这座城市在霍乱临门之时显得格外不堪一击，许多其他传染病也接踵而至。其中最著名的受害者是作曲家柴可夫斯基，1893 年，他就是因为喝了圣彼得堡被污染的饮用水，八天之后便不幸离世。

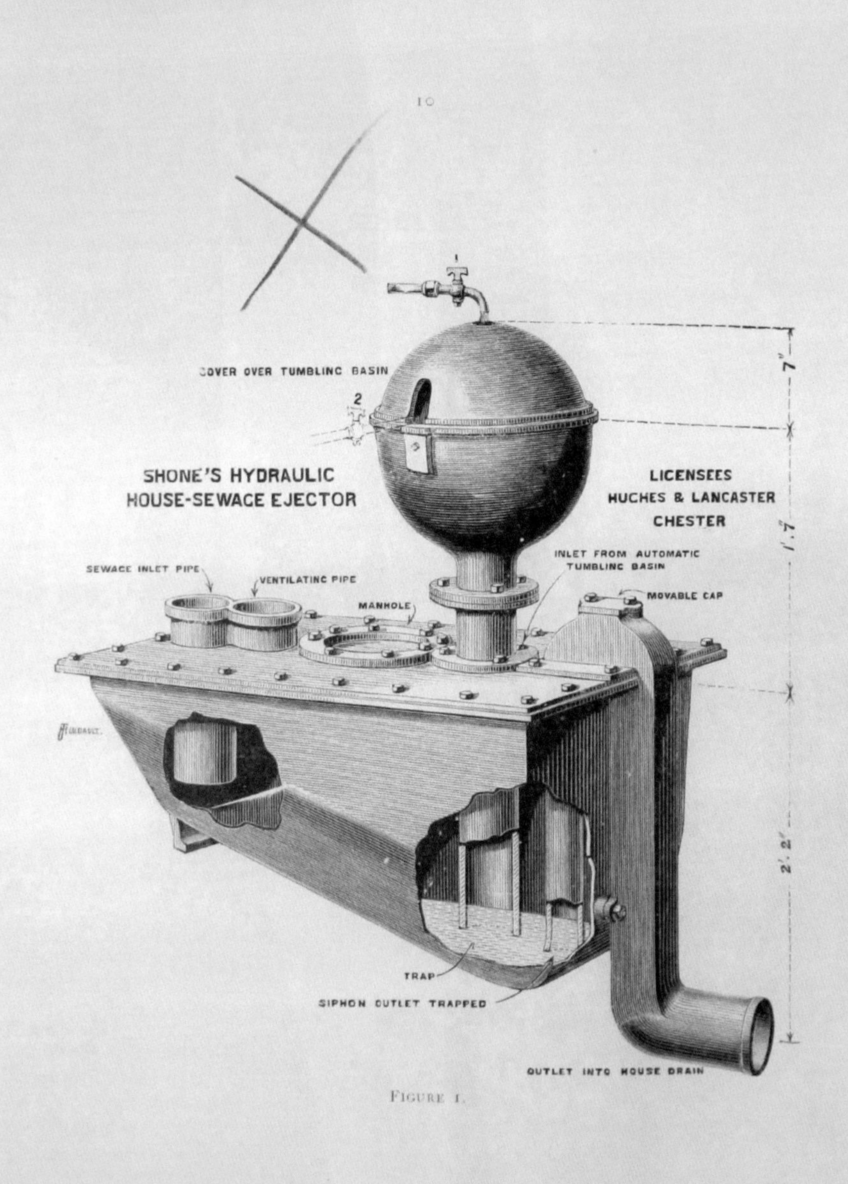

图 42　英国工程师肖恩（Isaac Shone）发明的家用水力污水喷射器，1887 年。

这种水力喷射器安装在住宅中，将住宅的污水排入与城市排污系统相连的管道中，每天排放十次。

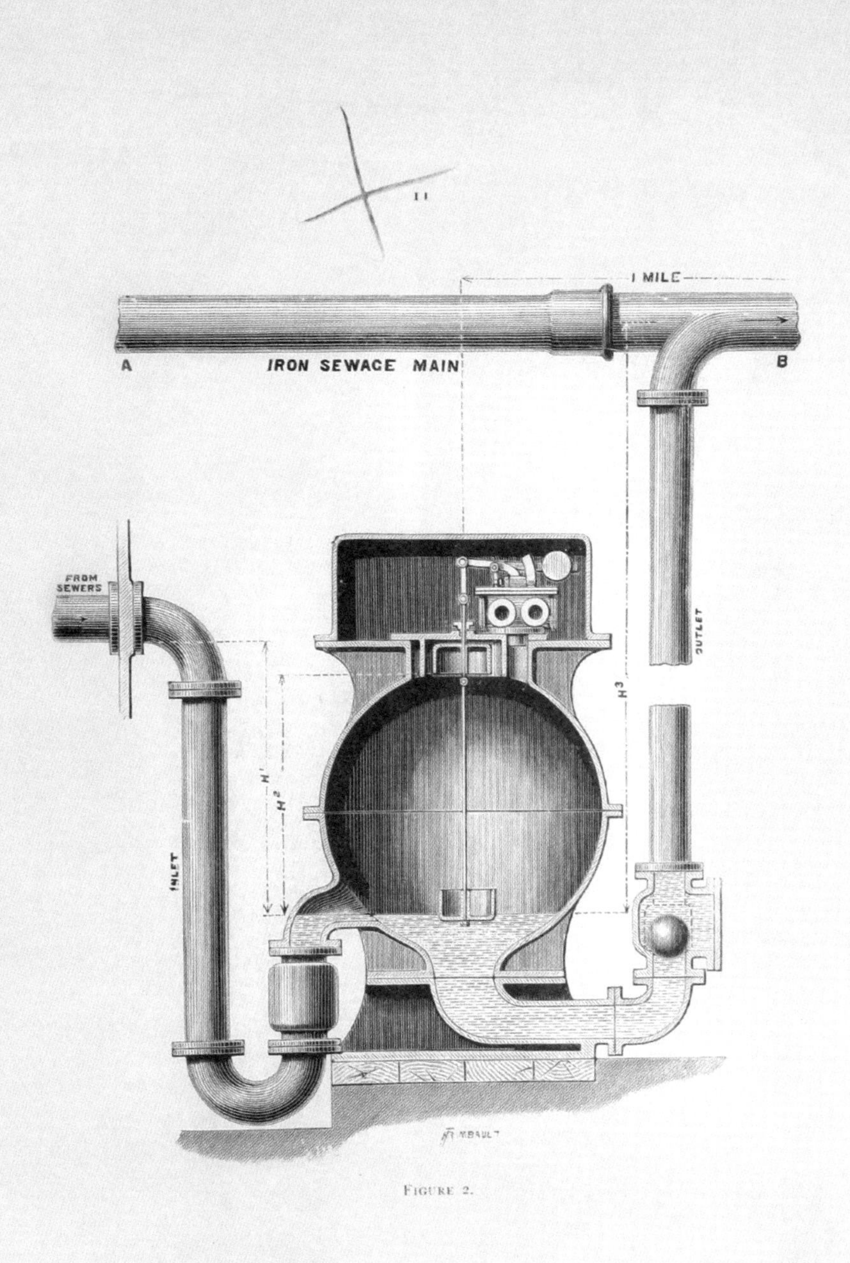

图 43　肖恩发明的家用气动污水喷射器，1887 年。

街上的排污管道每隔一定距离便安装一个气动污水喷射器，接收来自几处住宅的污水喷射器的污水，然后将其排入污水主管。

图 44—45　**厕所**，1900 年，澳大利亚悉尼。1900 年，黑死病侵袭悉尼，在八个月内导致 103 人死亡。在此期间建立起隔离区，并雇用当地居民对隔离区进行清扫与消毒。这些照片由卫生督察员乔治·麦克雷迪（George McRedie）拍摄，展现了导致瘟疫流行的肮脏的厕所环境。

245

威廉·林德利从 1876 年开始设计一种新型污水处理系统，但是在第一次世界大战和十月革命之后才有较大的进展。当这套系统于 1908 年终于投入使用时，圣彼得堡正深陷最后一次严重的霍乱流行中。

与欧洲一样，在 19 世纪，澳大利亚的各大城市不断发展壮大，现代化的供水和污水处理系统也随之建立起来。悉尼是欧洲人在澳大利亚最早的定居点，也是 1788 年至 1868 年间许多运输罪犯船只的目的地。悉尼地理位置优越，是著名海港。一位早期的开拓者——新南威尔士州的首任总督亚瑟·菲利普（Arthur Phillip，1738—1814），发现了此处的淡水资源塘溪（Tank Stream），选择在此开发殖民点。塘溪对当地原住民而言具有重要的象征意义，但是不到四十年，便被排入的污水、垃圾与农业废水严重污染。人们不得不另寻新的水源，比如拉克兰沼泽（Lachlan Swamps）——如今的世纪公园，在悉尼板球场附近——以及修建“巴士比管道”（Busby's Bore，修建于 1827 年），将拉克兰沼泽的水输送到距离港口较近的海德公园，再用水车将水送至每个家庭和商户。塘溪于是变成了下水道，将污水排入海港。不久后又新建了五条排污管道，全部将污水排放至这片曾经清澈的水域。这种污水排放方式一直持续到 19 世纪后期，当时悉尼南部的植物学湾—— 1770 年库克船长的登陆地，就被用来排污。后来，东部的邦迪海滩也被用来排污。尽管今日的邦迪海滩以冲浪、沙滩排球以及偶尔来访的鲨鱼而为人所知，在那时却是新南威尔士州最肮脏不堪的海滩之一。1885 年，植物学湾污水处理厂建成，保证了污水在处理之后才会被排进海湾。后来又修建了两座污水处理厂。如今，它们处理着悉尼将近 80% 的污水。

第二次世界大战初期，悉尼有一半的家庭未连接城市污水处理系统，而是用金属容器收集粪便，每周主要靠“掏粪车”（dunny carts，也称 Honey Wagons）清走，这比前文所介绍的亨利·莫尔牧师设计的装置要略先进一些。偶尔也会发生掏粪工没控制

图 46 **杰克逊港悉尼湾的一处定居点**，1788 年。在悉尼成为定居点初期，其水源尚未遭受污染。

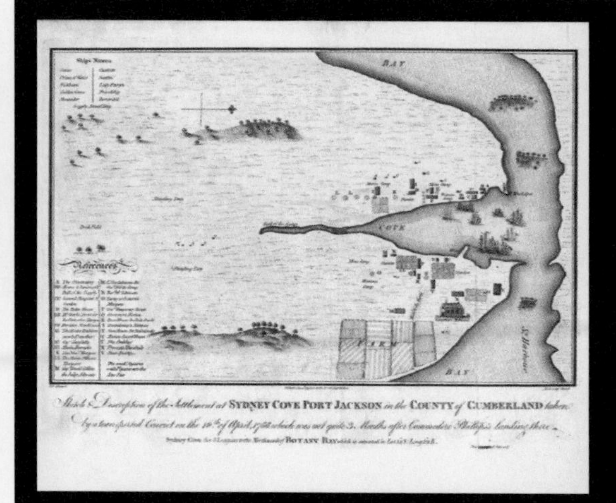

图 47 **悉尼湾的开发**，1832 年。随着对海岸线的不断开发，悉尼湾被严重污染。

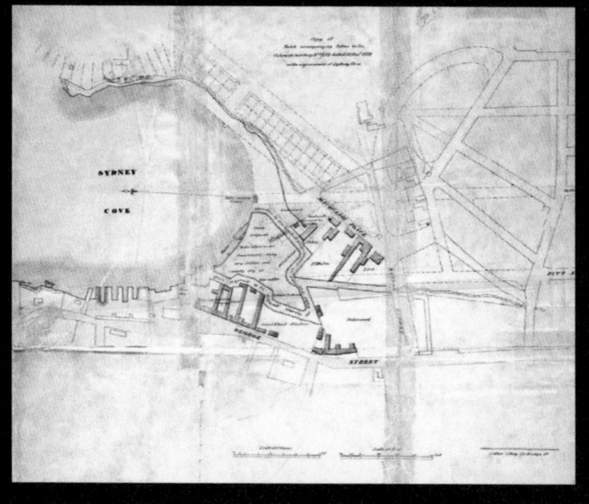

图 48—51 **关于悉尼住房状况的调查报告**，1875 年。关于住宅拥挤及其对公共健康影响的报告指出，悉尼的住房简陋落后，缺乏下水道设施。

好掏粪车的翻车事故，澳大利亚裔英国作家克莱夫·詹姆斯（Clive James）在《不可靠回忆录》（*Unreliable Memoirs*，1980）中叙述自己在祖国的早年生活时，曾提及此事。直至 20 世纪 50 年代，邦迪海滩的海水和沙滩还因油污和污水污染而声名狼藉。到了 60 年代，人们终于设计出一套新方案，并在 1990 年完工。如今这里有三十座污水处理与水循环厂，能够净化废水中的污染物，令其达到安全使用的标准，再将之用于浇灌花园、冲洗马桶、刷洗车辆，以及扑救火灾。与此同时，从污水中提取出的近 20 万吨肥料能够供农民种植庄稼，污物中分解出的甲烷气体可以促进植物生长。悉尼的饮用水一部分来自瓦拉甘巴水坝（Warragamba Dam），水坝的水来自河流，而河流上游的居民会将污水排到河中——庆幸的是，当地有着出色的污水处理设施。

位于南澳大利亚州的阿德莱德，19 世纪 30 年代迎来第一批定居者，他们从多伦斯河（River Torrens）中获取水源。就像当时的许多河流一样，多伦斯河不仅为人们提供饮用水，也被用来倾排废水，这便导致了痢疾等介水传染病的流行。在 19 世纪 60 年代，城外的清洁水源开始被引入城市。到了 1903 年，此地人口已达到 20 万，当时共有五座水库在为阿德莱德供水。不过在 19 世纪后期，市民们仍在使用的粪池还有几千个，他们将污物排入多伦斯河（当时人们就用这种河水洗涤与烹饪），导致死亡率高达 2.4%，

图 52　**一个乡村小镇的供水系统**，1909—1928 年，
澳大利亚悉尼。

图 53　**一个乡村小镇的供水系统**，1909—1928 年，
澳大利亚悉尼。

图 54　**沃罗诺拉大坝（Woronora Dam）一期**，1927 年，
澳大利亚悉尼。

图 55　**沃罗诺拉大坝二期**，1927 年，
澳大利亚悉尼。

图 56　**下水道中的雨水排放管道**，1921—1935 年，
澳大利亚悉尼。

图 57　**玫瑰湾的雨水排放管道**，1929 年，
澳大利亚悉尼。

图 58　一个乡村小镇的供水系统，1909—1928 年，澳大利亚悉尼。

图 59　一个乡村小镇的供水系统，1909—1928 年，澳大利亚悉尼。

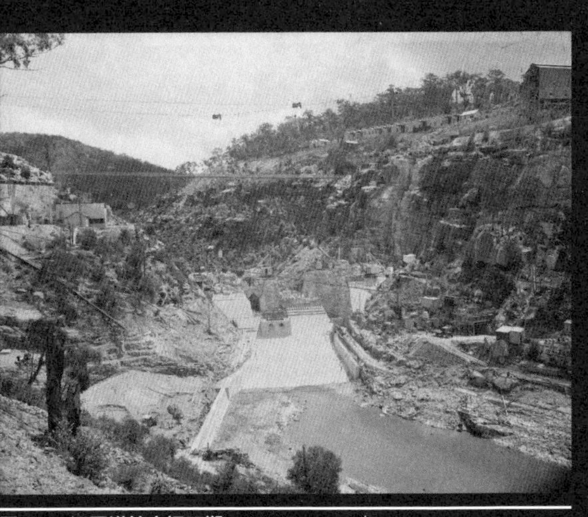

图 60　沃罗诺拉大坝三期，1927—1929 年，澳大利亚悉尼。

图 61　沃罗诺拉大坝四期，1927—1929 年，澳大利亚悉尼。

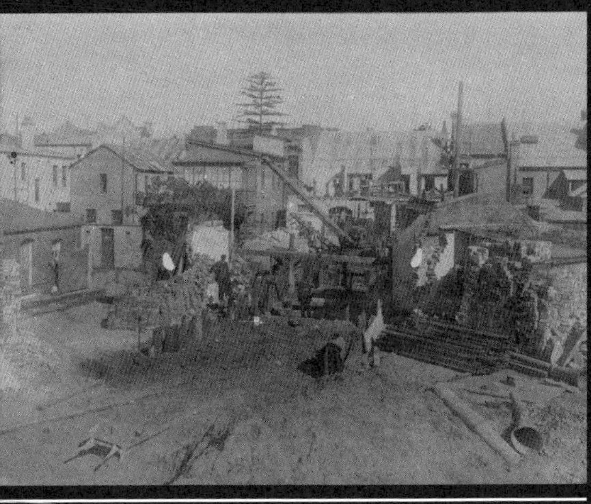

图 62　建设中的北部郊区排污总管，1921—1935 年，澳大利亚悉尼。

图 63　建设中的来福兰治（Rifle Range）污水次干管，1921—1935 年，澳大利亚悉尼。

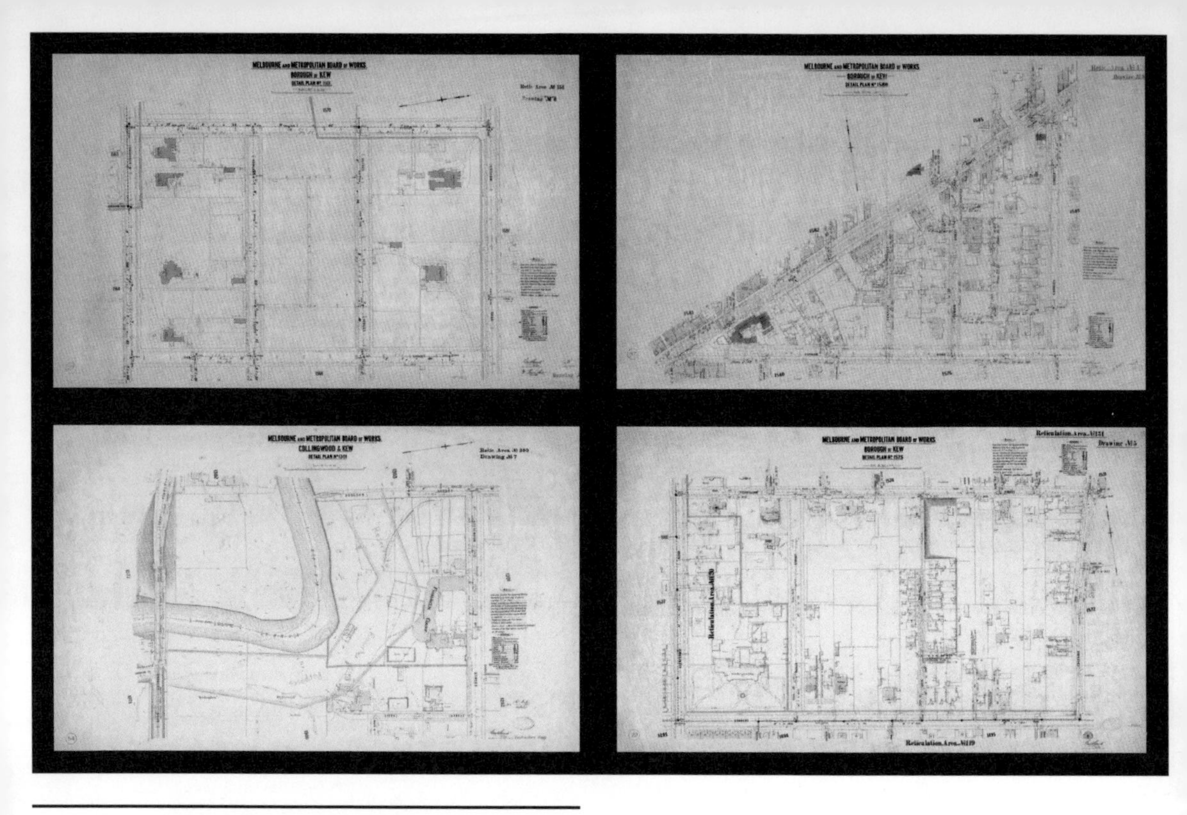

图 64—71　**墨尔本下水道平面图的局部详图**，1905 年。此测绘图原稿由墨尔本和都市工作委员会下达给建设方，用于修建邱镇（Borough of Kew）的下水道。

是南澳大利亚州其余地区的两倍。地方官员聘请英国土木工程师威廉·克拉克（William Clark，1821—1880）为阿德莱德设计污水处理系统，并在 1879 年通过了克拉克提出的《污水系统改善与阿德莱德及其市郊清理方案》。根据方案，1885 年，阿德莱德北部的塔姆奥桑特（Tam O'Shanter）地带建立起了排水系统和一片污水处理场。

早在 1802 年，欧洲第一批定居者就到达了墨尔本。但直到 1851 年，维多利亚州才被单独设为殖民地，那时墨尔本的人口仅逾 2 万。同年，人们在这里发现了金矿，导致人口急剧增加。19 世纪 80 年代，墨尔本已成为澳大利亚人口最多的城市，人口约 50 万。然而，当时在垃圾处理方面缺少有效的法规，来自家庭、农场与企业的各种废物都被直接投入露天的水沟中，并被冲至雅拉河与霍布森湾中。而这两处又为墨尔本提供大部分的水源。尽管严格的隔离管制在很大程度上让澳大利亚幸免于霍乱的流行，但伤寒和疟疾等疾病仍随水源传播流行。正如悉尼一样，墨尔本的马桶也与亨利·莫尔牧师设计的马桶类似，就是一个带木座的木桶。这种简易便桶被称作 Thunderbox，类似英国作家伊夫林·沃（Evelyn Waugh）的战争小说《士兵》（*Men at Arms*，1952）中那个令阿普索普中尉感到羞耻的马桶。当地气候炎热，苍蝇横飞，“夜香工人”推着掏粪车一星期才来收一次粪便，住户实在等不及的时候，只好直接将污物倒入街头的沟渠里了。

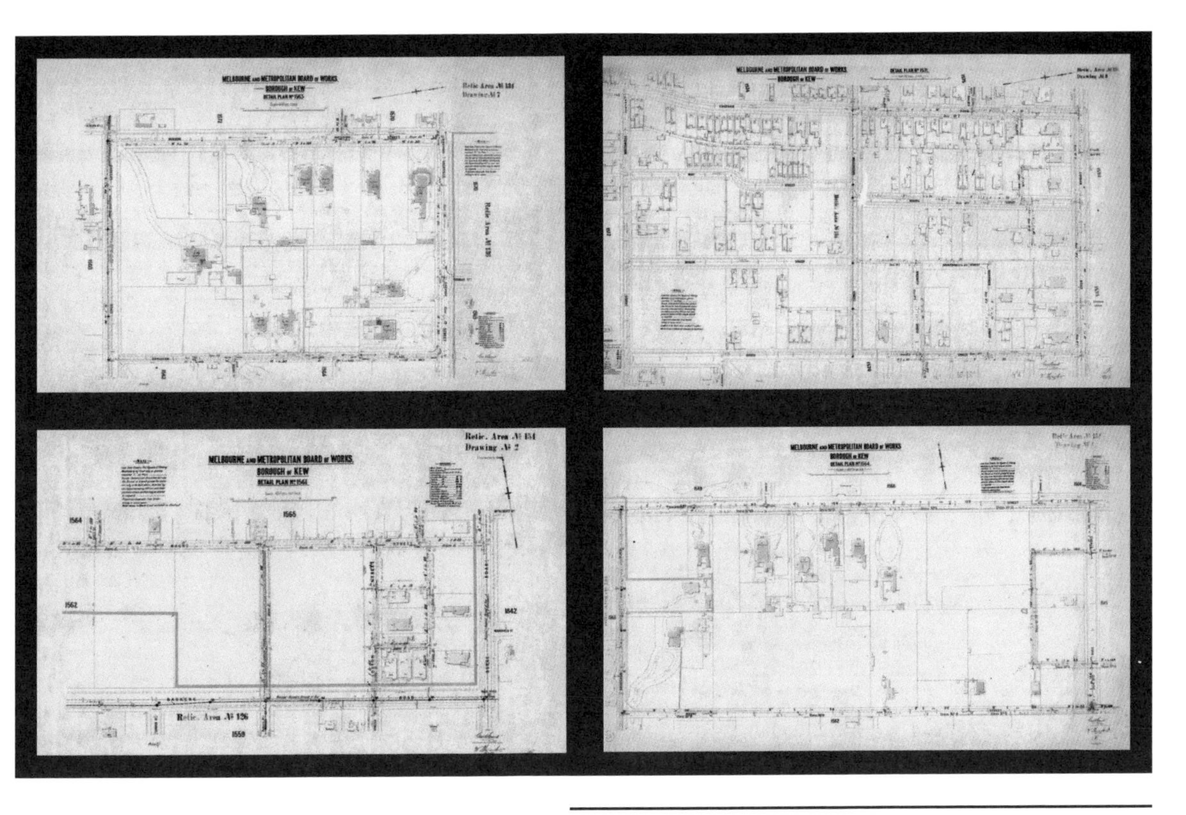

第 164—165 页　**建造一套下水道系统**，澳大利亚墨尔本。（图片选自 *The Melbourne & Metropolitan Board of Works — Water Supply, Sewerage etc. Photographic Views*，1908）

1888 年，皇家委员会意识到了墨尔本污水问题的种种隐患，在次年聘用了英国工程师詹姆斯·曼瑟（James Mansergh，1834—1905）设计解决方案。1892 年施工开始，修建的地下下水道系统将墨尔本的污水输送到城外威勒比（Werribee）的污水处理场。1897 年，第一批家庭住宅接入下水道。污水在围起来的场地内得到过滤，围场实际上就是废水处理场。污水经过土壤过滤与清洁后，流入陶管，然后流入菲利普港湾，最后由此排入维多利亚州与塔斯马尼亚州之间的巴斯海峡。经过这一过程后，已排空污水的围场可用于牧牛与牧羊，然后选择另一块围场继续进行污水过滤。威勒比的污水处理场现在名为西部污水净化厂，占地 10500 公顷，至今仍在使用。如同墨尔本的其他污水处理厂一样，西部污水净化厂使用盖有塑料棚顶的大型处理池处理污水，每个处理池面积约 20 公顷。水池能够提供无氧环境，令污水中的厌氧细菌分解病原体，同时产生甲烷——收集后可用来发电。然后，污水会流入有氧池——为池中水注入空气，激发其他细菌的活力，以消灭剩余的病原体。这座污水厂凭借良好的湿地环境，尤其是诸多水禽栖居而闻名。

澳大利亚是世界上人类居住的最干旱的大陆，降雨量比其他任何地方都要少，而人口却在不断增长。堪培拉是澳大利亚人口最多的内陆城市，也是最干旱的城市之一。因此，对当地居民来说，节水与水资源的循环利用尤为关键。1908 年，堪培拉被选为澳

建设下水道系统

成立工作委员会

1891 年，“墨尔本和都市工作委员会”成立，其任务是建立城市供水和废物处理系统。委员会有权筹资，制订计划并执行。

1

3

下水道的修建

1892 年，委员会第一任总工程师威廉 · 斯威茨（William Thwaites）着手建造墨尔本的污水处理系统，主要用来收集和运输房屋中和街道上的污水。1897 年，第一批家庭住宅接入这一系统。

水泵站

这座建于斯波茨伍德（Spotswoo
的水泵站，能够把城市污水送至威
比的污水处理场。

水库与引水渠

19 世纪下半叶，墨尔本的人口迅速增长至 50 万。当时延恩水库（Yan Yean Reservoir）的污染状况愈发严重，因此转而开发瓦茨河（Watts River）作为新的水源，通过马隆达（Maroondah）引水渠将水运到城市。

污水处理场+净化工序

排污总管将污水运送到 25 千米外的威勒比污水处理场，经过处理后排放。灌满围场的污水，自然而然地就被土壤过滤了。

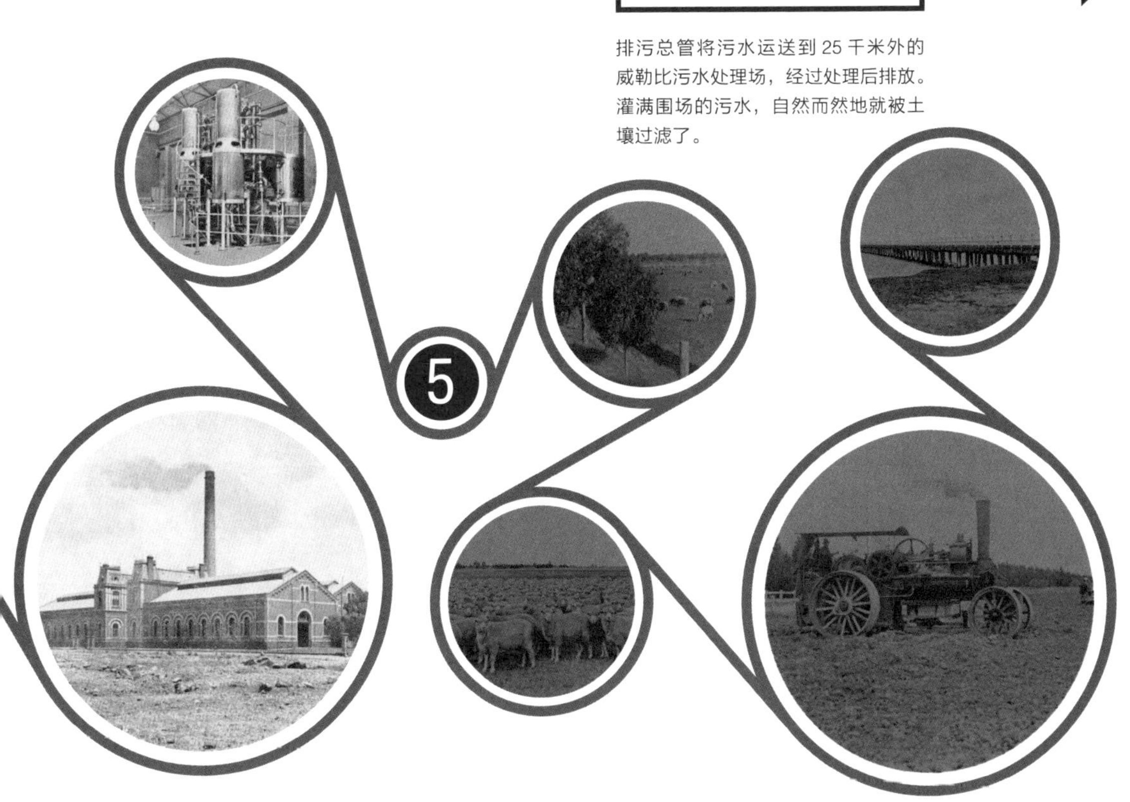

图 72 **修建中的堪培拉下水道**，1921—1935 年。一条 5 千米长的管道将污水送至韦斯顿克里克的污水处理厂。

图 73 **修建中的堪培拉排污总管**，1921—1935 年。处理后的污水被用于农业灌溉。

大利亚联邦的首都，它所在的“澳大利亚首都直辖区”位于人口最多的两个州——新南威尔士州与维多利亚州之间。堪培拉污水处理系统的规划始于 1915 年，当时修建了一条从堪培拉通往西部的韦斯顿克里克（Weston Creek）的管道，长 5 千米，并在韦斯顿克里克建立了污水处理厂，用经过处理的水灌溉农田。这项工程由于第一次世界大战的爆发暂停，并于 1922 年恢复施工。污水处理厂最终于 1927 年修建完成，其污水处理可以达到很高的标准，处理后的水被排至莫隆格罗河（Molonglo）。这座污水处理厂一直使用到 20 世纪 70 年代。当时，堪培拉已经引入一种新的废水收集方法。这种方法能够区分“灰水”和“黑水”：“灰水”包括地表水、洗浴用水与各种家电用水，收集后仅需简单处理，便可用于农田灌溉和车辆清洗；“黑水”即厕所污水，需要经过更精细的处理，才能将固体用作肥料，把液体排放至河流与湖泊中。

尽管日本建立现代排污系统的时间较晚，但日本排污系统的发展也与上述国家一样，都伴随着人口增长与工业化扩张。虽然日本在很早的时候就使用排水系统了，但 1884 年才在东京神田区建立第一套现代排污系统，其下水道用砖砌成，既有圆形也有椭圆形的。当时霍乱在世界各地肆虐横行，大阪也未能幸免，所以 1895 年大阪建立了日本首座水泵站——本田水泵站。20 世纪 20 年代建立的三河岛污水处理厂成为日本第一座污水处理厂。第二次世界大战后，美国政府对日本的扶持推动了日本污水处理系统的大规模修建：1948 年，第一套公共下水道系统开始在福井市施工；1958 年，旨在保护公共水源水质的《新下水道法》颁布实施；1963 年，第一个《下水系统建设五年计划》颁布；1964 年，日本污水处理协会成立。然而，工业和建筑工程的迅疾发展导致用水需求增加，以及河流和海洋水质的不断恶化。1963 年，洞海湾（日本西南海岸）的水质被北九州市排放的污水严重污染，以至于被人们称为“死海”。因此，20 世纪 70 年代，日本致力于改善各个城市的环境卫生，重点就是污水的处理和循环利用，回收焚烧过的污泥灰来制作砖块、瓷砖和水泥。这些措施收效显著，如今人们可以在洞海湾中发现一百种鱼类与其他海洋生物。在 20 世纪和 21 世纪，日本人在下水道建造中展现出了卓越才华与创新能力。在东京地区，一些具有高科技外观的污水处理厂被用于举办展览，甚至举行时装秀。下水道人孔盖的样式也由艺术家们量身设计，因而每个城镇的下水道井盖都拥有纹章般的独特图案。尽管日本在现代排污系统建设中起步较晚，但在新型家用马桶发明方面独具行业特色，其设计竟然集坐垫加热、免手触、除臭等多种功能于一体！

图 74—77 **三河岛污水处理厂设计图**，日本东京。这是 1922 年建成的日本第一座污水处理厂。2007 年，它被认定为国家重要文化财产。

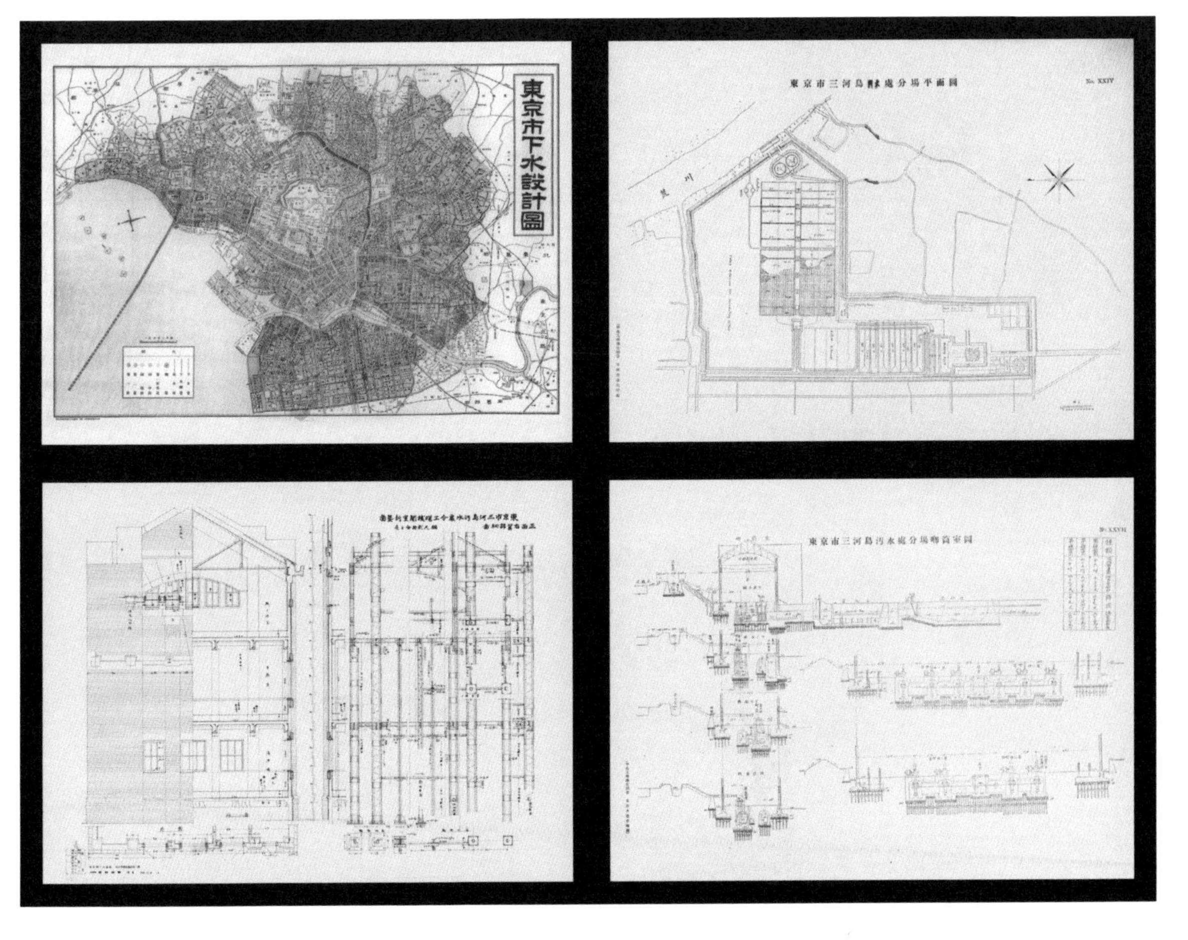

RAISING STREETS IV.

抬高街道

“这座城市发展速度惊人，在世界历史上无出其右者。在其商业和贸易日益繁荣的共同作用下，当前的河流成变成了藏污纳垢的粪池。”
《芝加哥湖大隧道》（The Great Chicago Lake Tunnel），1867

同欧洲一样，美国城市的扩张及人口数量的增长给现有排污系统造成了压力，并导致水源污染，整个 19 世纪伤寒、霍乱等疾病频繁暴发。因此，美国各地开始实施现代污水处理系统的建设，但有几个地区直到 19 世纪晚期才开始修建，甚至有些城市直到 20 世纪才开始改进污水处理系统。美国的工程师们要面对各种艰难的自然条件，包括地震多发带的岩石地形与干旱的平原。他们不惜抬高城市、逆转河流流向或排空沼泽，其勇气令人叹服。

早在 1647 年，即“清教徒前辈移民”（1620 年到达美洲的英国移民）初次踏上普利茅斯岩二十七年后，殖民地马萨诸塞（后来的马萨诸塞州）就制定了管理水污染的法规。18 世纪，马萨诸塞的主要城市波士顿用掏空的原木制作了下水道；到了 19 世纪 40 年代，这些木制管道被一套更完善的铸铁管道系统取代，该系统由土木工程师约翰·杰维斯（John Jervis，1795—1885）设计。1801 年，费城效仿波士顿，用本杰明·富兰克林的一笔遗产，安装了由英国移民本杰明·拉特罗布（Benjamin Latrobe，1764—

图 1　**波士顿的下水道虹吸管**，1880—1889 年。下水道虹吸管取代了早期殖民者安装的中空木制管道。

图 2 ↑ **波士顿工人正在用砂浆涂抹下水道内壁**，1880—1889年。用砂浆涂抹下水道内壁，以防下水道渗水。

图 3–10 → **波士顿下水道的平面图和剖面图**，1888 年。19 世纪末波士顿排污总管的一些早期设计图纸。

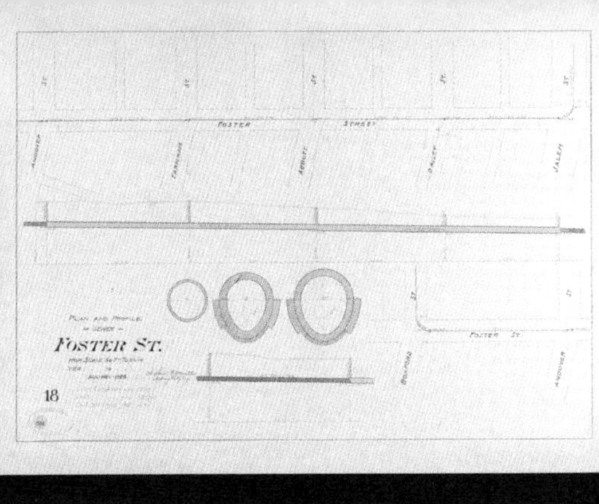
FOSTER STREET
PLAN AND PROFILE OF SEWER IN
FOSTER ST.
18

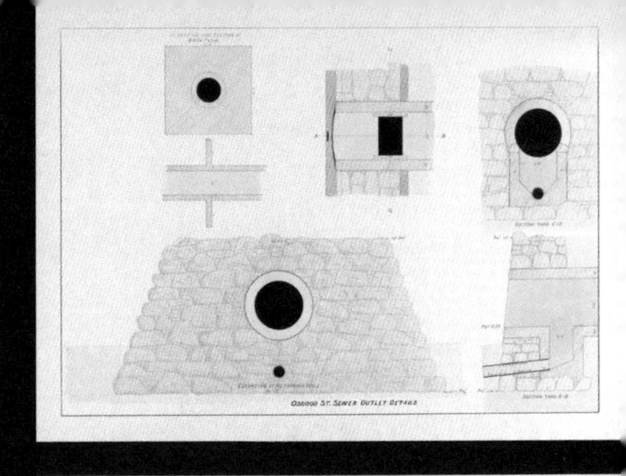
OSGOOD ST. SEWER OUTLET DETAILS

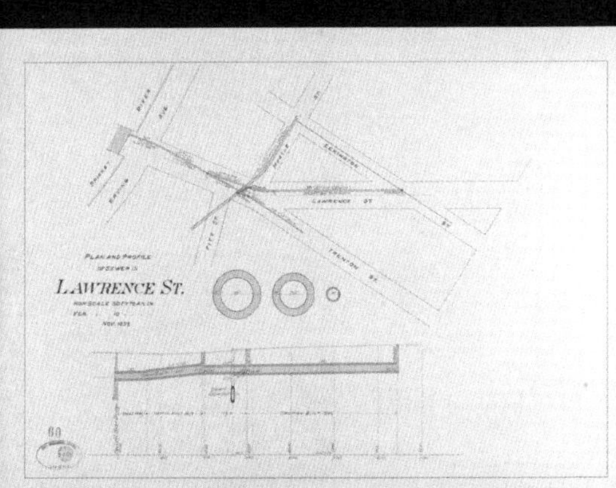
LAWRENCE ST
TRENTON ST.
PLAN AND PROFILE OF SEWER IN
LAWRENCE ST.
60

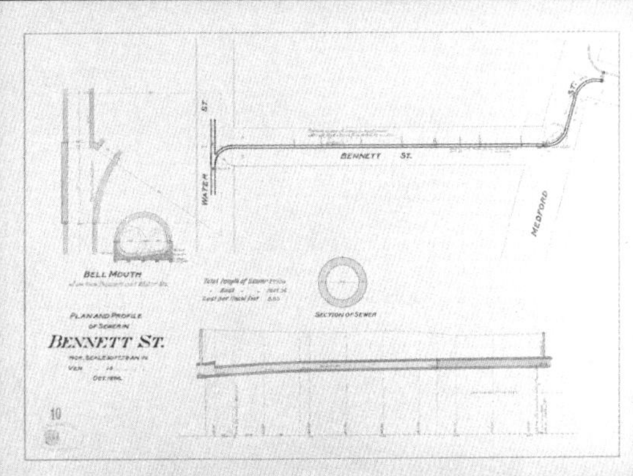
WATER ST.
BENNETT ST.
MEDFORD
BELL MOUTH
SECTION OF SEWER
PLAN AND PROFILE OF SEWER IN
BENNETT ST.
10

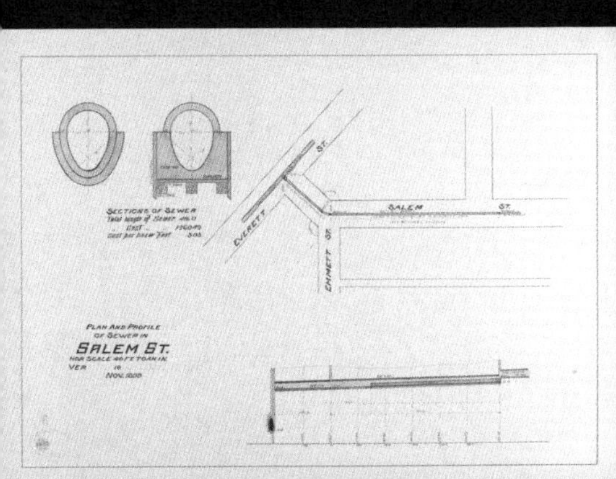
SECTIONS OF SEWER
EVERETT ST.
EMMETT ST.
SALEM ST.
PLAN AND PROFILE OF SEWER IN
SALEM ST.

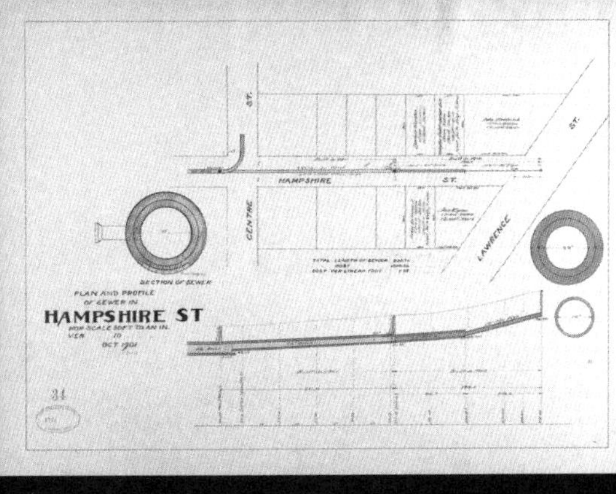
HAMPSHIRE ST.
CENTRE
LAWRENCE
SECTION OF SEWER
PLAN AND PROFILE OF SEWER IN
HAMPSHIRE ST
HOR. SCALE 50 FT. TO AN IN.
VER 10
OCT 1901
34

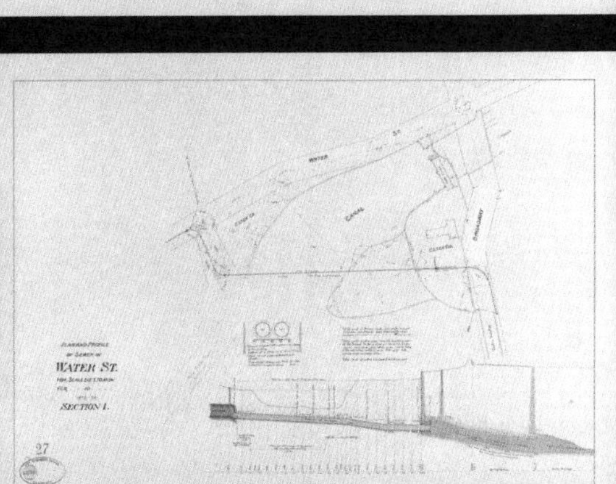
WATER ST.
CANAL
WATER ST.
SECTION 1.
37

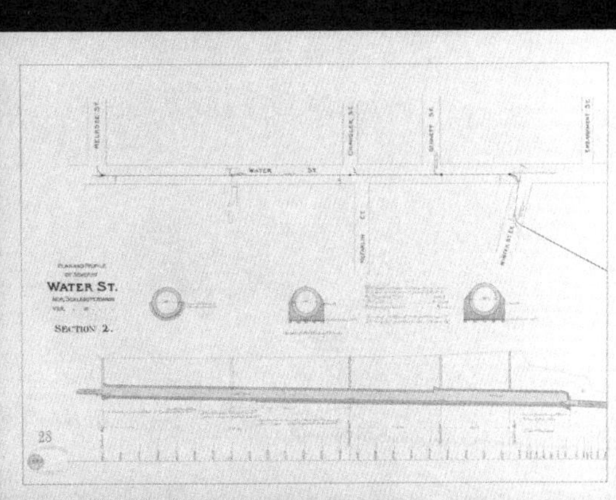
WATER ST.
WATER ST.
SECTION 2.
28

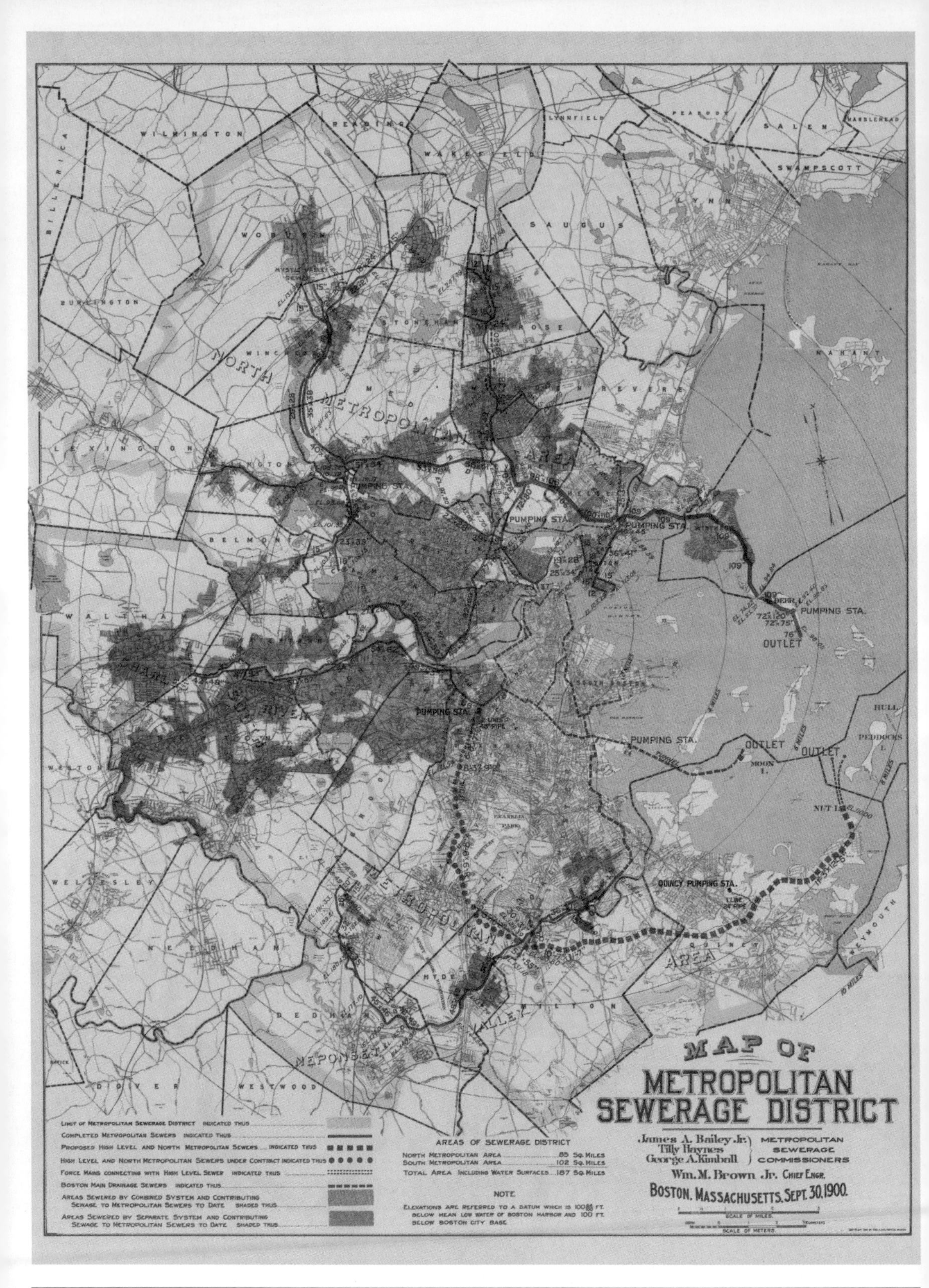

图 11 都市下水道系统分布区域地图，1900 年，美国波士顿。波士顿的污水经由下水道（由红线表示）排到波士顿湾的月亮岛、鹿岛和坚果岛，然后汇集到各自的蓄污池内，最后在落潮时流入波士顿湾。

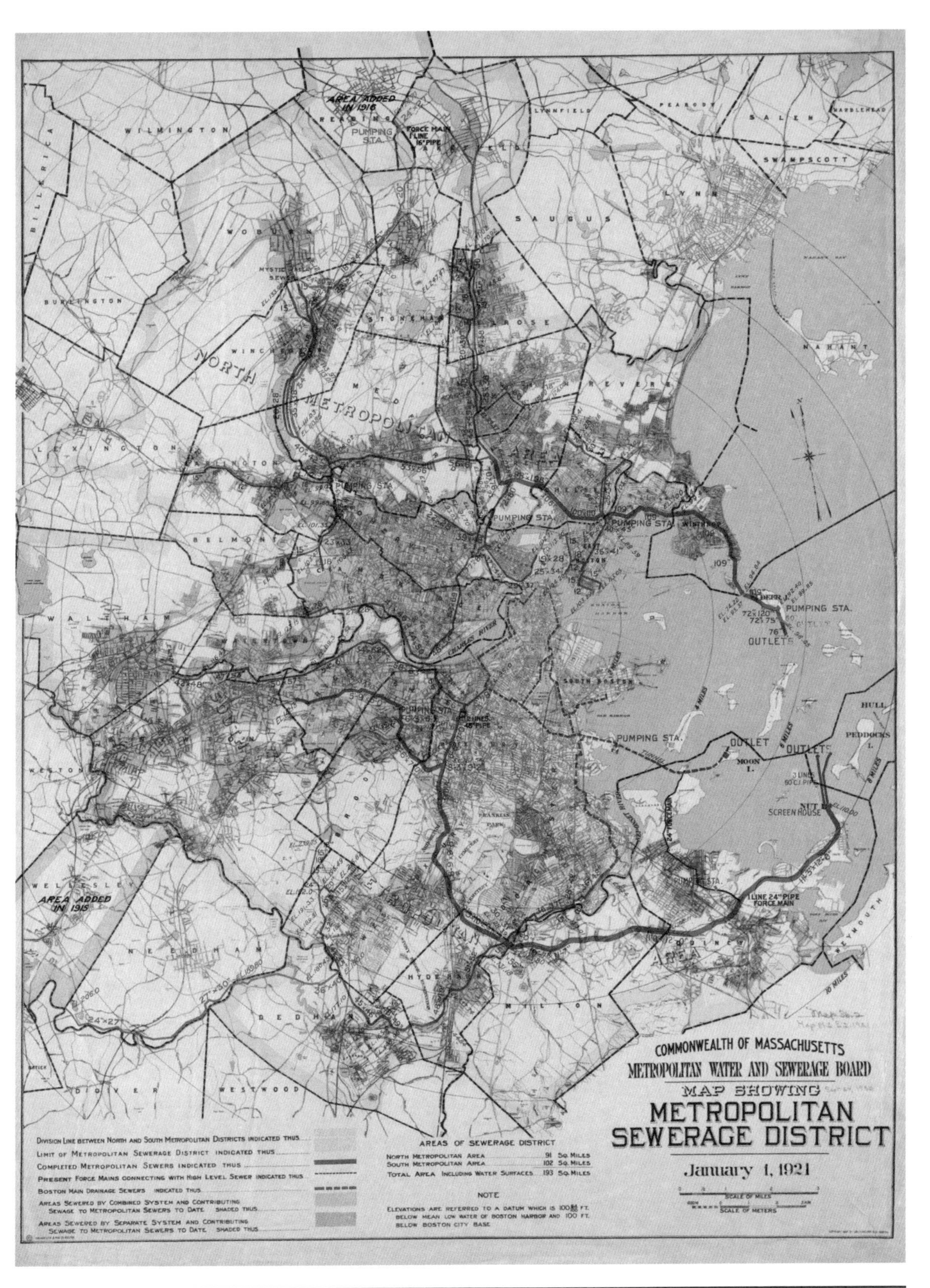

图 12　都市下水道系统分布区域地图，1921 年，美国波士顿。至 1921 年，波士顿湾已被城市污水严重污染。1952 年，坚果岛上建立了一座污水处理厂，然而这远不足以解决严峻的污染问题。直到 20 世纪 80 年代，波士顿湾大清理计划的实施才真正令水恢复清洁。

图 13 ↑ **波士顿衬砖下水道的开口**，1880—1889 年。从这些下水道开口的尺寸，足见 20 世纪 80 年代波士顿下水道系统升级工作之艰巨。

图 14 ↓ **波士顿工人正在检查下水道的石造部分**，1880—1889 年。下水道通常使用砖、泥或木头修建，用石头修建下水道实属罕见。

图 15 ↑ **波士顿石溪地区下水道的奥克兰花园支线**，1880—1889 年。下水道施工的“明挖法”，就是先挖出基坑，再安装管道，最后回填恢复地面。

图 16 ↓ **波士顿工人们正站在未完工的下水道开口处**，1880—1889 年。不同形状和尺寸的下水道，用于满足不同的用途。

图 17 纽约第四区卫生与社会状况调查图，1864 年。这幅图被附在第四区卫生状况报告中提交到卫生委员会，图中黑色方框标示的是卫生状况极差的厕所；黑星标示的是“肮脏破败的地点”，以及上一年有伤寒或天花病例的地点。

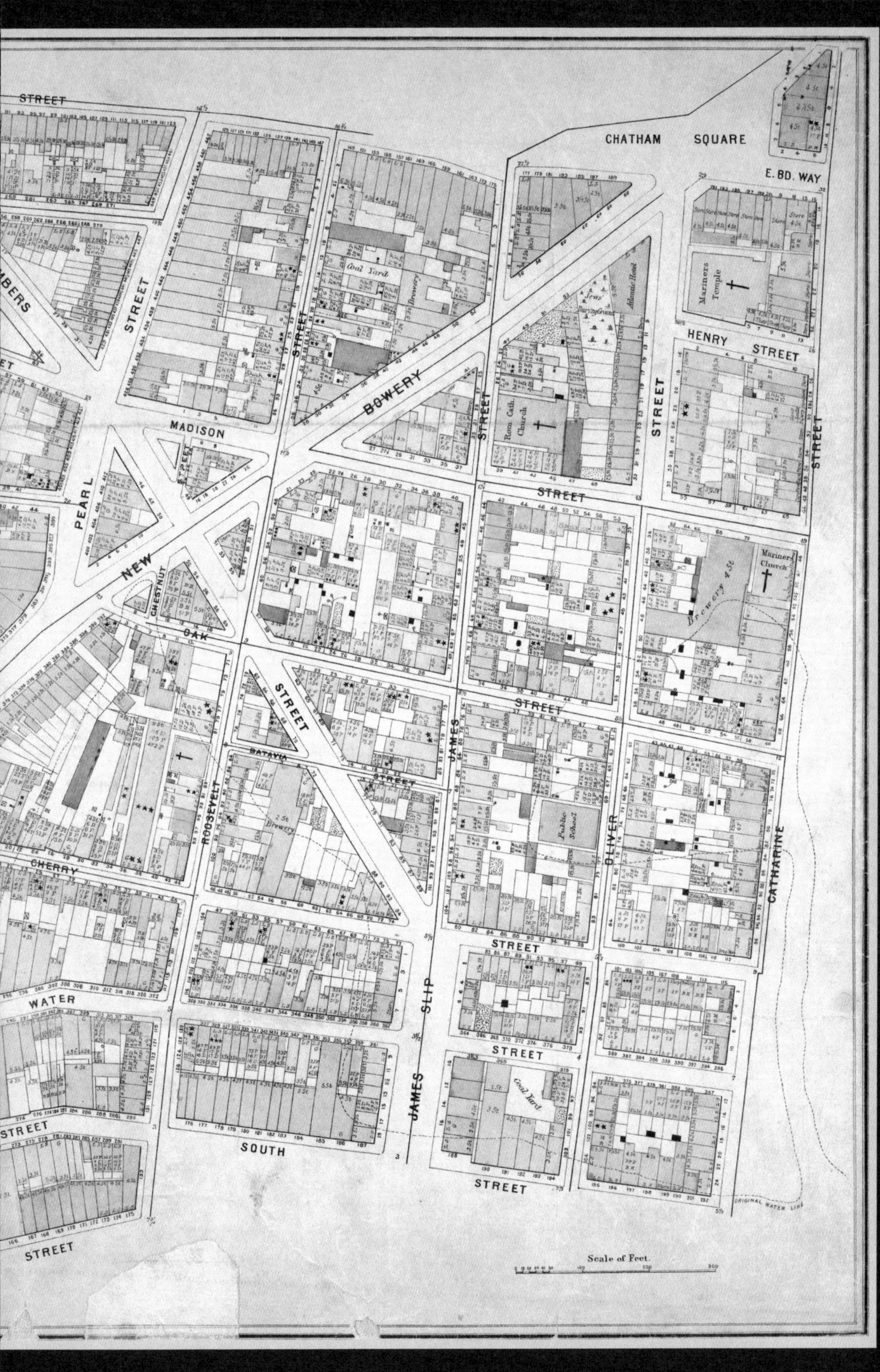
CHATHAM SQUARE
E. BD. WAY
HENRY STREET
Mariners Temple
MADISON
BOWERY
Coal Yard
Brewery
Jews' Burying Ground
Atlantic Hotel
Rom. Cath. Church
PEARL
NEW
CHESTNUT
OAK
STREET
JAMES
Mariners Church
Brewery
Public School
OLIVER
BATAVIA
STREET
ROOSEVELT
CHERRY
CATHARINE
WATER
JAMES SLIP
SOUTH
STREET
Coal Yard
ORIGINAL WATER LINE
Scale of Feet.

1820）设计的排水系统，管道由橡木、松木和云杉制成，长 72 千米，将斯古吉尔河（Schuylkill）的水引入城中。

费城的部分管道一直用到 1858 年，才被铸铁管道替换。从竖管中流出的水有淡淡的木材味道，但这总比受污染并会传播流行病的井水要好得多。波士顿早期的下水道大部分为私人所有，用来把地下室和低洼地区的水排入附近的河流与湖泊。1709 年，马萨诸塞高级法院通过了规范下水道建造方式的法规。当时的系统与伦敦一样，关注的也是地表水的排放问题。1833 年——回想一下伦敦当时的情景——人们将生活污水排入下水道，并使用雨水将垃圾冲入河流和其他饮用水源，最终同欧洲一样，马萨诸塞也暴发了霍乱、伤寒和疟疾等介水传播疾病。

同欧洲一样，流行病的肆虐促使城市元老们（有城市管理经验的人）行动起来——在 1877 年至 1884 年间，波士顿的主要排水系统建成，其中包括长 40 千米的截流污水管，收集建筑物和街道中的污水，然后输送到波士顿港的月亮岛（Moon Island）排放。1889 年，随着波士顿的发展，排污范围扩大，大量的污水使港口受到污染（参见第 172—173 页的地图）。于是，港口建立起污水处理厂，其中一处于 1952 年建在

图 18　**纽约市的地形图**，1865 年。图中，深绿色代表沼泽地，淡粉色表示人工填筑的土地，淡绿色表示草地，这样的地形条件对工程师而言是很大的挑战。

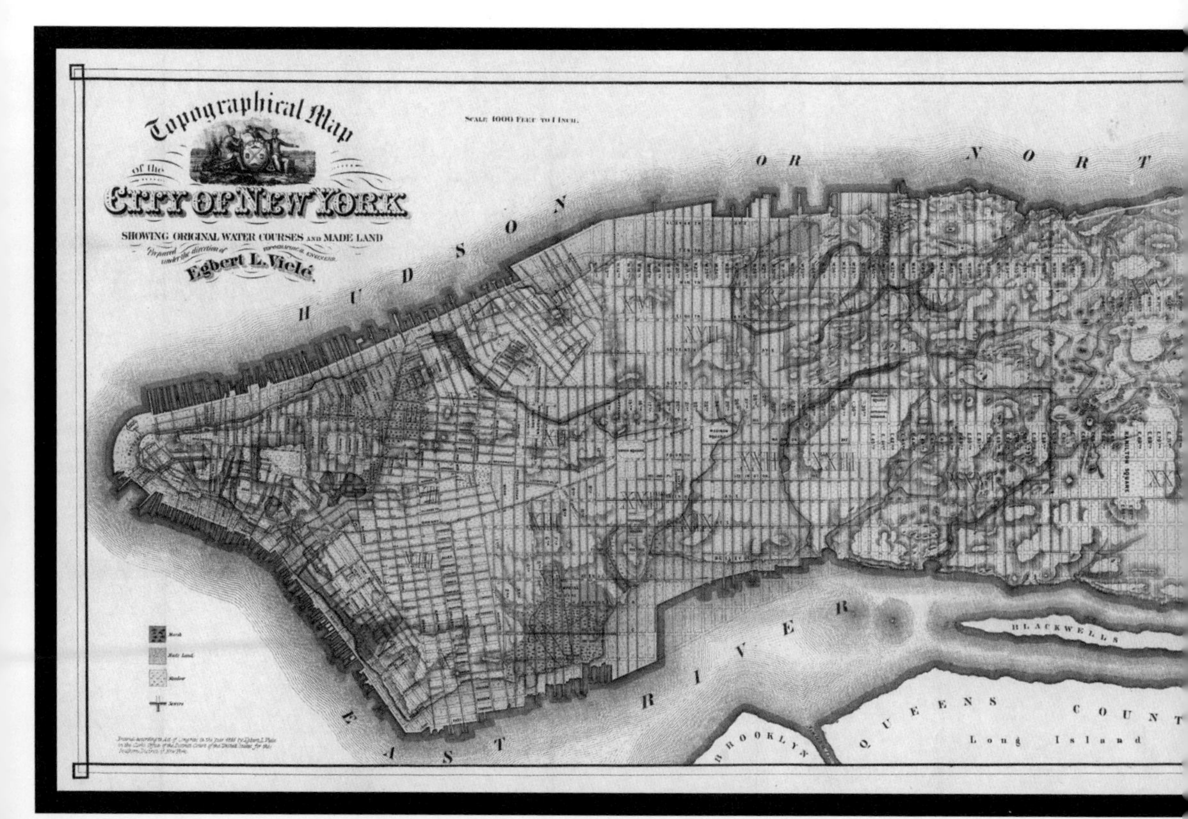

坚果岛（Nut Island），另一处于 1968 年建在鹿岛（Deer Island）。后者于 2000 年进行了升级改造，污水在经过更为高效的处理之后才会被排入海港。

1840 年，纽约已成为美国人口最多的城市，拥有 30 多万居民，是美国第二大城市巴尔的摩人口的三倍。纽约大多数人居住在曼哈顿岛上，曼哈顿岛东临东河，西滨哈得孙河，两条河流都含有咸涩的大西洋海水，居民不得不饮用时而泛咸的井水。1842 年，约翰 · 杰维斯设计的克罗顿引水渠（Croton Aqueduct）建成。克罗顿引水渠长达 67.5 千米，把淡水从韦斯特切斯特县（Westchester County）的克罗顿河引入城市。不过，水井的废弃随即导致地下水位上升，淹没了地下室。当时纽约市已有收集雨水的下水道，通常是开放式的，如同伦敦的明沟一样（参见第 30 页），从街道中央穿行。不过，纽约明沟的尺寸往往更大，据说第九街上的明沟达 6 米宽。在 1845 年一次霍乱疫情暴发后，纽约当局许可居民将人类和动物的排泄物与食物垃圾倒入下水道，这促使纽约州的立法机构在 1857 年成立了下水道管理委员会，“制订城市废水与污水方案并实施，依靠一套常规的排污系统，将倒入下水道中的污水和垃圾排走，确保居民身体健康、生活便利”。在 1850 年至 1855 年间，纽约建成了约 113 千米长的下水道。至 1900 年，城市中几乎所有的建筑均已接入公共下水道系统。污水处理厂虽然在 20 世纪就已建成，但直到 20 世纪 80 年代，曼哈顿的大部分污水还是未经处理就直接排入哈得孙河。每当大雨降临，河水上涨，污水溢出河流，令城市深受其扰。当时的补救措施是

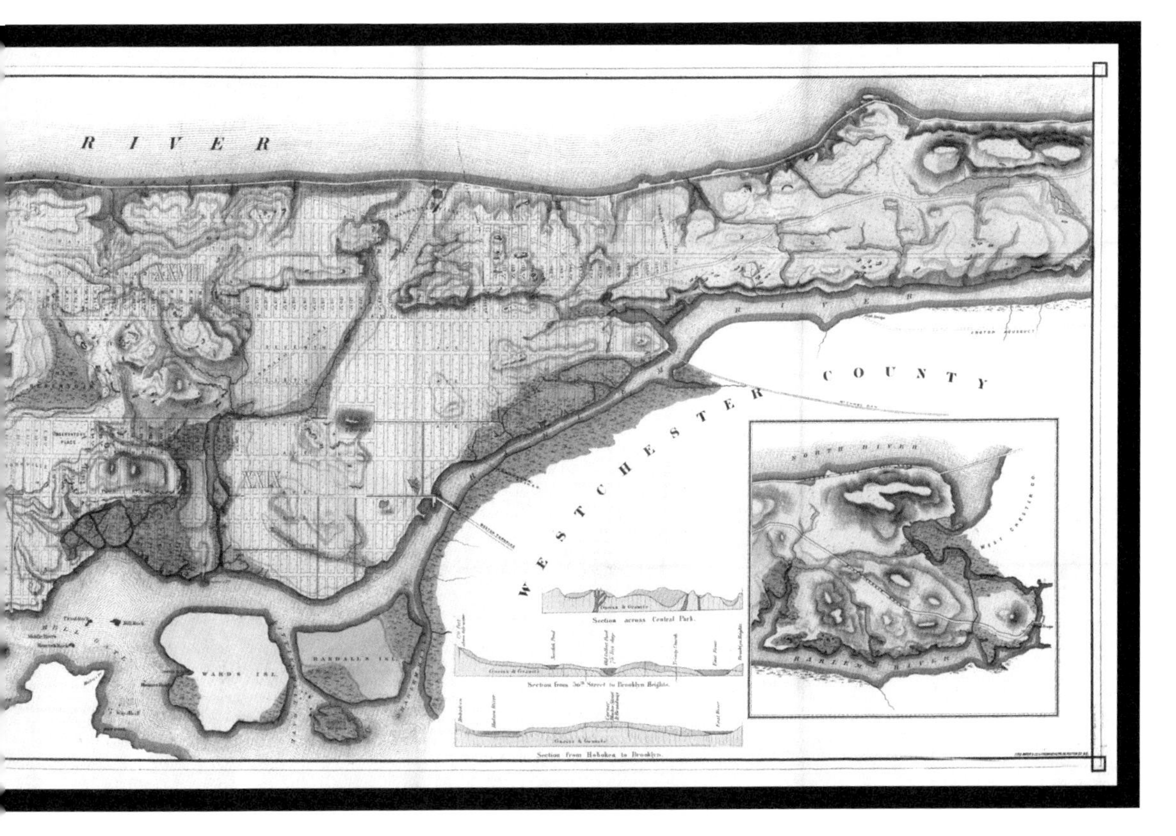

图 19　位于纽约拿骚街、百老汇街与华尔街交会处的下水道和其他管道，1885 年。

此处密集交错的管道显示了工程师在这一区域建立其他结构所面临的困难。

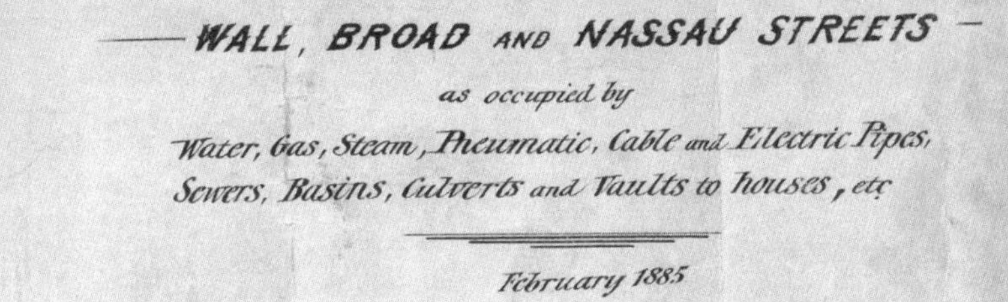
WALL, BROAD AND NASSAU STREETS
as occupied by
Water, Gas, Steam, Pneumatic, Cable and Electric Pipes,
Sewers, Basins, Culverts and Vaults to houses, etc
February 1885

STR.

MANHOLE

4' CIRC.

BRICK SEWER

REFERENCES

A	6" N.Y. Gas	N	Nassau St. Sewer
B	Wall St. Sewer	O	20" Water Pipe
C	12" Water Pipe	P	Edison's Electric Junction Box
D	15" N.Y. Steam Co Pipe (Steam)	Q	New Basin Outlet 15" Pipe.
E	4" do. do. do. (Return)	R	Old " " (removed)
F	8" Mutual Gas	S	Wall St. Sewer.
G	4" N.Y. Gas	T	N.Y. Steam Co Steam Trap.
H-I	Wotern Union Pneumatic & Cable Tubes	U	2" Trap Pipes.
J	Edison Electric Tubes.	V	Broud St. Sewer.
K	Old Basin. Outlet (removed)	W	Expansion Joint and Service Box, N.Y. Steam Co
L	New do. do. 15" Pipe.	X	Junction Vault of N.Y. Steam Cos Mains.
M	6" Water Pipe	Y	House Drains.
M'	Line of 6" Water Pipe (before Alteration)	M^2	Line of 6" Water Pipe as altered
		Z	Catch-Basins.

图 20　**为修建南部隧道，必须重建钢制下水道**，1925 年，美国纽约。
在修建公路隧道前，必须拆除下水管道。

图 21 ↑ **新泽西州受损的下水管道**，1923 年。“SS 利维坦号”客轮由于偏离罗宾斯礁灯塔而搁浅，撞破了一条下水管道。

图 22 ↓ **新泽西州排水管道的修建**，20 世纪 20 年代。潜水员即将潜入哈得孙河，在河底铺设一条排水管道。

图 23	**新泽西州的截流污水管道建设**，20 世纪 20 年代。
↑	主截流管道长 35 千米，连着 29 千米长的下水道支线。

图 24	**新泽西州的雨天水泵站**，20 世纪 20 年代。
↓	在降水量大时，需要这座水泵站来缓解下水道的压力。

在地下修建巨大的蓄水池以储存溢出的污水，雨停后再将蓄水池中的污水用泵抽到污水处理厂。

纽约下水道发展史中的传奇故事是最多的。有个故事说，纽约人去佛罗里达度假后往往会带只短吻鳄幼崽回来。当短吻鳄长大，难以再当宠物驯养时，纽约人就会将它们丢入下水道。这个故事据说源于一位前任下水道检查员的回忆。另一个故事说，纽约市民将一种名为“纽约白”的大麻从马桶冲入下水道，其种子在下水道富有营养的环境下茁壮成长。支持这些传说的证据就和证明尼斯湖水怪的证据一样多。

换言之，纽约的下水道成了一个强有力的意象，被艺术家、作家和电影制片人完美地应用在作品中。1952 年，戈登·帕克斯（Gordon Parks）用一系列超现实的摄影作品诠释了拉尔夫·埃里森（Ralph Ellison）的小说《看不见的人》（*The Invisible Man*），令人过目不忘。其中从哈莱姆街（Harlem Street）下水道走出来的那位“无名叙述者”的照片最引人注目。下水道既代表着他被社会排斥在外的窘境，也象征着他的庇护所，使他远离几乎要摧毁他的种族主义。不过，或许纽约下水道最深入人心的例子，当属忍者神龟的家吧！

芝加哥所在的地面仅仅比密歇根湖的水位高几英尺（不足 3 米），很难凭借重力将废水输送到湖中，而人们的饮用水也同样来自此湖，这给环境工程师们带来了非同寻常的难题。因此，在 1855 年，芝加哥污水处理委员会决定将靠近湖泊的街道和街上的建筑物抬高 1.2 米至 4.2 米。乔治·普尔曼（George Pullman，1831—1897）是执行这项艰巨任务的工程师之一，他凭借发明了火车卧铺车厢和餐车而为人们所熟知，不仅因此发了大财，还拥有以自己名字命名的列车。他被委以重任，抬高湖街（Lake Street）上的建筑物。他在建筑下方安装了 6000 个千斤顶，让一群人根据指令统一操作，每次能让建筑物升高一点点。重复这种操作几天，同时在建筑物下面插入新的地基（在每次抬升后都会补充新的地基，以填满空缺）。在其他地方，他的办法是将原木置于建筑物下方，滚动木料，就可以将建筑物挪到新的地点。芝加哥的下水道系统是由城市工程师埃利斯·切斯布鲁（Ellis Chesbrough，1813—1886）设计的，他在建筑物被抬高时将下水道铺在地面上，等城市被整体抬高至所需高度后再将下水道掩埋。

大部分污水被排到芝加哥河，然后随河水流入密歇根湖。不过，出于保护饮用水源的考虑，在湖面下方开掘出一条隧道，一直延伸至离岸 3 千米的地方，希望由此抽出的是未被污染的湖水。不过这只是从局部层面暂时解决了问题。随着芝加哥的扩建，隧道也不断向湖中延伸。人们最终决定改变河流的流向，让污水随着芝加哥河流向密

图 25—26 **建设中的芝加哥第三十九街截流污水管道**，1912 年。工人们正在修建的是 1905 年之前世界上最大的下水管道。

图 27－34 ↓ **伊利诺伊州下水道系统设计蓝图**，1913 年。这些平面图选自伊利诺伊阿默尔技术学院（今伊利诺伊理工大学）的一篇学位论文。

图 35 ↓↓ **芝加哥第三十九街水泵站里螺旋泵中的导流环与轮毂**，1912 年。螺旋泵沿用了冲刷密沃尔基河（Milwaukee）的螺旋泵的设计。

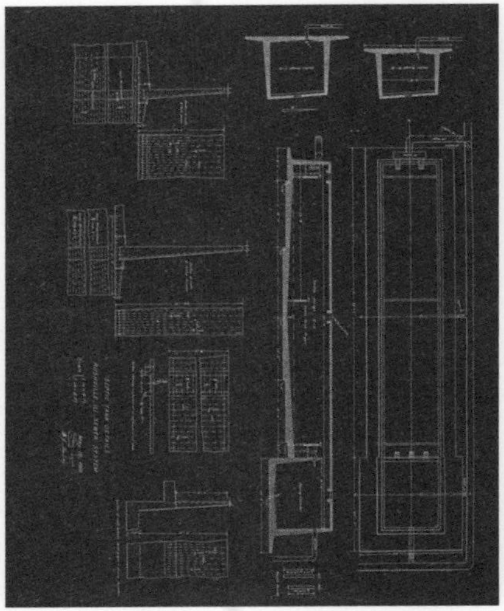

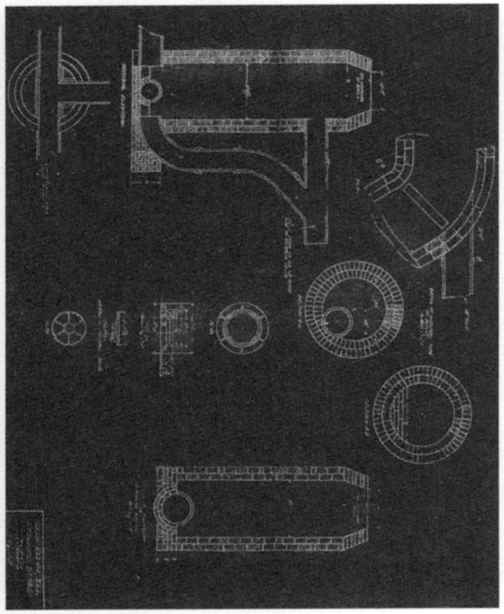

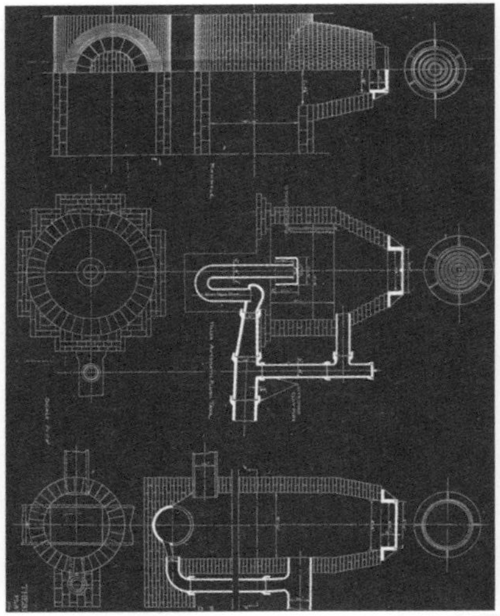

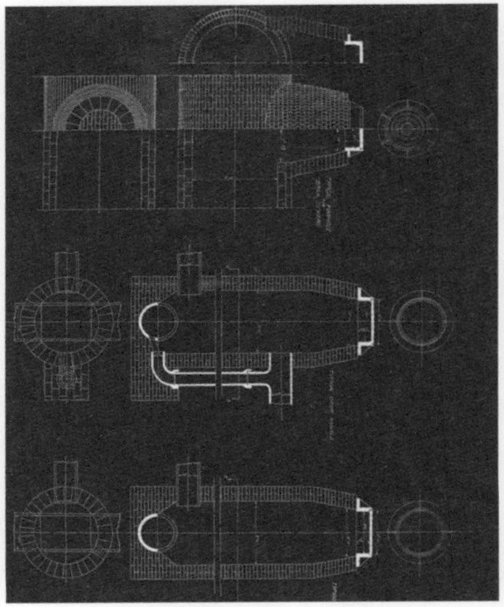

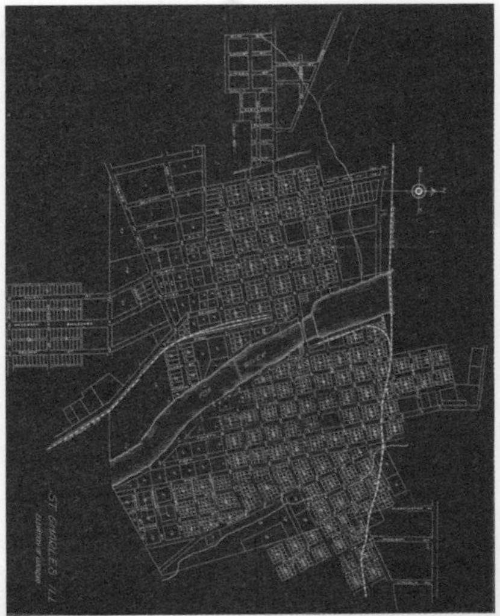

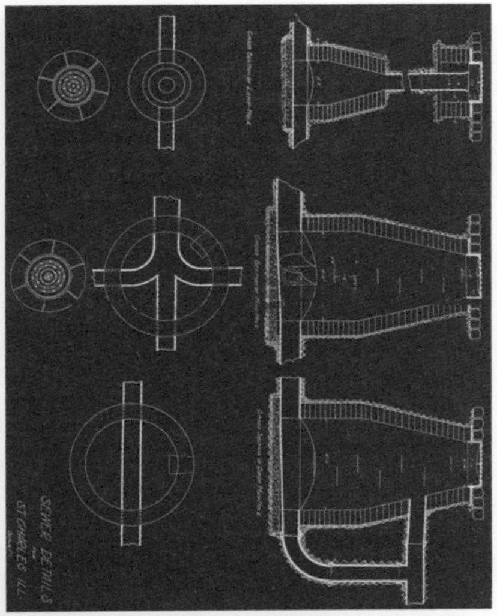

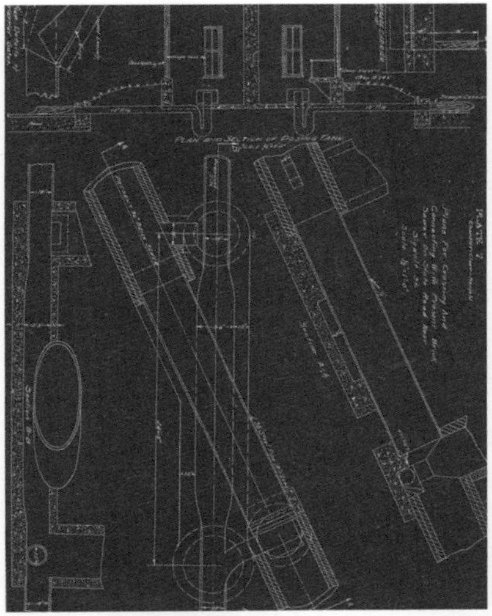

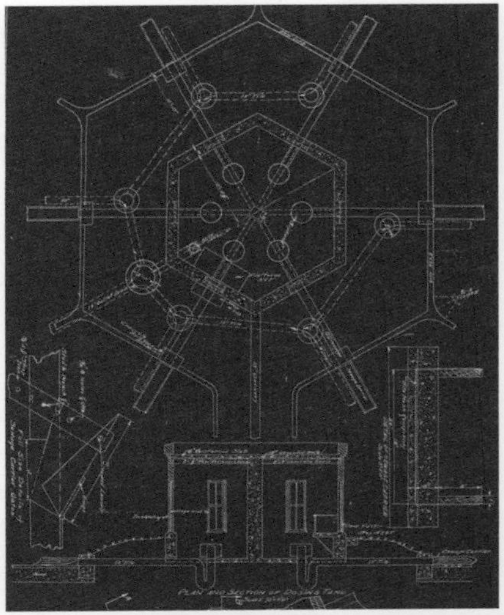

西西比河，而不是流向密歇根湖，这项工程是切斯布鲁逝世后完成的。最终，芝加哥在 20 世纪初建成了第一座污水处理厂，如今已增至六座，其中最大的是西塞罗区（Cicero）的斯迪克尼（Stickney）处理厂。废水在此得到净化，污染物质被清除后，水又被排回当地的河流。

华盛顿特区引入现代污水处理工艺的时间较晚，不过他们最终使用的污水净化技术特别有效。19 世纪初期，华盛顿为排出沼泽洼地的雨水建造了第一批下水道。这片沼泽地位于弗吉尼亚州和马里兰州的交界处，两州从各自的边界内割让出部分土地作为联邦政府的所在地。这些排水管道没有和统一的排水系统相连，也没有污水处理厂，直接将污水排入波托马克河（Potomac River）与阿那考斯蒂河（Anacostia River）。1852 年，美国陆军工程兵团开始修建华盛顿引水渠，以将淡水引入首都，但还是没有建立下水道系统。19 世纪 60 年代内战期间，人口激增，下水道系统的缺失导致伤寒与疟疾流行，数千人因此丧生。70 年代，长约 129 千米的下水道系统建成，用来收集废水与雨水，并将其引至下游的波托马克河，此河因此被严重污染。1938 年，终于在华盛顿特区边缘的蓝原（Blue Plains）建起了污水处理厂。2015 年，作为切萨皮克湾

图 36 **洛杉矶未经处理的污水直接排入圣莫尼卡湾**，1937 年。在 1950 年海柏利昂污水处理厂建成之前，污水都是不经处理就直接排入圣莫尼卡湾。

生态恢复计划的一部分，蓝原建起了世界上最大的污泥热水解处理厂，以确保污水被高度净化后，再排放到波托马克河与海湾（污泥热水解技术详见第 217 页）。

1870 年时，洛杉矶的居民还不到 6000 人，只比一个大型村庄的人口多一点。到了 1900 年，其人口也刚刚超过 10 万，人口总数在美国各城市中排第三十六位。然而，到了 2017 年，洛杉矶的人口已将近 400 万，仅低于美国第一大城市纽约。在这种情形下，洛杉矶下水道系统在 20 世纪仍处于落后状态也就不足为奇了。洛杉矶修建水利系统的历史要追溯到 1781 年，当时西班牙殖民者修了一条衬砖的渠，称作“母亲渠”（Zanja Madre），将水从附近的洛杉矶河引到定居点。这条渠于 19 世纪被填埋，在之后开展的建筑工程和挖掘工作中，会时不时发现这条渠的踪迹。 第一位尝试为洛杉矶制订排污方案的是土木工程师弗雷德 · 伊顿（Fred Eaton）。1887 年，弗雷德 · 伊顿担任城市测绘员，那时候洛杉矶人口已接近 5 万。伊顿的方案是收集街道下水道中的废物，并通过排污口把未经处理的污物排入圣莫尼卡湾。正因如此，到 1925 年时，这片太平洋海域已经被严重污染。直到 1950 年洛杉矶人口近 200 万时，圣莫尼卡湾附近才终于建成了一座名为“海柏利昂”（Hyperion）的现代化污水处理厂。到 1957 年

图 37 **洛杉矶的工人们正在安装雨水排水管**，1935 年。
这些管道能在强降雨时将雨水排至圣莫尼卡湾。

图 38—39 **洛杉矶维护管道的一处场地**，1935 年。
下水道工人已配备了全套器械与防护服。

VIEW OF INTERIOR OF PACIFIC ST. SEWER
LOOKING UP FROM A POINT ABOUT TEN FEET EAST
OF THE EAST LINE OF FRONT ST.
THE SEWER-GRADE RISES 29 INCHES
AND THE TOP OF THE SEWER IN THE CROSSING, PACIFIC & FRONT STS
IS SEEN BELOW THE BOARDS WHICH CLOSE THE UPPER
HALF OF THE SEWER, WEST OF THE EAST LINE OF FRONT

图 40 ↑ **旧金山瓦列霍街和富兰克林街拐角处一座化粪池的墙体**，1893 年。这座化粪池作为施工质量粗糙的典型，被记录下来。

图 41 ↓ **旧金山太平洋街下水道的内部形态**，1893 年。这条下水道拥有经典的蛋形设计，这是 19 世纪修建的下水道的基本特征。

14 IN. PIPE SEWER
IN BAKER ST. NEAR JACKSON
SHOWING ALIGNMENT & GRADE·JOINTS OPEN.
NO HOUSE CONNECTIONS.
CAVE
IN BROADWAY NEAR LARKIN ST.
DUE TO DEFICIENCY
OF MORTAR IN BOTTOM.

图 42 ↑ **旧金山贝克街一条直径 36 厘米的下水管道**，1893 年。
这张图记录了没有铺设成一条直线的管道，以及管道接口开裂的情况。

图 43 ↓ **旧金山百老汇大街上的塌陷**，1893 年。
这个因坍塌而形成的巨坑，是建设过程中砂浆使用不足造成的。

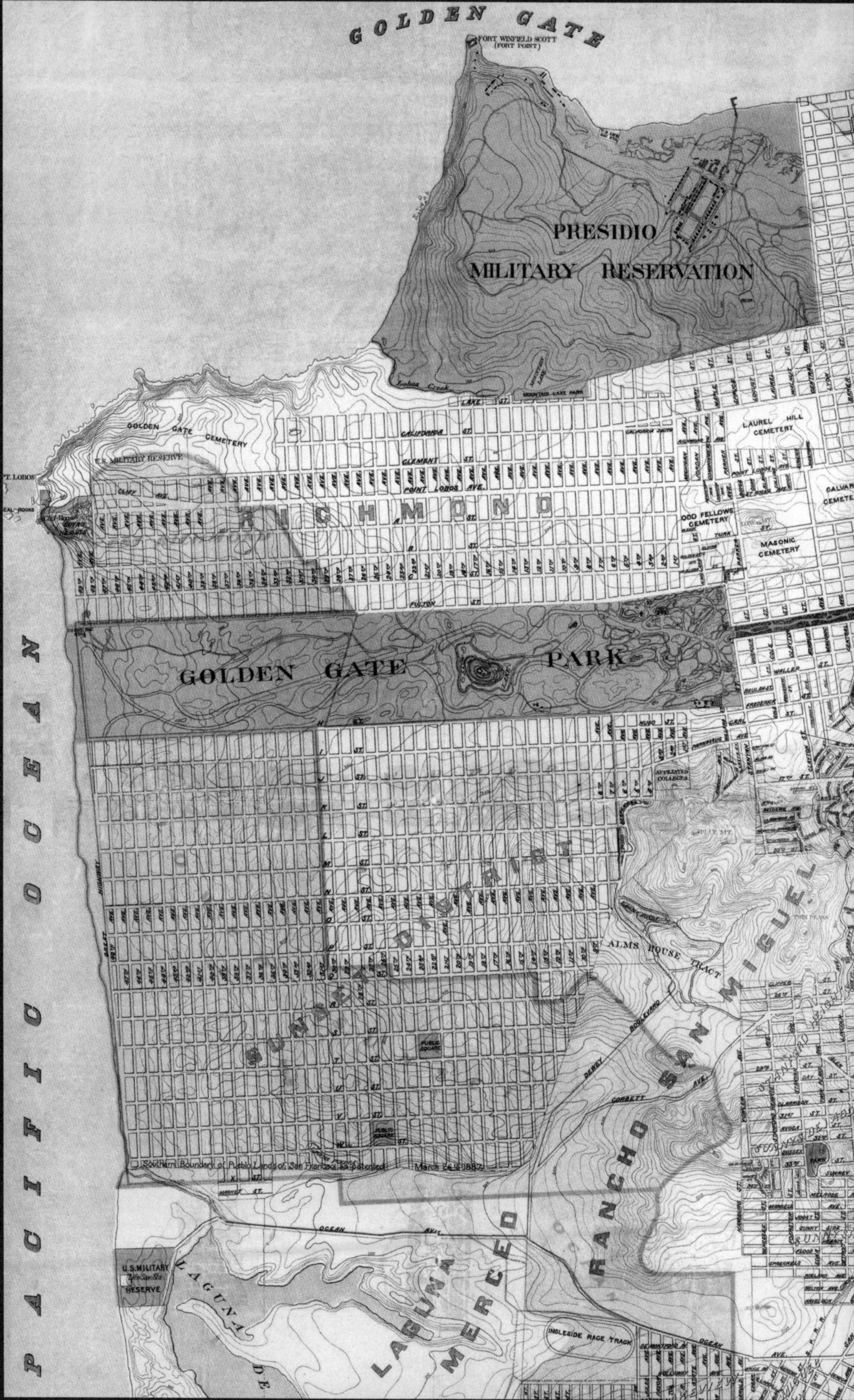

图 44 **旧金山污水处理系统计划图**，1899 年。

图中实心红线代表建议立即施工的下水道，红圆点代表建议修建水泵站的位置。

SYSTEM OF SEWERAGE
FOR THE
CITY AND COUNTY OF
SAN FRANCISCO
SEWERAGE DISTRICTS
SEWERED ON THE SEPARATE SYSTEM
LOCATION OF SEWERS AND OF PUMPING STATIONS
C. E. GRUNSKY, Civil Engineer in Charge.
MARSDEN MANSON,
C. S TILTON,
Associate Engineers.
October 29, 1899.
SCALE:
1000
0
1000
2000
3000 FEET
NOTE: Contours are 20 feet apart and represent elevations above City Base. Their position is determined by officially established street grades, except where no grades have yet been established and where property is not yet subdivided. In such cases they represent the natural surface of the ground as established by Surveys of the U. S. Coast and Geodetic Survey.
City Base was defined in 1854, by a Board of Engineers, as a plane 6.7 feet above mean ordinary high tide in San Francisco Bay.
Sewers recommended for immediate construction are shown
Sewers not recommended for immediate construction
Sewers in preliminary location, generally where street grades have not yet been established
Iron Pipe
Pumping Stations
BAY OF SAN FRANCISCO
NORTH POINT
FORT MASON
(BLACK POINT)
MARKET
CHINA BASIN
Mission Rock
CENTRAL BASIN
INDIA BASIN
HUNTERS POINT
ISLAIS CREEK CHANNEL
RESERVOIR

时，城市发展太快，以至于排污量已远超海柏利昂的处理能力，无法处理的那部分废水仍然通过 8 千米长的管道排入海洋。人们通过对海床的监测发现，这片海域布满了卫生棉条、避孕套和用过的注射器，只有蠕虫与部分种类的蛤蜊能在这种环境中生存。

在环境保护署和名为“拯救海湾”（Heal the Bay）的组织的共同施压下，海柏利昂污水处理厂在 20 世纪 80 年代进行了升级，这个项目被称作“铲除污泥”计划。虽然处理厂最终达到了加利福尼亚州要求的标准，但是引发恐慌的事情时有发生，比如 2017 年处理厂在进行维护时曾给当地海滩带来不良后果。海柏利昂污水处理厂的巨大规模与高科技外观令它在其他领域出了名，成为附近电影拍摄的取景地，出现在好几部电影中，比如 1973 年拍摄的《决战猩球》与 1984 年拍摄的《终结者》。

马里兰州的巴尔的摩市于 1729 年建立，但巴尔的摩所处的切萨皮克湾历史更为久远，可追溯到 17 世纪，这里是东海岸的第一个欧洲殖民地。约翰 · 史密斯（John Smith，1580—1631）船长通常以美国原住民公主波卡洪塔斯（Pocahontas）丈夫的身份为人所知，但正是他在 1608 年探索了切萨皮克湾，并为之绘制了地图。切萨皮克湾鱼类资源丰富，淡水河流众多，绿树成荫，百草繁茂，给他留下了深刻的印象。后来他宣称：“天地之间再也没有比这里更适宜人类居住的地方。”这处海湾成为英国在北美的第一个殖民地，取名詹姆斯敦（Jamestown），并蓬勃发展。随着烟草种植园和玉米地取代了森林，人口变得越来越稠密，土壤被冲入海湾，巴尔的摩市及上游几处定居点的垃圾排入众多溪流和河流，这里污染日益严重。到了 19 世纪末，许多流经巴尔的摩的河流都被混凝土和砖砌沟渠覆盖，还有大型金属管道或木制管道。当地卫生设施十分简陋，主要用粪池来处理粪便。据估计，在 1880 年，该市人口达到 35 万，粪池大约有 8 万个，其中的污物大部分被排入沙土中，然后渗入河道，这就是巴尔的摩伤寒发病率极高的原因。

1904 年，一场大火摧毁了巴尔的摩大部分地区，这正好为城市重建提供了契机。在城市重建过程中，高效的污水处理系统也相应建成。工程于 1907 年启动，1915 年随着一座污水处理厂的落成而宣告完工。凭借着远见卓识，工程师给城市配备了一套污水、雨水分离的废水处理系统，减少了污水处理厂的负担；雨量极大时，能够保证满溢的雨水在不受废物污染的情况下直接排入河流。 巴尔的摩现在有 1600 多千米的雨水渠和 4800 多千米的下水道，其中许多管道面临老化，有时还会破裂。地方政府与环境保护署在 2002 年起草了一项协议，要求在 2019 年之前完成对老化设施的维修或更新。

图 45 **巴尔的摩琼斯佛尔斯溪（Jones Falls）水道改造设计图**，1869 年。19 世纪，琼斯佛尔斯溪实际上相当于一条开放式下水道。因此，改造方案建议在城市地下修建一系列隧道排走河水，以减轻河流所带来的污染、疾病与洪水。

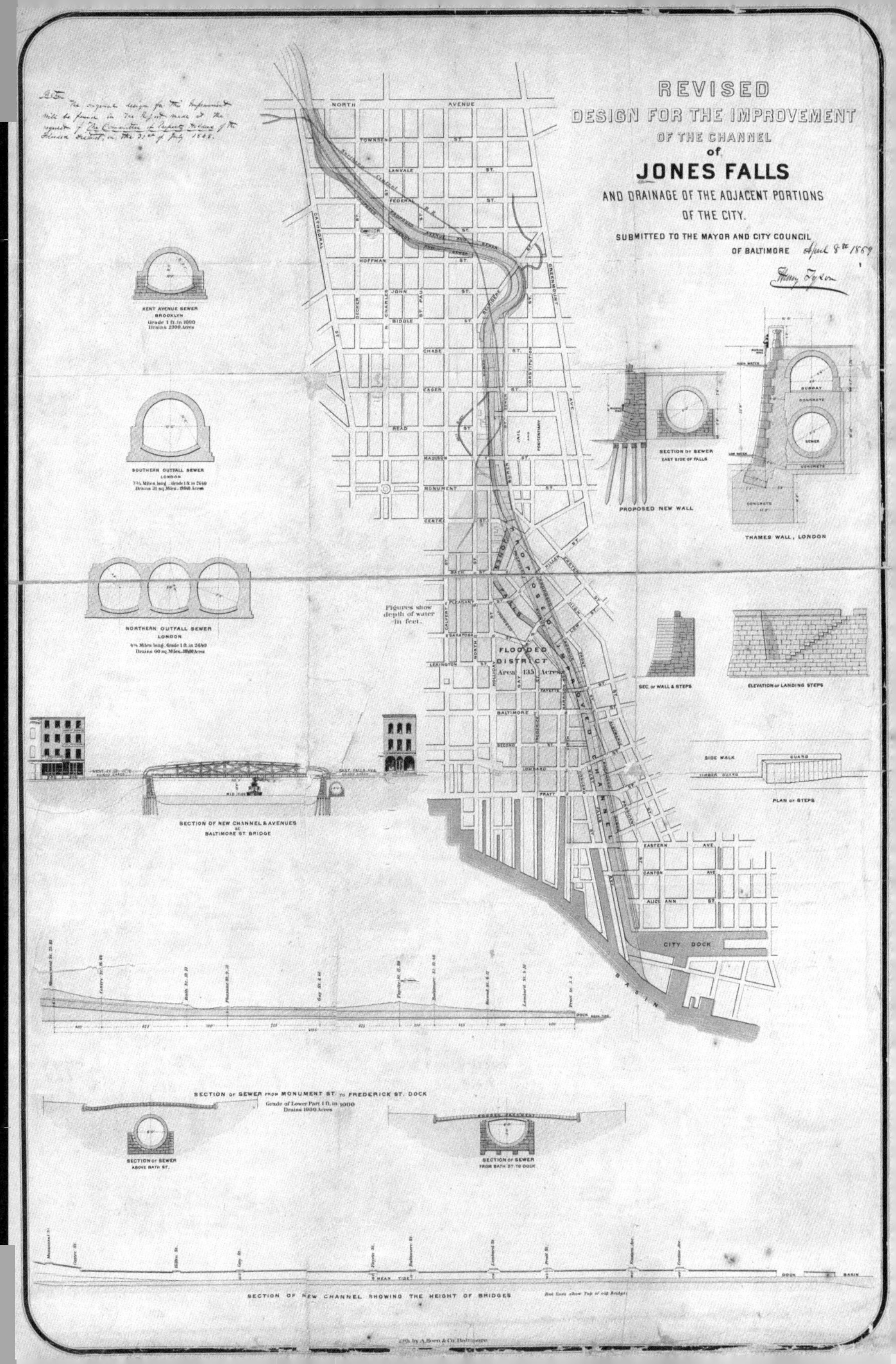

REVISED
DESIGN FOR THE IMPROVEMENT
OF THE CHANNEL
of
JONES FALLS
AND DRAINAGE OF THE ADJACENT PORTIONS
OF THE CITY.
SUBMITTED TO THE MAYOR AND CITY COUNCIL
OF BALTIMORE
KENT AVENUE SEWER
BROOKLYN
SOUTHERN OUTFALL SEWER
LONDON
NORTHERN OUTFALL SEWER
LONDON
Figures show depth of water in feet.
FLOODED DISTRICT
SECTION OF SEWER
EAST SIDE OF FALLS
PROPOSED NEW WALL
THAMES WALL, LONDON
SEC. OF WALL & STEPS
ELEVATION OF LANDING STEPS
PLAN OF STEPS
SECTION OF NEW CHANNEL & AVENUES AT BALTIMORE ST. BRIDGE
CITY DOCK
BASIN
SECTION OF SEWER FROM MONUMENT ST. TO FREDERICK ST. DOCK
SECTION OF SEWER
ABOVE BATH ST.
SECTION OF SEWER
FROM BATH ST. TO DOCK
SECTION OF NEW CHANNEL SHOWING THE HEIGHT OF BRIDGES

REVOLUTIONS OF PURITY

净化革命

第3章

SEPTIC TANK
ACTIVATED SLUDGE
EFFLUENT SCREEN
SEWAGE TREATMENT
FATBERG

化粪池
活性污泥
污水过滤网
污水处理
油脂山

VACUUM SEWER
STORM SURGE DRAIN
ANAEROBIC DIGESTER

真空下水道
雨水管道
厌氧消化池

[I. PROCESSING & TREATING SEWAGE] → 污水处理的流程与工艺

[II. THE FUTURE OF WASTE TREATMENT] → 污水处理的未来

PROCESSING & TREATING SEWAGE

污水处理的流程与工艺

"毫无疑问，微生物在污水处理中的应用已经得到普遍认可。"

《科学美国人》，1905年第93卷，第24期

自人类定居城市以来，污水处理以及去除污水中有害病原体的方法已经发生了许多变化，但这一过程始终依赖微生物完成，微生物会把污物当作营养成分消耗掉。在美索不达米亚地区的众多城市中，污水被运送到田间，土壤中的微生物会完成污水处理。微生物分解掉病原体，将污水转化为植物生长所需的肥料与水分，从而协助植物完成成熟、分解、腐烂、变成肥料和生长这一循环过程。很多发展中国家至今还采用这种污水处理方式。作家韩素音（1916—2012）生于中国河南信阳，其父是中国人，其母是比利时人，她在给父母的信中写道，1949 年以前，那些拥有公共下水道，把粪便卖给农民的家庭，在中国有些地区是最富有的家庭。几个世纪过去了，技术不断发展，人们已经可以用科学的方法系统地进行污水处理，提高了污水处理过程的效率和可控性。这些处理过程通常是自然地向前推进，虽然其间也出现了一些不太常见的个例。

第 199 页 **明胶液化实验试管中的生长物**。20 世纪迎来了用化学和生物学进行污水处理的新阶段。

图 1 ← **英格兰斯坦斯（Staines）的一号排水塔**，1909 年。排水塔将蓄水池中的水抬升，以输送至污水处理厂。

现代污水处理厂俗称“污水处理场”，该名称反映了其起源——夜香工人倾倒污水的地方。然而，在 19 世纪末和整个 20 世纪，先进的污水处理系统不断发展，使现代污水处理厂能够利用物理学、化学和生物学的知识来净化污水、制造肥料，并将清洁水还给大自然——这与几百年前夜香工人所做的工作相似，只是现在对污水处理中的科学知识有了更深入的理解，并能将其更系统地应用到污水处理中。污水处理的过程是基于这样的知识：只要某些东西能被分解，那一定存在能分解它的微生物。污水的处理结合了厌氧与好氧工艺，以便处理不同类型的污染物，并通过几个不同的工序使其变得无害或有用。化粪池是用科学方法进行污水处理的第一步。

化粪池能有效处理一栋建筑物或小型社区排出的小量污水。污水从马桶、浴缸或类似设施流入密封的化粪池，在这种厌氧环境下，污水中的固体部分会被分解，体积变小，剩余粪渣沉入底部；与此同时，化粪池表面会形成一层浮渣，这层浮渣会继续分解，直到沉入底部形成污泥。浮渣和沉渣之间的粪液会通过一根管子流入化粪池的排水区，再通过多孔管道均匀地排放到周围的沙砾层或类似环境中。液体会顺着沙砾渗入土壤，土壤中的微生物在有氧环境下会进一步分解有害杂质，产生能够被植物根部吸收的液态肥料。化粪池中的固体要定期清掏外运。这一过程的生物化学原理在某些方面类似堆肥，堆肥亦能将有机废物与有害病原体分解为富含养分的肥料。

化粪池的确切起源目前还不清楚。1876 年，马萨诸塞州伍斯特市的州立精神病院修建了一个“沉淀”池，它的很多特征在后来获得专利的化粪池系统中均有所体现。该沉淀池旨在厌氧条件下加快医院固体废物的分解。1895 年，“septic system”（化粪池系统）这一概念诞生。同年，生活在埃克塞特（Exeter）的英国科学家唐

图 2–7　**化粪池设计图**，1905 年。这些简易的设施，旨在处理小量的污水。

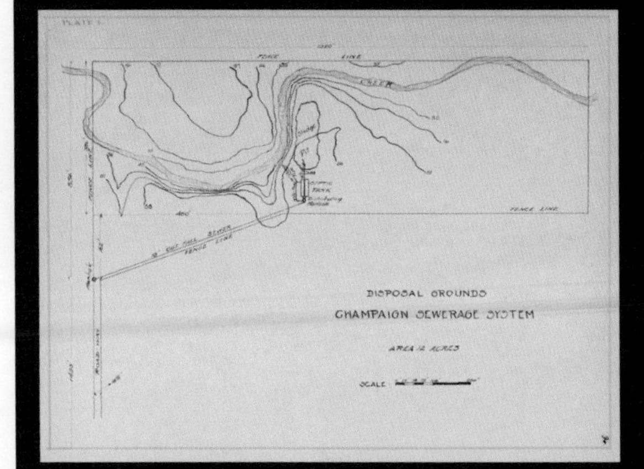

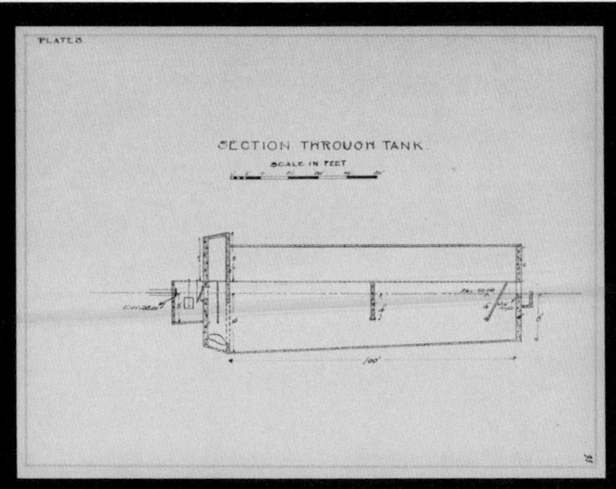

纳德 · 卡梅伦（Donald Cameron）设计了一个密封容器，通过厌氧消化法处理污水，并为此申请了专利。而早在 1860 年，一位名叫让–路易 · 穆拉斯（Jean-Louis Mouras）的法国人发明了一种与前者机制非常类似的容器，他似乎是偶然发现了这种容器能够处理污水的特性。穆拉斯来自法瑞边境附近的蓬塔利耶，在第戎东北部的沃苏勒经营一家小型工程公司。1860 年前后，他用混凝土修建了一座密封的池子，用一根陶管把公司的污水排入其中。大约十年后，他在清理池子时，惊讶地发现里面只有少量污泥了。他向毕生致力于科学研究的耶稣会牧师穆瓦尼奥（François-Napoléon-Marie Moigno，1804—1884）请教，神父建议他为这个“穆拉斯渠”（Fosse Mouras）申请专利，该申请于 19 世纪 80 年代正式获批。和奥斯曼的想法一致，穆拉斯也计划将池中的液体排入公共下水道，留下固态污泥让夜香工人清掏，不过清掏次数不用像过去那么频繁。不同于穆拉斯的发明，唐纳德 · 卡梅伦的化粪池是将液体直接排入土壤。

> **人们已经发明过滤器并投入使用，过滤器能够将最腐臭混浊的污水转化成清澈发亮的净水。**
>
> 《科学美国人》，1905年第93卷，第24期

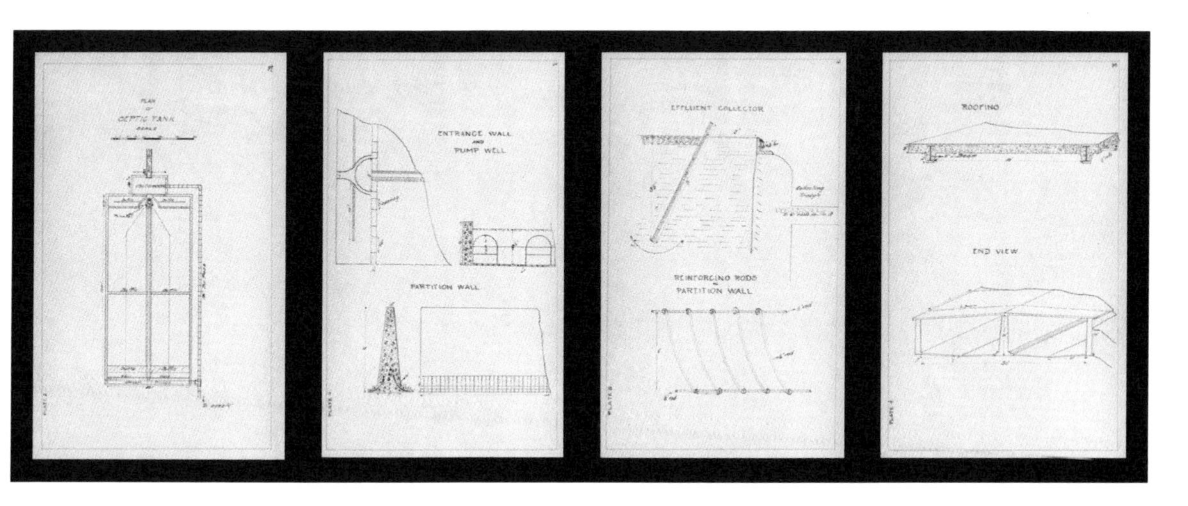

图 8–16　**美国农场中的化粪池**，1923 年。许多美国人都使用家用化粪池处理污水。

一些化粪池由两格组成。第一格提供厌氧环境，令一些固体沉淀并在表面形成浮渣，中间的液体排至第二格再次进行相似的处理，最后把相对清澈的液体排至沥滤场。后来，德国工程师卡尔·英霍夫（Karl Imhoff，1876—1965）进一步改进化粪池，发明了英霍夫双层沉淀池，并在 1906 年获得了专利。英霍夫双层沉淀池大体上是个池中池，较重的固体从上部的锥形池排放到下面的池中，在那里经过更长时间的厌氧处理，而上面池子中相对清澈的液体则能够更快地排放至“化粪池排水场”或“沥滤场”。

现代化粪池的容量为 3800—7700 升，通常用于独立的建筑物或小型社区，不与公共下水道或污水处理厂连接。修建这种化粪池需要大片空旷的土地作为沥滤场，还需要获得修建许可证，确保土壤渗透性良好，不会污染当地的饮用水源或供人食用的鱼类。现代化粪池通常由混凝土或玻璃钢修建而成，近来还出现了用塑料修建的化粪池，这些化粪池大约可以使用五十年。在市政工程和大型污水处理厂中，化粪池系统还可以与滴滤池、芦苇床乃至其他好氧系统等更先进的二级处理设备相结合，从而强化污水处理，提高出水水质。化粪池底部的污泥由真空吸污车定期清理，清理时间取决于社区的使用情况，从两年至二十年不等。每次清理时都会留下一定量的污泥，保证池中仍存有微生物能持续发挥重要作用。化粪池的使用在农村地区更为普遍，特别是在发展中国家，但发达国家也在用，例如法国有约 20% 的人使用化粪池（400 万户）；爱尔兰共和国有 27% 的人在用；美国有 25% 的人在用，其中还包括一些特大城市，如印第安纳波利斯。

化粪池中的厌氧环境可以产生可燃性气体，还会释放其他有毒气体。过去曾有报道，2014 年某位女子不慎将手机掉进化粪池中，为了捡起手机，她丈夫从化粪池上方的圆形开口处跳了进去，下去后便被弥漫的毒气熏倒。前来搭救的人也陆续晕倒在池内，最后酿成伤亡的惨剧。

有时化粪池与天然或人工种植的芦苇床结合使用，可以使净化过程更完善。粪便等最大的污染物被去除后，就可以用芦苇床进一步净化污水。芦苇的茎与根能够将叶片中的氧气输送到化粪池沥滤场，加速微生物分解污物的过程。天然的芦苇床中还生长着其他植物，包括欧地笋、水车前和黄鸢尾。这些植物为许多动物提供了栖息地，如游蛇、水鼠、水獭，甚至还有河狸，以及麻鳽、鹭、白头鹞、芦鹀等鸟类，其中不乏濒危物种。这些植物吸引来的蚊子和苍蝇，为鸟类提供食物的同时，也给人类带来了烦恼。小型芦苇床也称“处理池”，可供独立住宅使用。水平流式的芦苇床有时用于处理小型污水处理厂的出水，而垂直流式的芦苇床是一阶阶建造的，原理类似双格化粪池，污水从上层流到下层就是水质不断净化的过程。这种小型芦苇床通常在农村地区使用，不仅限于发展中国家，英国盎格鲁水务公司（Anglian Water）和赛文特伦特水务公司（Severn Trent Water）在其服务的农村地区就有许多这样的设施。化粪池和芦苇床现在通常与各种类型的过滤器一同使用。

可以这么说，用过滤器净化水（包括废水）是从将水作为肥料施用于土壤开始的。在17 世纪早期，英国的弗朗西斯 · 培根爵士（Sir Francis Bacon，1561—1626）就尝试用沙子过滤海水以去除其中的盐分，但并未成功。直到 19 世纪，人们才掌握了净化过程的原理，并将之广泛应用。从 17 世纪开始，显微镜等水质检验设备的应用不但让科学家理解了水传播痢疾、伤寒、霍乱等疾病的途径，而且让他们掌握了水净化的方式。19 世纪，爱德华 · 弗兰克兰爵士（Sir Edward Frankland）使用显微镜和其他分析方法对伦敦的饮用水进行了系统分析，证实了识别并消灭病原体的重要性，有效地帮助人们摆脱了之前普遍认可的观点，即霍乱与伤寒的流行是由恶臭的空气造成的，而非受污染的水源。弗兰克兰遭到伦敦各水务公司的声讨，因为是他们正在把水传播疾病送到伦敦的家家户户。但弗兰克兰最终获胜。

图 17　　杰维尔滤水器的重力和压力系统，1897 年。该系统由芝加哥的奥玛尔·杰维尔（Omar Jewell）和他的儿子们共同设计，经其过滤和清洁后的水可以作为饮用水。

HAWTIN-Co. ENG. Chi.

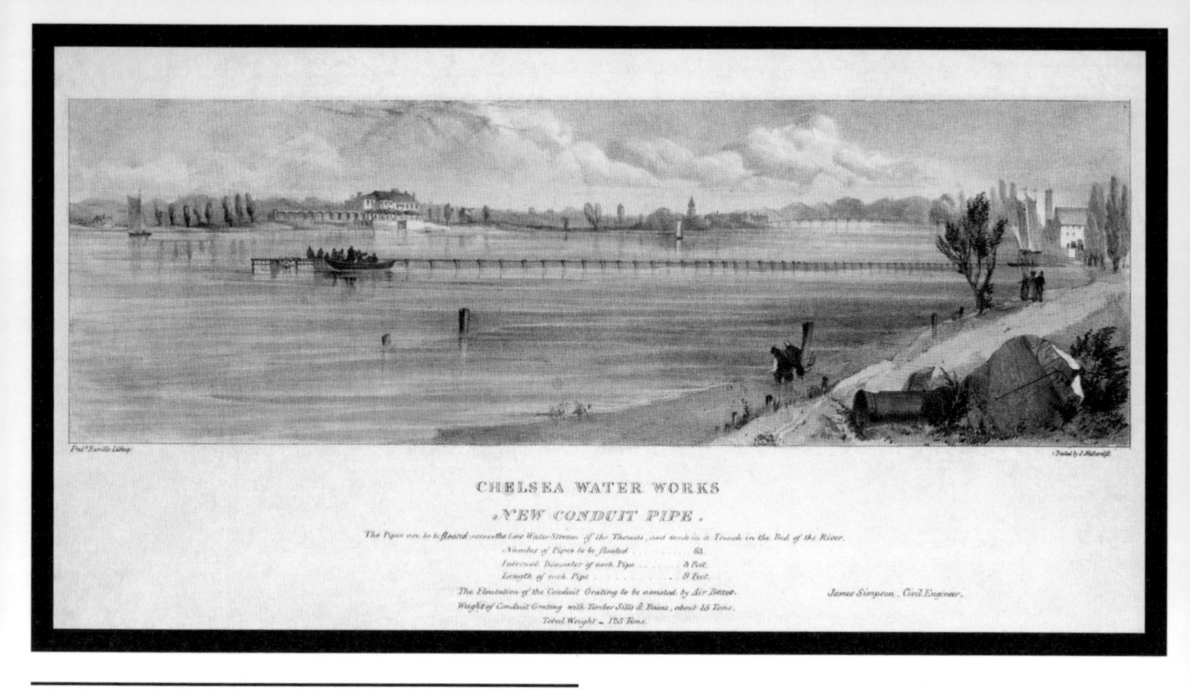

图 18　**伦敦切尔西水务公司新建的输水管**，1850 年。可惜的是，1850 年该公司输送到各家各户的泰晤士河水已经受到了严重污染。

与此同时，一些工程师虽然没有完全理解水净化过程中一些常识背后的科学原理，但还是将这些常识应用到了实践中，詹姆斯 · 辛普森（James Simpson，1799—1869 年）便是其中一例。1823 年，辛普森在切尔西水务公司担任工程师，建造了第一个“慢砂滤池”，61 厘米厚的细沙层下方还有贝壳层、沙砾层和砖石层，最下方是打了许多孔的陶管。水通过细沙、沙砾和贝壳等的层层过滤后渗入陶管，再流入蓄水池。最上方两三厘米的沙子已经过滤掉 95% 的杂质，所以辛普森认为这些沙子能够形成物理屏障从而达到净化效果。事实确实如此。不过直到多年后，爱德华 · 弗兰克兰爵士发现，沙子中的微生物通过分解病原体也形成了一道生物屏障。辛普森的同事托马斯 · 霍克斯利（Thomas Hawksley，1807—1893）在利物浦、诺丁汉与伦敦的供水工程中都采用了辛普森的慢砂滤池。在伦敦海德公园九曲湖上游的小特拉农（Le Petit Trianon）水泵站，现在还矗立着纪念辛普森功绩的雕像。

到 19 世纪 90 年代，人们越来越普遍地认识到，生物学、物理过滤与化学方法都参与了废水净化。19 世纪 80 年代在德国进行的多次实验表明，每隔一段时间向物体喷洒污水，其表面就会形成一层黏稠的微生物“生物膜”，该膜有助于去除某些有机物质，显然在这一过程中好氧菌和厌氧菌均发挥了作用。1887 年，美国马萨诸塞州的劳伦斯市成立了劳伦斯实验站（Lawrence Experimental Station），研究水净化与污水处理的方法，结果发现这种间歇性向物体喷洒污水的方法能让好氧菌和厌氧菌一起分解污染物。

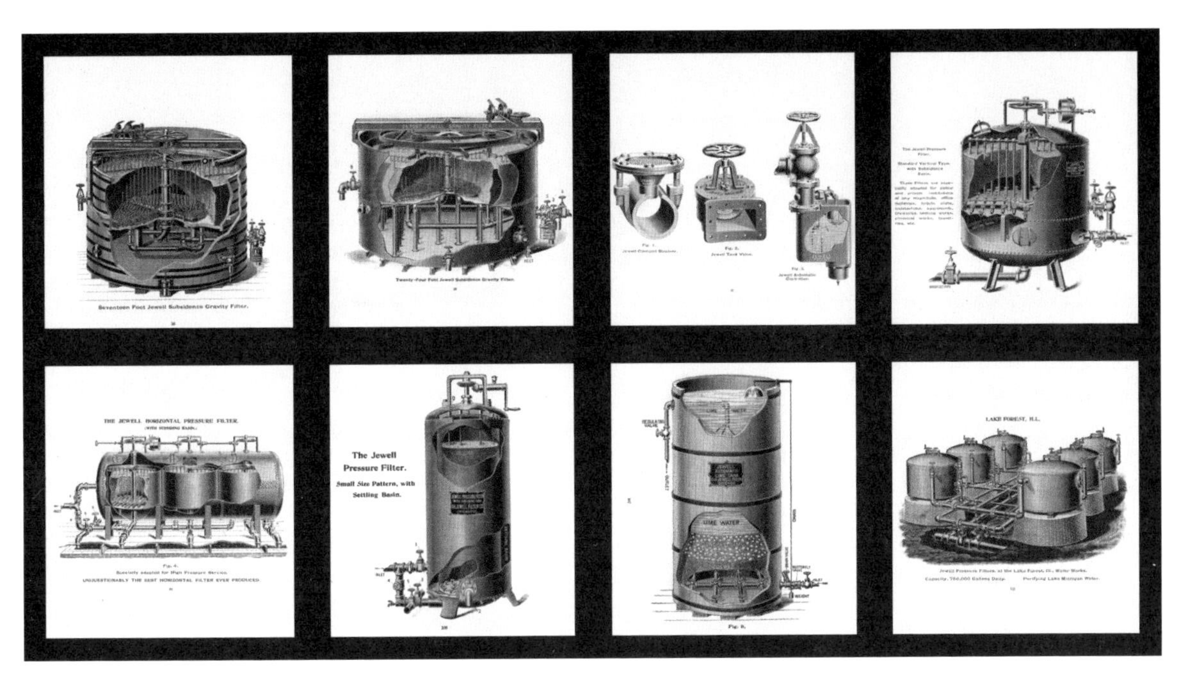

图 19—26　杰维尔滤水器的重力和压力系统，1897 年。图中所示是杰维尔滤水系统的各种过滤器和阀门，图片来自公司编制的手册。

这些发现被应用到滴滤池中。滴滤池常见于中小型城镇的污水处理厂。1912 年，美国威斯康星州的麦迪逊市成为第一批采用滴滤池的城市之一。滴滤池结合厌氧和好氧处理方法，通过一系列的程序去除杂质。废水首先被输送至初沉池中，在池中加入化学物质，加快厌氧条件下固体沉淀的过程，以便对其进行清除与进一步处理。固体沉淀物上方的液体——上层清液，会流入过滤池中。过滤池通常是圆形的，直径约 10 米至 20 米，由砖或水泥砌成，深度 2 米至 3 米。池中填满了“滤料”，这些物质的比表面积都比较大，能够让污水最大程度地与空气接触。当时，煤渣、炉渣和火山岩都已经用来做滤料了。污水先被输送至旋转布水器。注入布水器的水驱动它旋转，由此将水均匀地喷洒在滤料上。在较大型的过滤池中，布水器有时是由机械驱动沿轨道运行的。滤料上会形成一层由微生物组成的生物膜，该膜在微生物分解污水中“食物”的过程中会逐渐增厚，过滤的水会流到滤池底部的排水管中。

经过初步处理的污水进入二沉池，其设计与初沉池相似。污水在此进行沉淀，待液体足够纯净后，再排放至河流中。滴滤池滤料上不断生长的生物膜经常会被冲刷到二沉池，进行固体的分离。一些污水处理厂采用垂直处理技术，污水从上至下流经一个个滤池，每经过一个滤池就会被处理一次，变得越来越清，最后被排出污水厂。出现在 19 世纪末的“活性污泥法”是污水处理技术发展的又一步重要革新。

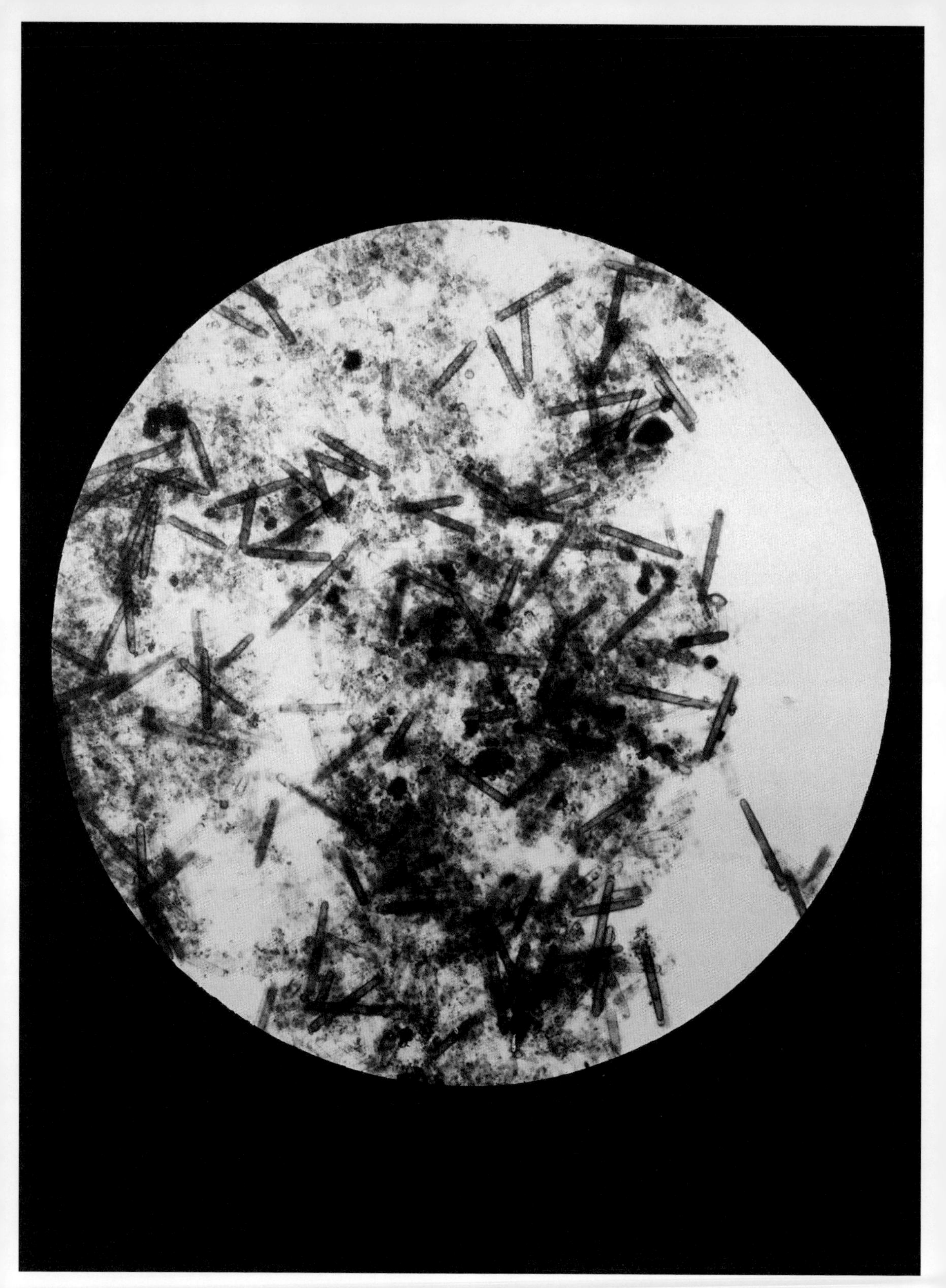

图 27 ↑ **束丝藻的孢子。**束丝藻是一种蓝藻细菌，生活在淡水中，能产生多种毒素，食用后对人体有害。

图 28—31 → **马萨诸塞州关于污水净化情况的调查**，1888—1890年。图为污水净化情况调查期间观察到的细菌样本。

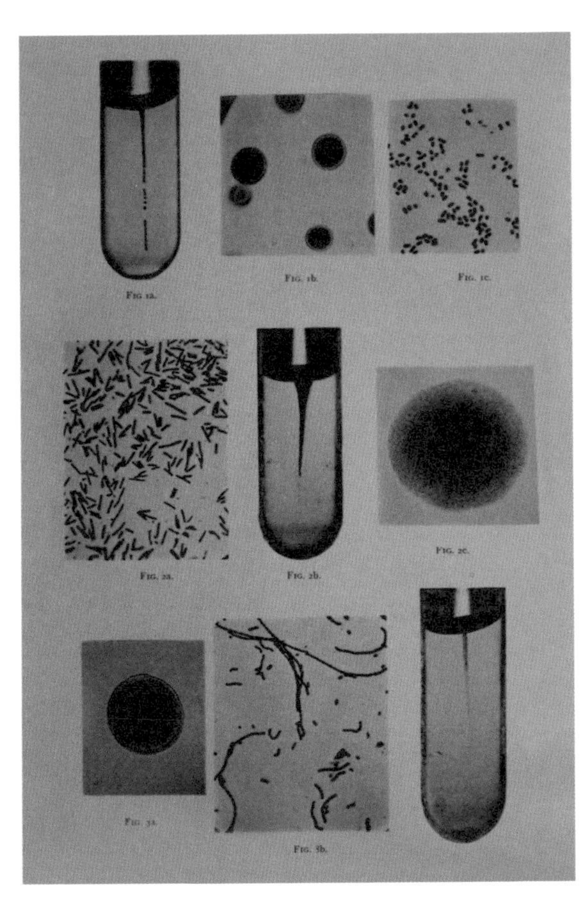
Fig. 1a.
Fig. 1b.
Fig. 1c.
Fig. 2a.
Fig. 2b.
Fig. 2c.
Fig. 3a.
Fig. 3b.

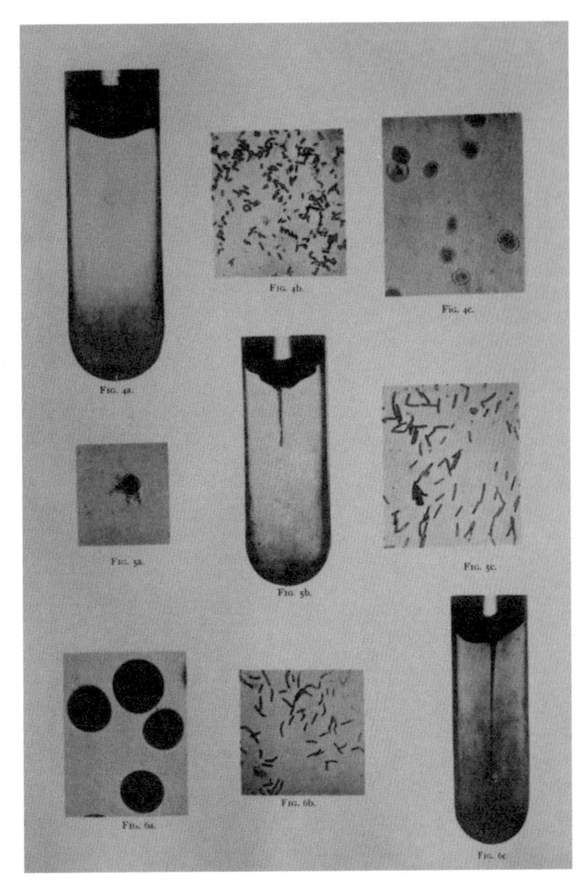
Fig. 4a.
Fig. 4b.
Fig. 4c.
Fig. 5a.
Fig. 5b.
Fig. 5c.
Fig. 6a.
Fig. 6b.
Fig. 6c

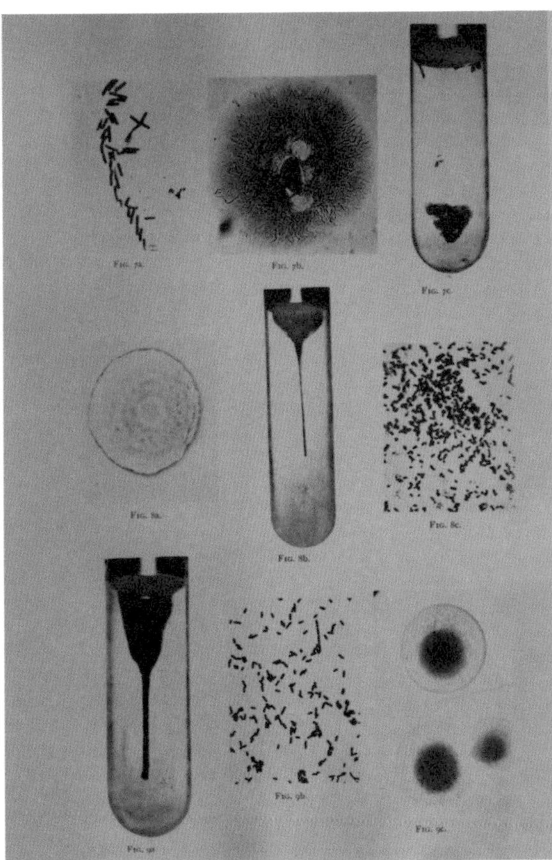
Fig. 7a.
Fig. 7b.
Fig. 7c.
Fig. 8a.
Fig. 8b.
Fig. 8c.
Fig. 9a
Fig. 9b.
Fig. 9c.

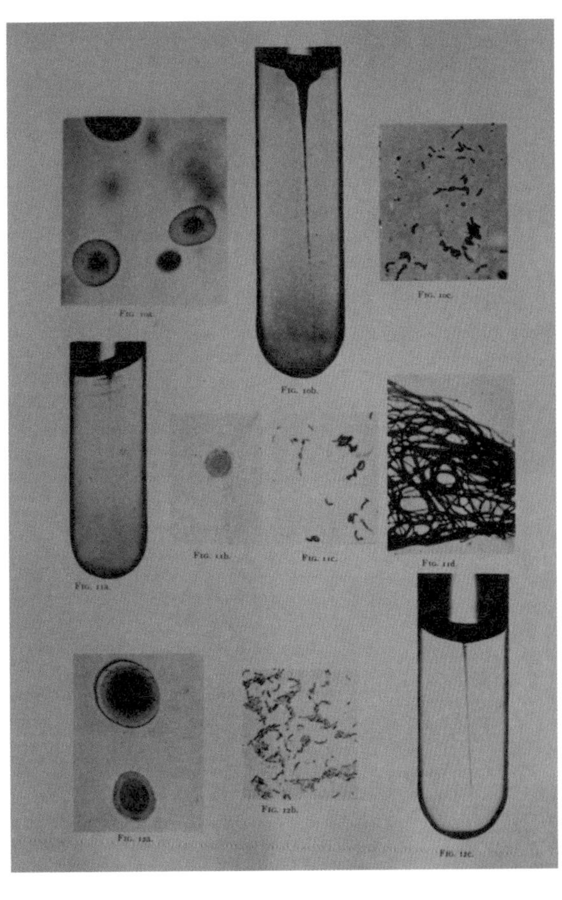
Fig. 10a.
Fig. 10b.
Fig. 10c.
Fig. 11a.
Fig. 11b.
Fig. 11c.
Fig. 11d.
Fig. 12a.
Fig. 12b.
Fig. 12c.

White Silt Loam
Check
Activated Sludge
Dried Blood

伦敦都市工作委员会是伦敦郡议会的前身，威廉·迪丁（William Dibdin）曾先后担任过这两个组织的首席化学家，他于 1887 年写道：

> **净化污水的有效方法是先将污泥分离，然后用适当的微生物将污水转化成中性，不管是什么微生物，只要能将污水转化成中性就行；待其经过很长时间的充分曝气，达到净化标准之后，再排入河流中。这才是污水净化的真正目的，污水灌溉田还不能完美实现这一目的。**

这段文字便是对后来大家熟知的“活性污泥法”的粗略描述。活性污泥法即让污水中的微生物活跃起来，并利用它们来净化污水。20 世纪初曼彻斯特公司河流部的两位化学家共同开发了活性污泥法。吉尔伯特·福勒（Gilbert Fowler，1868—1953）是曼彻斯特大学的博士，也是曼彻斯特公司的顾问。有一次他受邀去劳伦斯实验站访问，在访问期间对一系列城市污水的曝气实验进行了观察，并将观察结果告诉了曼彻斯特戴维汉姆（Davyhulme）污水处理厂的两位化学家威廉·洛开脱（William Lockett）与爱德华·阿尔敦（Edward Ardern）。两人做了一系列实验，把从曼彻斯特不同地区采集到的污水装进玻璃瓶，暴露在空气中，然后在瓶子上覆盖牛皮纸以遮挡阳光，从而阻止藻类的生长。几天后，瓶子中倒出的水已经变得相当清澈，瓶底留有沉淀物——被消化后的分子通过“絮凝”的过程沉淀在瓶底。当加入更多水曝气时，净化的过程会随着沉淀物的增多而加快。洛开脱和阿尔敦将这种沉淀物称为“活性污泥”，因为他们认识到，曝气废水中产生的悬浮物加快了污染物的消化分解过程。1914 年，该方法在一个试点设备，即一个马车的木箱上进行了更大规模的实验，最后又在索尔福德的实体处理厂中进行了全尺寸试验；另一家处理厂 1916 年建于谢菲尔德，该厂在废水处理中引进了叶轮，用以确保充分的空气流通。1915 年，威斯康星州的密尔沃基建成了一座活性污泥厂，由吉尔伯特·福勒博士担任顾问。当废水污染十分严重时，可以向污水中注入氧气，以减轻处理负荷，加快处理过程。

图 32 ↖↖ **从干活性污泥中提取油脂**。图片摘自伊利诺伊大学 1920 年发表的一篇化学工程论文，其研究主题是如何从活性污泥中提取油脂并加以利用。

图 33 ↙↙ **污水处理中的活性污泥法**。图片摘自伊利诺伊大学 1916 年的一篇化学博士论文，论文主题是污水处理中的活性污泥法。

图 34—37 → **活性污泥的肥料价值**。图片摘自伊利诺伊大学威廉·德雷尔·哈特菲尔德（William Durrell Hatfield）1918 年完成的化学博士论文。这些样本表明，从污泥中提取的肥料有益于植物生长。污水自古便被用作肥料，科学研究证实了污水对于植物生长的促进作用。这种有针对性的、系统化的实验工作，对活性污泥法的发展和运用至关重要。

图 38−41　伦敦钦福德“乔治五世国王水库”的启用仪式，1913 年。这座水库在 1913 年由国王乔治五世启用，是李谷（Lee Valley）水库链的一部分，该水库至今仍在通过供水环线——伦敦供水基础设施的重要组成部分——向伦敦供水。

活性污泥法现在被广泛应用于大中型城市社区的污水处理，其处理过程通常包含两个阶段：首先，将污水抽至大型曝气池中，在其中注入压缩空气，剧烈的水流扰动能够确保固体悬浮在水中，而水中的微生物由于受到氧气的刺激胃口大开，大量吞噬污水中的病原体。然后，当污水被处理到适宜的清洁度时，会被排放到沉淀池中，固体沉到沉淀池底部并被清理，之后或作为肥料出售，或留存用以激活下一次生物处理过程。

现在，上述处理过程已与其他过程相结合，运用到世界各地的污水处理设施中。与夜香工人排放废物的污水灌溉农场相比，现代污水处理设施更像是炼油厂或工厂，但又与它们明显不同——炼油厂和工厂能够控制其输入物，而污水处理厂却不得不处理一切倒进下水道的东西（下面将介绍一些较为麻烦的“不速之客”）。

进入污水处理厂的废物中，绝大部分是水，这些水来自洗手间、浴缸、洗衣机和其他家用电器。在同样收集地表水的复合系统中，雨水会进一步增加水量。大部分污水处理过程是为废物“脱水”。初步处理过程会利用“滤网”（机械过滤器）过滤掉诸如抹布、安全套、卫生棉条、软木塞、树枝和更大体积的物体，例如有一次在巴扎尔盖特

图 42—45 **建造中的伦敦钦福德水库**。20 世纪初，随着伦敦人口的增长，修建水库的步伐也加快了。

图 46—49 **曼彻斯特戴维汉姆污水处理厂。**通过在这座污水处理厂做实验，阿尔敦和洛开脱慢慢优化了活性污泥法。

主持修建的东伦敦阿比米尔斯水泵站竟过滤出一台摩托车！这些固体废物会被收集焚烧或送去垃圾填埋场。接下来，污水进入沉淀池中进行一级处理。在物理法则的作用下（有时候也会添加化学药品帮助固体下沉），较重的固体，例如沙砾和粪便下沉到池底。在先进的化粪池中，浮在表面的油和脂则还会被撇去。池底缓慢旋转的机械刮板会把沉底的污泥推入池底的料斗，送去进行下一步处理。至此，废水中一半以上的污染物已被去除并聚集在污泥中，而污泥随后将在厌氧池和好氧池中进一步处理，厌氧与好氧的微生物在相应的条件下大量繁殖，吞噬掉许多残存的病原体。现在这一处理阶段常用的方法是热水解，即在高压下煮沸污泥（类似高压锅）。这样能够杀死病原体，将水汽化，并将有机分子分解为更容易生物降解的物质，这些物质将在厌氧消化阶段转换成甲烷。易燃的甲烷气体被收集起来用于发电，产生的电量一部分支持厂内的污水处理工序，剩余部分则作为“绿色”电力输送至国家电网。接下来，再使用离心机或阿基米德螺旋泵等设备将污泥进一步“脱水”，并形成污泥“饼”。污泥饼会存放在废料桶中，作为肥料售给农民。而在耕地很少的城镇地区，污泥饼则被送到垃圾填埋场。

图 50　伦敦德普特福德水泵站的哈特霍恩 · 戴维（Hathorn Davey）发动机。哈特霍恩 · 戴维是英国利兹主要的水泵机械制造商。除了供水系统的水泵，他们还制造铁轨与船用发动机。

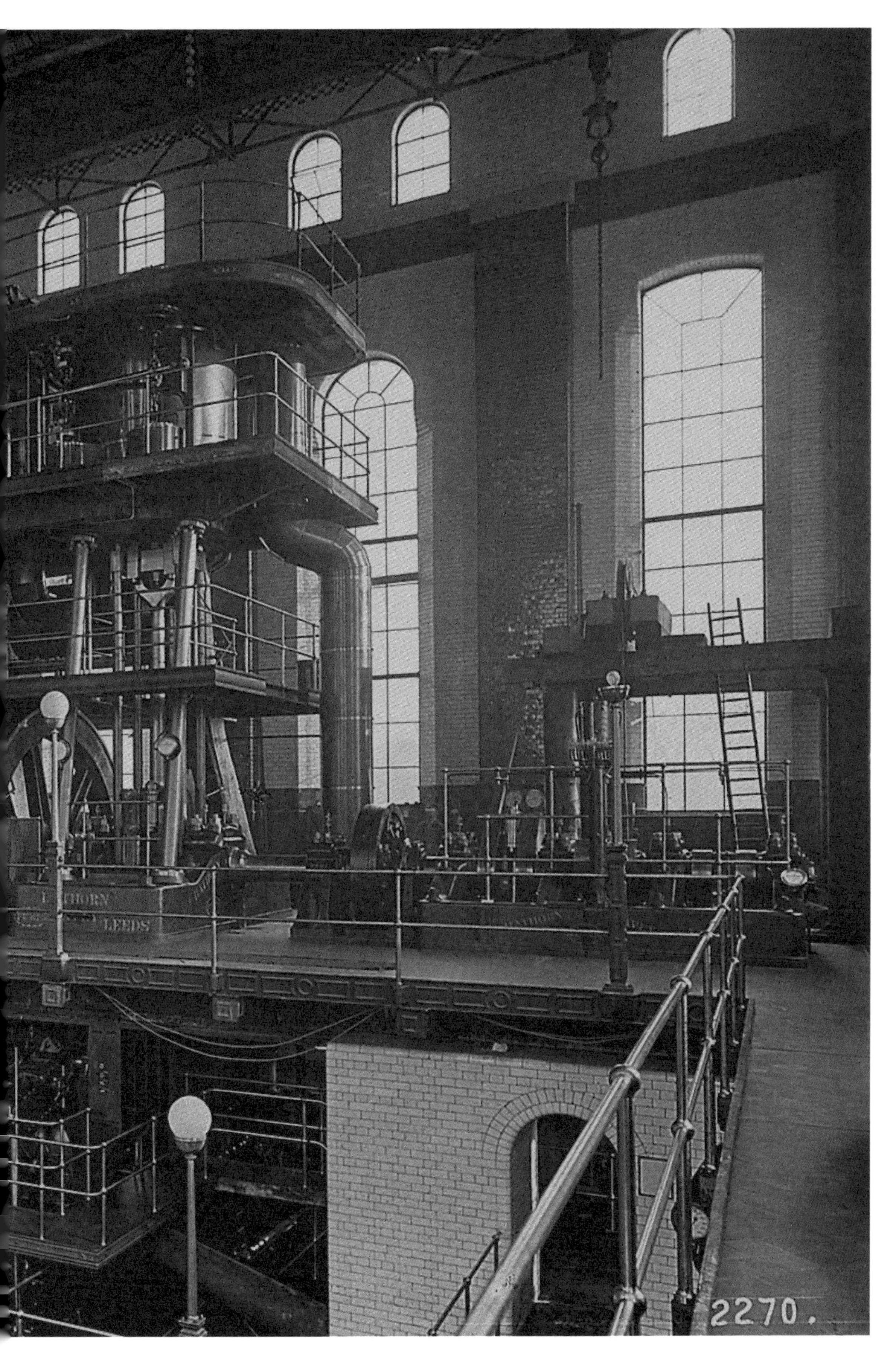
LEEDS
2270.

图 51 **伦敦贝克顿污水处理厂的污泥消化。**污水进入沉淀池后，污物在这里沉淀，之后被清走。

图 52 **伦敦贝克顿污水处理厂的沉沙池。**这些池子用于储存处理过程中产生的灰和其他废物。

> **经过长期的实验，科学研究发现，肥力最高、成效最卓著的肥料就是人类的粪便。**
>
> 维克多·雨果，《悲惨世界》，1862

现在初沉池中的液体中已经没有污泥了，液体顺着管道流往二级处理设备。二级处理采用多种方法，如上文介绍的滴滤池，以及好氧活性污泥处理法等。好氧处理需要引入氧气以刺激微生物的“食欲”，让它们吞噬剩余污染物，从而将污染物从污水中去除。剩余的沉积物或者被再次用到污水处理过程中以提供更多的微生物，或者与一级处理阶段产生的污泥混合，作为肥料出售。通过测量含氧量的方式监控污水的状况，以确保好氧状态的稳定。污水达到要求的清洁度后，便可以排入河流、湖泊或海洋中。

这种方法在约瑟夫·巴扎尔盖特爵士主持修建的泰晤士河北岸的贝克顿污水处理厂与南岸的克罗斯内斯污水处理厂中得到了体现。巴扎尔盖特为伦敦留下了一套将固体废物（如粪便）与液体废物分离的处理系统，固体废物由泥驳倾倒入北海中，在鱼类的协助下分散、沉淀，并被微生物分解。这一系统一直沿用至 1998 年才被新的方法替代，新方法不再将废物倾倒入海中，而是净化或分解废物。废物在沉淀池中进行沉淀，液体则流入活性污泥处理池，池中使用氧气刺激微生物的食欲，促进微生物对污染物的消化，直至水可以安全地排入泰晤士河为止。固体（当然其中仍含有大量液体）被抽入巨大的处理池中，然后像演奏手风琴一样挤压它，挤出更多的液体，这些液体在

图 53 **伦敦贝克顿污水处理厂中的曝气叶轮。**叶轮将氧气引入污泥，让微生物能够分解污水中的病原体。

经过更久的沉淀后才能排放。最后，剩下的仍然潮湿的固体被抽入焚烧炉，即“污泥发电机”中。人类排泄物中的有机物能够令污泥在 850℃的温度下烧成灰。

焚烧产生的热量能够驱动汽轮机发电，这些电量除了维持污水处理厂运行外，还能剩余一部分，作为“绿色能源”输送至国家电网。焚烧炉中的灰烬会定期清掏，并运往垃圾填埋场。

有时候，在自然栖息地（例如河流、湖泊）等生态特别脆弱的地区，可以采用三级处理方法（称为“深度处理”）。在三级处理阶段，可以使用氯等化学物质去除或中和洗浴用水或游憩用水中残留的病原体；可使用紫外线，有时会继续使用生物处理方法以去除水中的营养物；或者使用氧化塘、芦苇床等更天然的方法拦截固体物质，并进一步净化水质。因此，我们兜兜转转了一圈又回到了夜香工人的方法——他们回收污水作为肥料来提高农作物产量；而当今的工程师利用化学、生物学与物理学将污水转化为电力、无病原体的农业固体肥料与洁净的水。

图 54 ↑

伦敦巴特西的污水处理厂中的梁式蒸汽发动机，1914年。在英国，大多数水泵站都使用这种梁式蒸汽发动机。

图 55 ↓

伦敦汉普顿的污水处理厂中的锅炉。锅炉为水泵站的蒸汽水泵提供蒸汽。

图 56 ↑ **伦敦肯普顿公园水厂的水泵。**位于肯普顿的自来水厂由新河公司（The New River Company）修建于1897年。

图 57 ↓ **伦敦洛兹路的雨水水泵站。**该水泵站修建于 1904 年，通过将雨水抽至泰晤士河来减轻伦敦排污系统的压力。

污水处理过程

基于标准的运行流程与平均流入量绘制的时间线

一级处理（3小时）

未经处理的污水输送到处理厂后，通过粗、细筛网的组合使用，先将废水中的大块固体、碎布与碎屑筛除，然后将沙子、煤渣、食物颗粒等沙粒状物体筛除。在初沉池中，较重的固体有机物沉淀至池底，并被清掏进行污泥处理。

固体 / 污泥

污泥处理的第一步是污泥压缩，这样能够大大减少污泥的体积，从而使其更易于处理。第二步是污泥消化，这样能进一步减少固体物的体积，消灭病原体，令污泥变得无毒无害。这一过程还会产生沼气，沼气可作为一种可再生能源使用。第三步是污泥脱水，可以将经过消化处理的污泥摊铺在沙床上自然风干，也可以机械脱水。最后是污泥处置，可将经过处理的污泥用作肥料。

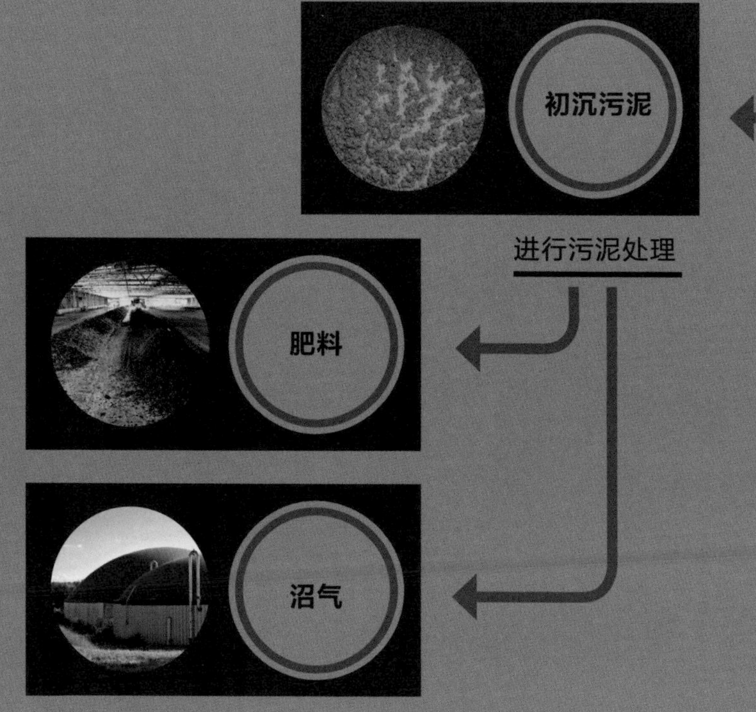

THE WASTEWATER TREATMENT PROCESS

二级处理（10小时）

废水被输送至曝气池，通过添加微生物与曝氧将废水活化。微生物会分解活性污泥中的有害病原体。然后，废水再次进行沉淀，去除剩下的污泥。

三级处理（3小时）

三级处理是否执行取决于当地的水利法规。三级处理是对水的深度处理，可以通过超滤法、添加化学制剂（例如氯）等多种技术来实现。

活性污泥处理

暴露于富含微生物与氧气的环境下

最终沉淀

将经过处理的液体与污泥分离

三级处理

根据当地法规，选择性地执行的深度处理

最终出水

清洁的水回到水系统中

空气（氧气）

回流活性污泥

剩余活性污泥

至此，清洁的再生水可用于工业、灌溉或休闲等方面。

图 58　伦敦汉普顿的污水处理厂的加氯控制系统。

在深度处理阶段，通过添加氯气及其他化学物质使水达到人类使用标准。

2535.

下水道与污水处理厂经常会流入恼人的沉淀物，其中最麻烦的是重油与烹饪产生的油脂，因为它们会堵塞管道。最近，不可生物降解的废弃物常常导致管道堵塞，引发污水收集与处理系统故障，这些废弃物包括烟头、棉签，最糟糕的是碎布与湿纸巾。来自软水机的盐也会降低污水处理效果。但更严重的问题是强效消毒剂的过度使用，特别是漂白剂，这会杀死整个污水处理过程所依赖的微生物，对处理系统造成毁灭性后果，进而对环境造成污染。尽管多次劝说湿纸巾制造商生产可生物降解的湿纸巾，但迄今为止这些尝试都徒劳无功。污水处理系统中的这些废弃物会导致 FOG，即脂肪（Fat）、油（Oils）与油脂（Grease）的积累，并形成油脂山。油脂山经常会造成公共下水道的堵塞，有时甚至会导致城区或个人住房发生污水回灌。2017 年在伦敦发现的“白教堂油脂山”便是一个格外惊人的案例，其长度达 250 米，重 130 吨。法医检验后发现，油脂山里面有安全套、卫生巾、湿纸巾与棉签，外面包裹着凝固了的食用油和护肤品。伦敦博物馆认为油脂山是伦敦历史的重要组成部分，从 2018 年开始将油脂山的一块样本放在馆中展出 。而且，博物馆还在线上直播这块样本慢慢分解的过程，以供人们观看。人们还可以在博物馆商店购买印有“don’t feed the fatberg”（不给油脂山增肥）标语的 T 恤衫。

> **这绝对是我们迄今为止展出过的最引人注目也最让人恶心的物品。**
>
> 伦敦博物馆策展人维奇 · 斯巴克斯（Vyki Sparkes）
> 对展品《白教堂油脂山》的评价，2018

图 59—61　**伦敦的污水处理厂与供水厂**，20 世纪 50 年代。这些 20 世纪 50 年代的幻灯片展示了伦敦供水系统的运行情况。

图 62－64　**“人民公敌”油脂山**。图片展示的是脂肪、油与油脂形成油脂山的过程，这些油脂逐渐凝固，而且将冲入下水道的湿巾、安全套、女性卫生用品等不可生物降解物质包裹起来。

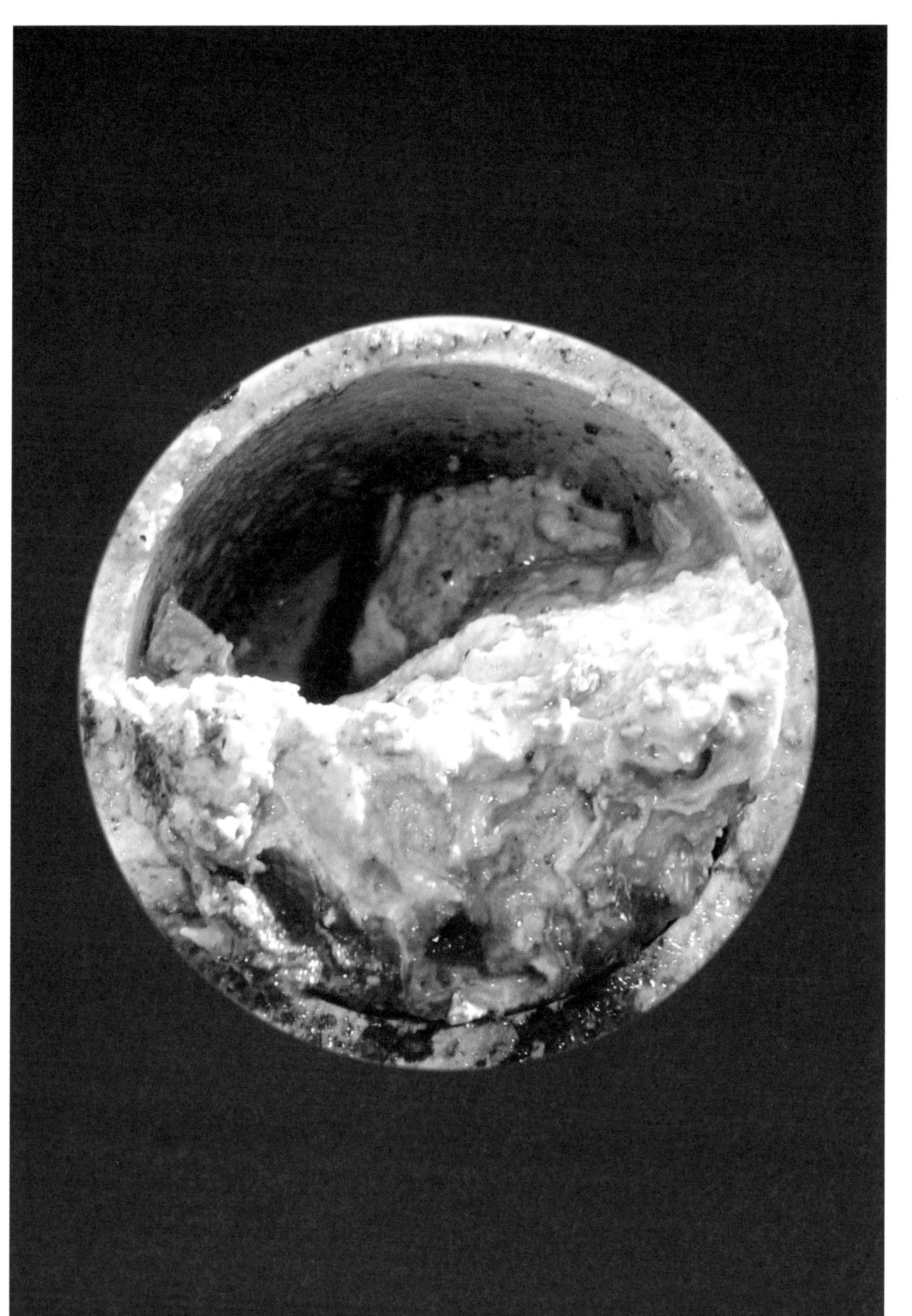

RECONNECTING
WITH THE
THAMES
Tideway
tideway.london
GREENWOOD
ALE

THE FUTURE OF WASTE TREATMENT II.

污水处理的未来

“我们正处于卫生革命的风口浪尖。”

比尔 · 盖茨，2018

据估计，在 21 世纪初，约有 33 亿人（世界总人口 78 亿）缺乏足够的卫生设施，每年约有 300 万人死于和腹泻相关的疾病，其中大多数是由于饮用了含有病原体的污水。发展中国家仍然遭受霍乱与伤寒的困扰，即使是在印度这样迅速发展的国家，大部分污水仍未得到处理。随着这些国家的发展，越来越多居民将从农村涌入城镇，要想解决人口集中带来的卫生问题，就需要大笔开支。在解决 21 世纪面临的这些问题时，人们大致采用了三种方法：在大型城市兴建土木工程，在有大量土地可用的农村地区使用更为自然的处理方法，以及将技术与城市设计相结合。

如前文所述，伦敦选择的是将土木工程与其现有技术相结合的方法 。为了应对 20 世纪 20 年代和 30 年代人口迅速增长，伦敦扩建了其污水系统（参见第 129 页）。20 世纪后期出现的其他问题则需要不同的解决方案，其中一大问题便是气候变化。尽管对于全球变暖的确切原因和可能带来的影响尚存争议，但大多数专家一致认为，无论如何给“极端天气事件”下定义，它在我们生活中都越来越常见，温度与降水量破纪录的间隔比以往任何时候都要短。伦敦及其他城市因此遭受的影响远远超出约瑟夫 · 巴扎尔盖特爵士当年的预测。在短时间内引发大量降水的暴雨天气变得愈发频繁。为解决

图 1 **伦敦“米利森特”隧道掘进机**，2018 年。这台机器以妇女政权论者米莉森特 · 福西特的名字命名，用于挖掘泰晤士河潮汐隧道。

图 2 **大东京地区地下排水道**，2018 年。

这是世界上最大的暴雨排水管道，长 99 千米，在台风季节保护东京免受洪水侵袭。

暴雨带来的问题，日本建造了一项浩大的工程——世界上最大的暴雨排水系统。该地下排水系统位于东京以北 31 千米的地方，能够在台风季节保护东京免受洪水侵袭。工程于1992年开始，历时17载，耗资20亿美元。该系统中隧道的总长度为100多千米，排水泵每秒能排走 200 吨水。主厅（或称水库）由 59 根柱子支撑，每根柱子高 25 米，这壮观的景象为其赢得了“地下神殿”的美称。

伦敦的暴风雨也越来越频繁，这意味着污水满溢直接流入泰晤士河的情况不再罕见。随着混凝土建筑的扩张，绿化用地逐渐减少，这令情况变得更为糟糕。雨水落在草地、树木或其他植被上时，大部分会留在植物表面，然后蒸发掉，有些会被植物根部吸收，其余则会从土壤中渗透下去，慢慢流入地下河或水库。随着大量的住宅区拔地而起，花园改建成住宅，草地变成停车场，为服务住宅区修建的道路又推进了混凝土建筑的扩张，这些都使雨水一落地就流入下水道，导致下水道超负荷排水，污水溢流。巴扎尔盖特当时预测伦敦每年会发生十二次污水溢流的情况，如今却已经达到了六十次，每年向泰晤士河排放的含有污水的雨水高达 3900 万吨。

泰晤士水务公司用传统的土木工程方法解决这一问题。2018 年 7 月英国广播公司第二台播出了三部纪录片，纪录片的标题都将该工程称为“耗资五十亿英镑的超级下水道”，但其正式名称为“泰晤士河潮汐隧道”。为了监督这个超级下水道的修建，专门成立了一个公司 ，还取了个恰如其分的名字“巴扎尔盖特隧道工务有限责任公司”，这项工程的规模之大想必能够得到巴扎尔盖特的赞赏。据估计，未来几年内伦敦的人口将会增长至 900 万，2030 年可能增长至 1300 万。超级下水道将修建在泰晤士河道下方，长 26 千米，起于伦敦西部的阿克顿，穿过城市中心到达伦敦东泰晤士水务公司的阿比米尔斯水泵站、贝克顿水泵站和克罗斯内斯水泵站。伦敦地铁隧道的直径只有 3.5 米，横贯铁路的隧道的直径也不过 6.2 米，而泰晤士河潮汐隧道的直径竟达 7.2 米，埋在地下 30 米到 70 米之间，从原有下水道管线和地铁线路下方穿过。超级下水道收集来自 34 个下水道溢流口的水。此外，独立的李河隧道从阿比米尔斯通往贝克顿，收集其间溢流的污水，避免污水直接流入李河或泰晤士河。贝克顿是欧洲最大的污水处理厂，六台大型泵将溢流的污水从隧道抽出进行处理。超级下水道的修建估计会耗费 42 亿英镑，考虑到过去 150 年间的通货膨胀，这笔花费和巴扎尔盖特修建下水道花费的 420 万英镑不相上下。

伦敦的第一批竖井分别于 2016 年与 2017 年在巴特西与塔桥附近建成，其直径为 30 米，位于地下 70 米处。竖井中装备隧道掘进机（TBM），组装完成后每一台重达 900 吨。这些掘进机和修建横贯铁路隧道时使用的机械类似，每台长 110 米，就像一个工

图 3 ↑ **伦敦泰晤士水务公司的贝克顿污水处理厂全景**。巴扎尔盖特主持修建的贝克顿污水处理厂是欧洲最大的污水处理厂。

图 4 ↓ **泰晤士河潮汐隧道**，2018 年。2024 年竣工后，该隧道将收集暴雨期间溢流的污水，并将其输送至贝克顿污水处理厂。

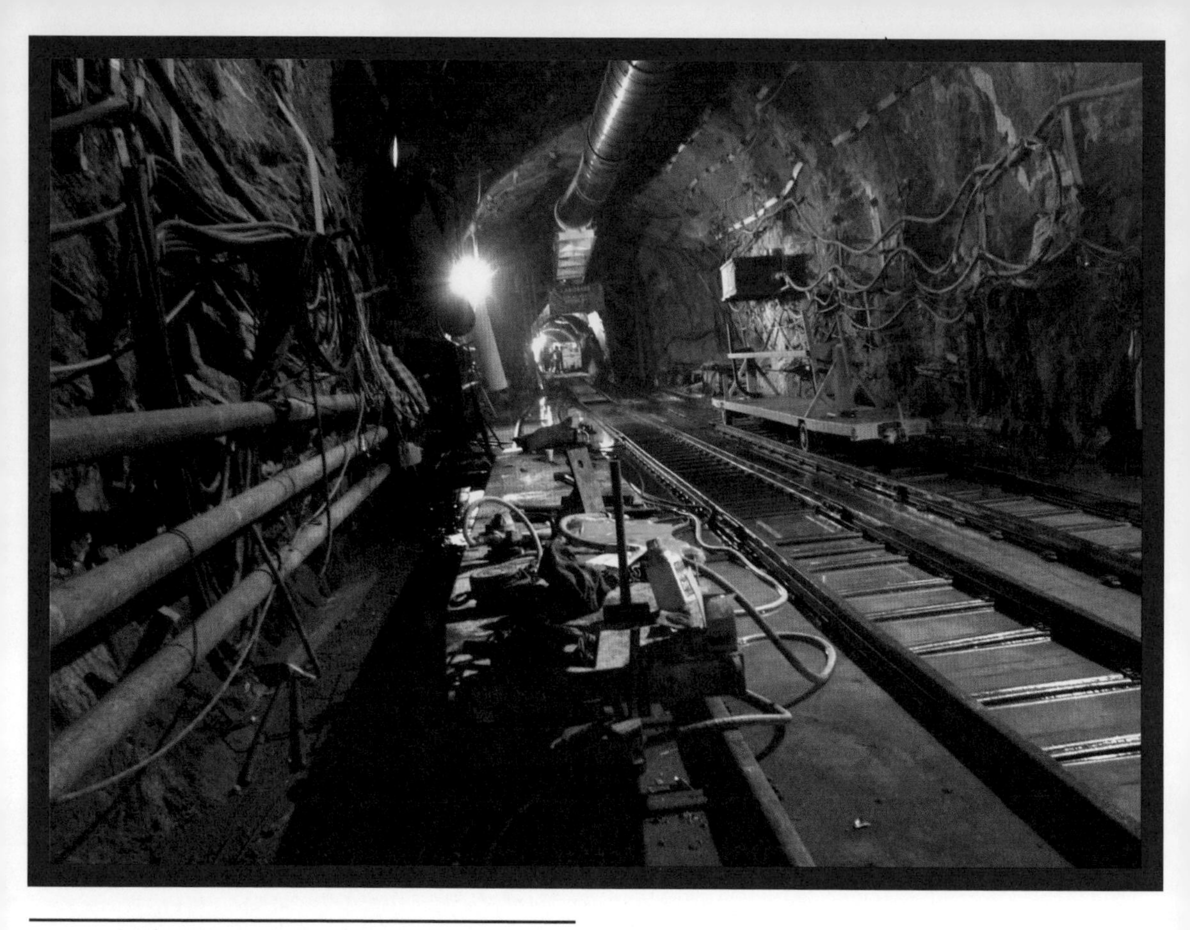

图 5 **建造中的纽约三号隧道**，2003 年。随着这条 97 千米长的隧道建成，纽约市的供水系统得到了升级。

厂：能够用直径 9 米的切割头切割出隧道、安装混凝土衬板，并运走新钻隧道产生的垃圾。每台机器配备 350 名工作人员，机器能够 24 小时不停运转。这样的隧道掘进机共有六台，均以著名女性的名字命名。最早投入使用的机器分别被命名为“米利森特”与“乌苏拉”。前者是为了纪念米利森特 · 福西特（Millicent Fawcett，1847—1929），她是位妇女政权论者，议会广场上竖立的首座女性铜像就是为了纪念她；后者是乌苏拉 · 史密斯（Ursula Smith，1915—1981），她的发现使红细胞在医疗过程中免受破坏。另外的四台机器分别命名为“夏洛特”、“安妮”、“萨琳娜”和“瑞秋”，分别纪念妇女政权论者夏洛特 · 德斯帕（Charlotte Despard，1844—1939）、第一位在格林尼治皇家天文台工作的女性安妮 · 罗素（Annie Russel，1868—1947）、柏蒙西医务传教会（Bermondsey Medical Mission）创始人萨琳娜 · 福克斯（Salina Fox，1871—1958）和最早在剑桥大学学习工程学并投身该行业的瑞秋 · 帕森斯（Rachel Parsons，1885—1956）。除了隧道工人中的女工程师外，现场还有一位女性，那就是矿工守护神圣芭芭拉，她也是后来的隧道工人保护神，在横贯铁路隧道中也可以看到她的形象。

图 6 **纽约三号隧道**，2013 年。纽约新建供水隧道位于曼哈顿下城的分配井总站。

伦敦超级下水道和纽约市长达 97 千米的“三号隧道”旨在保证城市供水充足、提高供水系统的可靠性，然而其在土木工程方面的巨大耗资对较小的地区来说是负担不起的，比如世界上大多数人口居住的乡村地区。因此，许多地区采用更为天然的方法解决污水处理问题。其中一种方法是使用废水稳定池，它与前文提到的活性污泥法以及氧化塘有些相似。稳定池由有着土堤的人造池塘构成。同活性污泥池一样，稳定池也依靠自然界的微生物分解废物中的病原体，但有所不同的是，稳定池中没有人为刺激因素的干预，因此污水处理耗费的时间要比现代污水处理厂长得多，废水经常要流经数个池塘后才能排入河流或湖泊中。这种处理方法非常适合气候温暖、空地充足的小城镇。不过也有例外，摩洛哥人口超过 40 万的城市阿加迪尔也用这种方法处理污水。

尖端技术和设计的应用为解决世界各地的污水处理问题提供了创新性解决方案。在人口多达约 130 万的马达加斯加首都塔那那利佛，卢瓦特（Loowatt）公司开创性地将其转化为产品。此公司的可移动式厕所在集市或节庆场合很常见。而且公司正在塔那那利佛安装一种厕所，这种厕所可以将排泄物直接运送到厌氧消化器，提取出甲烷用于发电，然后将剩余的废物转化为肥料。这一过程不需要大兴土木工程，也许对于发展中国家的一些大型社区来说，可以成为污水处理的一条出路。这种厕所比其他城市，如肯尼亚内罗毕的“飞行厕所”（flying toilets）要可取得多。“飞行厕所”就是人们用塑料袋解决排泄，用完后把塑料袋往临近街区的远处一甩。

其他地区也成功应用了科技手段。例如在水资源十分短缺的地区，或是经常处于结冰期的地区，以水为介质通过重力输送废物可能困难重重。军官查尔斯·里尔努尔曾在布拉格尝试推行的真空下水道（参见第 152 页），现在也被挪威、瑞典与法国第戎西北部的小镇奥泽兰河畔的弗拉维尼（Flavigny-sur-Ozerain）使用；中国香港安装了一个真空厕所作为公共厕所，该真空厕所与飞机上使用的厕所类似，不需要用水冲刷排泄物。在德国吕贝克西边的弗林滕布雷特（Flintenbreite），有一个 117 户人家的住宅区，这儿的厕所废物被直接送入厌氧消化池，消化池所产生的气体用来为小区供电，而屋顶的雨水则排入地下水而非下水道中。这个项目由汉堡技术大学进行监测，据估计，项目的施工成本较传统方式要高出 40%，而运行成本却比传统方式低 25%。在剑桥西北的爱丁顿社区中亦能见识未来科技的发展趋势。这个项目由剑桥大学开发，以科学家亚瑟·爱丁顿（Arthur Eddington，1882—1944）的名字命名，占地 150 公顷，服务 3000 栋住户和 2000 名学生的宿舍，以及小学、社区中心和大型超市。其区域供暖系统部分依靠太阳能供热，使用收集的雨水冲洗厕所，或另作他用。

图 7 ↓ **污水处理厂中的厌氧消化池**。厌氧消化减少了需要处置的剩余污泥的体积。

图 8 → **粪水一体化转换机**。转换机能够通过物理、化学及生物方法将污水转化成可饮用的净水。

赛德伦技术公司（Sedron Technologies）的“粪水一体化转换机”（Janicki Omni Processor）是一项极具前景的创新性发明，得到了比尔和梅林达·盖茨基金会的资助。这台由蒸汽机驱动的设备能在短短几分钟内将人类粪便转化为清洁的饮用水，同时产生能量将剩余的固体废物焚烧，并且还能留下 250 千瓦的备用电量。这种设备显然在提供清洁水源与预防疾病方面能发挥巨大潜力。2015 年塞内加尔首次试用了该设备，第一年就将 700 吨粪便转化为能源和水。

污水处理方面的另一创新，是日本为世界带来了东陶（TOTO）发明的“卫洗丽”。这种坐便器有加热坐便盖，可以喷射出温水冲洗臀部（省去便后使用粗糙厕纸的麻烦），有自动关闭坐便盖的系统（消除了因没有盖马桶盖产生的家庭摩擦），还有空气除臭工艺。东陶智能坐便器在日本大受欢迎，在美国也很流行。不过，由于其单品售价接近 7000 英镑，真正要普及可能还需要一段时间。2018 年，来自欧洲航天局和麻省理工学院的研究者竟然与环境卫生工程师组成团队，联合设计了名为“Fitloo”的智能马桶，它能够从人类粪便中筛查出癌症、糖尿病等疾病的早期征兆，并将数据传至用户的手机端或社区医生，以便患者接受早期治疗。

不过，无论我们的污水处理技术有多么先进、多么完善，污水处理经验有多么丰富，有一点始终不变：对优质高效下水道的需求。

图 9　污水处理厂，2018 年。图中，矩形的水池为沉淀池，圆形水池中有给废水曝气的滴滤器。这家处理厂的处理能力可服务一座人口 800 万的东北城市。

尾注+延伸阅读

序篇　城市中的霍乱

P. 2. Joseph Bazalgette, 'On the main drainage of London and the interception of the sewage from the River Thames', *Minutes of the Proceedings of the Institution of Civil Engineers*, Vol. 24 (1864–65), p. 285.

P. 2. *The Lancet* (22 October 1853) pp. 393–4.

P. 2. Heinrich Heine, 'The cholera in Paris' (April 19 1832).

P.3. 'The cholera', *Preston Chronicle* (28 April 1832).

P. 13. Edwin Chadwick, *Metropolitan Sewage Committee Proceedings* (1846), p. 10.

P. 14. Michael Faraday, 'Observations on the filth of the Thames, contained in a letter addressed to the editor of *The Times* newspaper', *The Times* (7 July 1855).

P. 14. Charles Dickens, *Little Dorrit* (1857).

P. 15. William Farr, *Report on the Cholera Epidemic of 1866* (1867), p. 53.

P. 16. Antony van Leeuwenhoek, *Letter to the Royal Society* (September 17 1683).

P. 16. *Hamburger Fremdenblatt* (1892).

P. 16. Johannes Versmann, cited in Stephen Halliday, *The Great Stink of London* (Stroud: The History Press, 1999), p. 187

P. 16. Robert Koch, *Hamburger Freie Presse* (26 November1892) cited in Richard J. Evans, *Death in Hamburg: Society and Politics in the Cholera Years 1830–1910* (Oxford: Oxford University Press, 1987), p. 313.

古代的卫生设施

P. 21. *The Bible*, Deuteronomy 23: 12–13.

P. 23. Herodotus, *Histories, Book II* (440 BC).

P. 25. Victor Hugo, *Les Misérables* (1862).

P. 28. Dionysius of Halicarnassus, *Roman Antiquities*, 3.67.5.

街道中的下水道

P. 33. Samuel Pepys, *The Diary of Samuel Pepys* (20 October 1660).

P. 36. *Ordnance Gazetteer of Scotland*, Vol. 2, (Edinburgh: Thomas C. Jack, Grange Publishing Works, 1884), p. 294.

P. 41. Nathaniel Wanley, *The Wonders of the Little World* (1678), p. 42.

P. 41. 'Building by-laws, London, 1189', in Douglas, D. C. (ed.), *English Historical Documents, 1189–1327*, (London: Eyre and Spottiswoode, 1975), p. 879.

P. 41. 'Petition to parliament, 1290' in *Report on an Inquiry into the Sanitary Condition of the Labouring Population of Great Britain* (London, 1842), p. 292.

P. 41. Jonathan Swift, 'A description of a city shower' (1711).

P. 44. Edward III, 'Royal order for cleansing the streets of the City and the banks of the Thames' (1357).

巴黎的清理工程

P. 51. Victor Hugo, *Les Misérables* (1862).

P. 54. Edwin Chadwick, quoted in G. M Young, *Victorian England: Portrait of an Age* (Oxford: Oxford University Press, 1936), p. 11.

P. 55. Victor de Persigny, *Memoires* (1890).

P. 55. Léon Halévy, *Carnets 1862–69*, cited in Hervé Maneglier, *Paris Impérial: La Vie Quotidienne sous le Second Empire* (Paris: Armand Colin, 1990), p. 263.

P. 59. Georges-Eugène Haussmann, *Mémoires du Baron Haussmann* (1890–93).

P. 59. Victor Hugo, *Les Misérables* (1862).

P. 60. Émile Zola, *La Terre* (1887).

P. 61. Georges-Eugène Haussmann, *Mémoire sur les Eaux de Paris Présenté à la Commission Municipale Par M. Le Préfet de la Seine* (4 August 1854)

P. 74. Henry Haynie, *Paris Past & Present*, Vol. 2 (New York: Frederick A. Stokes, 1902), p. 292

P. 75. J. J. Waller, 'Under the streets of Paris', *Good Words*, Vol. 35 (1894), p. 494

P. 75. J. J. Waller, 'Under the streets of Paris', *Good Words*, Vol. 35 (1894), p. 494

P. 75. Karl Baedeker, *Paris and Environs*, 13th edition (1898), p. 64.

P. 75. Francis White, 'A visit to the Paris sewers', *Harper's Weekly*, Vol. 37 (29 April 1893), p. 395.

P. 75. Thomas W. Knox, *The Underground World* (Hartford, C.T.: J. B. Burr, 1882), p. 528.

P. 75. Louis Veuillot, *Les Odeurs de Paris*, (Paris: Georges Crès, 1914), pp.1–2.

伦敦与"大恶臭"

P. 91. Charles Dickens, *Little Dorrit* (1857).

P. 93. 'Obituary. Sir Joseph William Bazalgette.', *Minutes of the Proceedings of the Institution of Civil Engineers*, Vol. 105 (1891), pp. 302–303.

P. 102. 1855年，弗洛伦斯·南丁格尔在写给利物浦市政厅的信中，赞扬了纽兰兹在克里米亚的工作。

P. 103. *Hansard* (7 June 1858).

P. 103. Benjamin Disraeli, *Hansard* (15 July 1858).

P. 115. Joseph Bazalgette, 'Narrative of proceedings of the General Register Office during the cholera epidemic of 1866', *Parliamentary Papers*, Vol. 37, 95 (1867–68).

P. 123. *Farmers Magazine* (1860).

P. 132. 'Death of Sir Joseph Bazalgette', *The Times* (16 March 1891).

P. 132. 'Norman Foster: Interview', *Time Out* (18 September 2008).

世界各地的改进

P. 135. 伯纳德·李（Bernard Lee）饰演的潘恩中士在电影《第三人》中的台词。

P. 145. Obituary. William Lindley.', *Minutes of the Proceedings of the Institution of Civil Engineers*, Vol. 142 (1900), pp. 363–370.

P. 152. 罗伯特·温茨凯维奇（Robert Więckiewicz）饰演的索哈在电影《无光岁月》中的台词。

P. 153. 摘自布拉格市长的二等秘书库恩博士（Dr Kühn）1896年的演讲。

抬高街道

P. 169. *The Great Chicago Lake Tunnel* (Chicago: Jack Wing, 1867).

P. 196. Captain John Smith, 1608. Reported in *The Generall Historie of Virginia, New England & The Summer Isles*, Vol. 2 (1907), pp. 44–45.

P. 196. *Report of the Sewerage Commission of the City of Baltimore* (1897).

污水处理的流程与工艺

P. 201. *Scientific American*, Vol. 93, 24 (1905).

P. 213. William Dibdin, *Chief Chemist's Annual Report to the Metropolitan Board of Works* (1887), p. 23

P. 220. Victor Hugo, *Les Misérables* (1862).

P. 228. Vyki Sparkes, 'Fatberg! The Museum of London's most disgusting exhibit goes on display', *Museums + Heritage Advisor* (8 February, 2018).

污水处理的未来

P. 233. 2018年11月6日，比尔·盖茨在北京"新世代厕所博览会"上的发言。

Addis, F., *Rome: Eternal City* (London: Head of Zeus, 2018)

Angelakis, A. N. and Rose, J. B. (eds.), *Evolution of Sanitation and Wastewater Technologies through the Centuries* (London: IWA Publishing, 2014)

Angelakis, A. N. et al., 'The Historical Development of Sewers Worldwide', *Sustainability*, Vol. 6, 6 (2014), 3936–74

Christiansen, R., *City of Light: the Reinvention of Paris* (London: Head of Zeus, 2018)

Eyles, D., *Royal Doulton, 1815–1905* (London: Hutchinson, 1965)

Halliday, S., *The Great Stink of London: Sir Joseph Bazalgette and the Cleansing of the Victorian Metropolis* (Stroud: History Press, 1999)

Lofrano, G. and Brown, J., 'Wastewater Management Through the Ages: A History of Mankind', *Science of the Total Environment*, Vol. 408, 22 (2010), 5254–64

Markham, A., *A Brief History of Pollution* (London: Earthscan Publications, 1994)

Marshall, R., *In the Sewers of Lvov* (London: Collins, 1990)

Pinkney, D. H., *Napoleon III and the Rebuilding of Paris* (Princeton, N.J.: Princeton University Press, 1972)

Reid, D., *Paris Sewers and Sewermen: Realities and Representations* (Cambridge, M.A.: Harvard University Press, 1991)

Saalman, H., *Haussmann: Paris Transformed* (New York, N.Y.: Braziller, 1971)

Seeger, H., 'The History of German Wastewater Treatment', *European Water Management*, Vol. 2, 5 (1999), 51–6

Wiesmann, U., Choi I. S. and Dombrowski E., 'Historical Development of Wastewater Collection and Treatment', in *Fundamentals of Biological Wastewater Treatment* (Weinheim: Wiley 2006) 1–20

图片声明

在写作此书过程中，笔者与出版方已尽力确认书中选用的图片版权归属。
但疏漏错误在所难免，欢迎各位读者指正，我们会在新版中订正。
书中地图系原文插附地图。

说明：t=上 b=下 c=中 l=左 r=右

I Joe Belanger / Shutterstock; **II** Adam Powell; **III t** Courtesy Thames Water Utilities Limited; **III tr** Library of Congress, Washington, D.C.; **III cr** Courtesy Thames Water Utilities Limited; **III br** Courtesy Thames Water Utilities Limited; **III b** Library of Congress, Washington, D.C.; **III bl** Courtesy Thames Water Utilities Limited; **III cl** Boston Public Library, Edgar Sutton Dorr Photograph Collection; **III tl** Commonwealth of Massachusetts State Archives, Massachusetts Archives & Commonwealth Museum, Boston, MA; **IV–V** London Metropolitan Archives (City of London) / Collage – The London Picture Archive 218521; **VI** Bibliothèque nationale de France, Paris; **VIII** Institution of Civil Engineers Library and Archives; **1** Universal History Archive / Getty Images; **3** Stu Haats, ebay-nls. Antique Engravings, Prints, Maps and Newspapers; **4tl**, tr *Du choléra-morbus en Russie, en Prusse et en Autriche, pendant les années 1831 et 1832,* by Auguste Nicolas Vincent Gérardin, Paul Gaimard, 1832; **4bl**, **br**, **5** Wellcome Collection, London; **6–7** *A treatise on epidemic cholera; including an historical account of its origin and progress,to the present period. Comp. from the most authentic sources*, by Amariah Brigham, 1832. Library of Congress, Washington, D.C.; **8tl** De Agostini / Biblioteca Ambrosiana / Getty Images; **8tr** "The Cholera and Fever Nests of New York City", 1866. Illustrations from the Healy Collection; **8bl** De Agostini / Getty Images; **8br** Granger Historical Picture Archive / Alamy Stock Photo; **9tl** Wellcome Collection, London; **9tr**, bl De Agostini / Biblioteca Ambrosiana / Getty Images; **9br** Private Collection / Look and Learn / Illustrated Papers Collection / Bridgeman Images; **10–11** *Appendix to report of the committee for scientific inquiries in relation to the cholera-epidemic of 1854*, 1855. Printed by George E. Eyre and William Spottiswoode for H.M.S.O.; **12** Wellcome Collection, London; **14l** This image was reproduced by kind permission of London Borough of Lambeth, Archives Department, 11135; **14r** Wellcome Collection, London; **15** Wellcome Collection, London; **17** Bibliothèque nationale de France, Paris; **19** Courtesy of the Oriental Institute of the University of Chicago; **20** From *Early India and Pakistan to Ashoka*, by Sir Mortimer Wheeler, Thames & Hudson Ltd., 1959; **22l** Satellite photograph courtesy Douglas Comer. Illustration courtesy Ueli Bellwald; **22r** Courtesy Guido Camici; **23l** Raveesh Vyas; **23c** Bernard Gagnon; **23r** De Agostini / Getty Images; **24l** akg-images / Rabatti & Domingie; **25bc**, **br** View of China; **25l** Leonid Serebrennikov / Alamy Stock Photo; **25r** forumancientcoins.com; **26–27** American School of Classical Studies at Athens: Agora Excavations; **28l** Rijksmuseum, The Netherlands; **28r** The J. Paul Getty Museum, Los Angeles; **29l** © Herbert List / Magnum Photos; **29r** The Metropolitan Museum of Art, New York. Gilman Collection, Gift of The Howard Gilman Foundation, 2005; **31** Victor Fraile / Corbis / Getty Images; **32** Roger-Viollet / TopFoto; **34l** New York Public Library; **34c** Library of Congress, Washington, D.C.; **34r** The Trustees of the British Museum, London; **35l** Courtesy Alexa Helsell; **35r** Anthony Majanlahti; **36l** francesco de marco / Shutterstock.com; **36r** Courtesy Fabrice Mrugala; **37l** akg-images; **37r** Gemäldegalerie, Berlin; **38–39** National Maritime Museum, Greenwich, London; **40tl** Mary Evans Picture Library; **40tr** The Trustees of the British Museum, London; **40bl** The Trustees of the British Museum, London; **40br** Wellcome Collection, London; **42** The Metropolitan Museum of Art, New York. Gilman Collection, Purchase, Mr. and Mrs. Henry R. Kravis Gift, 2005; **43** Roger-Viollet / Topfoto; **44l** Erddig, Clwyd, North Wales / National Trust Photographic Library / Bridgeman Images; **44r** *The metamorphosis of Ajax, a Cloacinean satire: with the Anatomy and Apology… To which is added Ulysses upon Ajax*, by Sir John Harington, 1814; **45l** Fisher Library at the University of Toronto; **45r** Wellcome Collection, London; **46** The Trustees of the British Museum, London; **47tl**, **tr**, **cl**, br The Trustees of the British Museum, London; **47tc** Heritage Image Partnership Ltd / Alamy Stock Photo; **47c** Library of Congress, Washington, D.C.; **47cr**, **bl**, **bc** Heritage Image Partnership Ltd / Alamy Stock Photo; **49** Boston Public Library, Norman B. Leventhal Map Center; **50** Bibliothèque nationale de France, Paris, département Société de Géographie, SG W-58; **52–53** *Les Travaux de Paris. 1789-1889,* sous la direction de M. A. Alphand par les soins de M. Huet, M. Humblot, M. Bechmann, M. Fauve, M. F. de Mallevoue, 1889; **54–57** Ville de Paris / BHVP; **58** Centre Pompidou, MNAM-CCI, Dist. RMN-Grand Palais / image Centre Pompidou, MNAM-CCI. © Estate Brassaï – RMN-Grand Palais; **60–61** Ville de Paris / BHVP; **62–63** Bibliothèque nationale de France, Paris; **64–65** Ville de Paris / BHdV; **66–69** Roger-Viollet / Topfoto; **70–73** Bibliothèque nationale de France, Paris; **74** Design Pics Inc / Shutterstock; **75l** Roger-Viollet / Topfoto; **75r** Private Collection; **76t**, **cl** Bibliothèque nationale de France, Paris; **76cr**, **br**, **bl** Lebrecht Music & Arts / Alamy Stock Photo; **77tl**, br Private Collection; **77cl**, **cr** Collection BIU Santé Médecine; **77bl** Roger-Viollet / Shutterstock; **78** Bibliothèque nationale de France, Paris; **79tl** The Print Collector / Alamy Stock Photo; **79tr**, **cl**, **cr**, **clb**, **crb**, **br** Roger-Viollet / Topfoto; **79bl** Courtesy sewerhistory.org; **80–85** Bibliothèque nationale de France, Paris; **86–89** Roger-Viollet / Topfoto; **90** Courtesy Thames Water Utilities Limited; **92** Science and Society Picture Library; **93l** Private Collection; **93r** Twyford; **94** Wellcome Collection, London; **95** Twyford; **96** London Metropolitan Archives (City of London) / Collage – The London Picture Archive 2364; **97** London Metropolitan Archives (City of London) / Collage – The London Picture Archive 2359; **98** *Mayhew's London; being selections from 'London labour and the London poor'*, by Henry Mayhew, 1851; **99** London Metropolitan Archives (City of London) / Collage – The London Picture Archive 2743; **100** London Metropolitan Archives (City of London) / Collage – The London Picture Archive 3092; **103l** *Punch Magazine*, 10 July 1858; **103r** *Punch Magazine*, 3 July 1858; **104–105** *A record of the progress of modern engineering 1865: comprising civil, mechanical, marine, hydraulic, railway, bridge, and other engineering works, with essays and reviews*, by William Humber, 1866; **106t** London Metropolitan Archives (City of London) / Collage – The London Picture Archive 3092; **106b** London Metropolitan Archives (City of London) / Collage – The London Picture Archive 28213; **107t** London Metropolitan Archives (City of London) / Collage – The London Picture Archive 28218; **107b** London Metropolitan Archives (City of London) / Collage – The London Picture Archive 28217; **108t** SSPL / Getty Images; **108b** The Print Collector / Print Collector / Getty Images; **110–111** By permission of Historic England Archive; **112–113** London Metropolitan Archives (City of London) / Collage – The London Picture Archive 228416; **114** *The Engineer*, 1867; **115** Courtesy Frontispiece, www.mapsandantiqueprints.com; **116t** Hulton-Deutsch Collection / Corbis / Getty Images; **116b**, **117** Otto Herschan Collection / Hulton Archive / Getty Images; **118–119** Adam Powell; **120** Courtesy Thames Water Utilities Limited; **121** *A record of the progress of modern engineering 1865: comprising civil, mechanical, marine, hydraulic, railway, bridge, and other engineering works, with essays and reviews,* by William Humber, 1866; **122** SSPL / Getty Images; **124–125** Courtesy Thames Water Utilities Limited; **126–127** Library of Congress, Washington, D.C.; **128** Courtesy Thames Water Utilities Limited; **129l** Courtesy Susan Eacret; **129tr** Courtesy Andy Mabbett; **129br** Courtesy sewerhistory.org; **130–133** Courtesy Thames Water Utilities Limited; **134** Mitchell Library, State Library of New South Wales, Sydney; **136–137** The Trustees of The Brunel Museum, London; **136** *Stadt-Wasserkunst, Hamburg, Entworfen & Ausgeführt von W. Lindley in den Jahren 1844-1861 (Fortgesetzt bis 1863),* 1864. State and University Library Hamburg; **139l** PA Images; **139r** Hamburger Stadtentwässerung; **140–141** Institution of Civil Engineers Library and Archives; 150–151 Collection Christian Terstegge; **144** Historic Archive Berliner Wasserbetriebe, photographer unknown; **145l** Studio Canal / Shutterstock; **145r** London Films / Kobal / REX / Shutterstock; **146–147** Historic Archive Berliner Wasserbetriebe, photographer unknown; **148–149** National Library of Poland, Warsaw; **150**, **151tr**, cr Mazovian Digital Library, Poland; **151br** *Marta Sapała Dla dobra publicznego : 120 lat Wodociągów Warszawskich 1886–2006*, Miejskie Przedsiębiorstwo Wodociągów i Kanalizacji, Warszawa 2006; **152** Cit. Archive of Prague Waterworks and Sewerage (APVK), fund Archive of Photography, box 9, signature OK-34/9, OK-34/10; **153** National Library of Poland, Warsaw; **154–155** *The shone hydro-pneumatic system of sewerage*, by Urban H. Broughton, 1887; **156–157** Mitchell Library, State Library of New South Wales, Sydney; **158l** National Library of Australia, Canberra; **158r** *Illustrations from Progress in Public Works & Roads in NSW, 1827-1855*, by Sir Thomas Mitchell. State Library of New South Wales, Sydney; **159** *Sydney City and Suburban Sewage and Health Board: photographs, with excerpts from the final report of the committee appointed "To inquire into the state of crowded dwellings and areas in the city of Sydney and suburbs, so far as it affects public health"*, 1875. State Library of New South Wales, Sydney; **160–161** Mitchell Library, State Library of New South Wales, Sydney; **162–163** Kew Historical Society, Melbourne; **164–165** Melbourne Water Archives; **166l** Courtesy the National Archives of Australia. NAA: A3560, 1724; **166r** Courtesy the National Archives of Australia. NAA: A3560, 1725; **167tl**, **bl** Bureau of Sewerage, Tokyo Metropolitan Government; **167tr**, br National Diet Library, Tokyo; **168**, **170** Boston Public Library, Edgar Sutton Dorr Photograph Collection; **171** Lawrence Public Library, Massachusetts; **172** Harvard Map Collection, Harvard Library, Cambridge, MA; **173** Boston Public Library, Norman B. Leventhal Map Center Collection; **174–175** Boston Public Library, Edgar Sutton Dorr Photograph Collection; **176–177** *Sanitary and social chart of the Fourth Ward of the City of New York, to accompany a report of the 4th Sanitary Inspection District, made to the Council of Hygiene of the Citizens' Association*, by E.R. Pulling, M.D. assisted by F.J. Randall, New York Public Library; **178–179** The David Rumsey Map Collection, www.davidrumsey.com; **180–181** Science, Industry & Business Library, The New York Public Library; **182–183** New York Public Library; **184–185** Courtesy of the Passaic Valley Sewerage Commission, Newark, New Jersey; **186** *Sewers and drains*, by Anson Marston, 1912; **188tl** *Design of a combined sewer system for the village of Peotone Will County Illinois*, by Henry F. Israel and George L. Opper, 1913; **188tr**, **cl**, **cr** *Design of a separate sewer system and disposal plant for the town of Arlington Heights*, Illinois, by J. G. Chandler; R. S. Claar, R. Neufeld, 1912; **188clb** *Design of a sanitary sewer system for the town of Glen Ellyn Illinois*, by John J. Fieldseth, Bernard Phillips, F. A. Trujillo, 1913; **188crb**, **br** *Design of water works and sewer system for St.Charles, Kane co. Il*, by F. T. Pierce, E. F. Hiller, C. O. Johnson, 1906; **188bl** *Design of a sanitary sewer system and a septic tank for the city of Rushville, Illinois*, by F. J. Munoz, E. Vynne, 1910; **189** *Sewers and drains*, by Anson Marston, 1912; **190** Courtesy sewerhistory.org; **191** California Historical Society. University of Southern California Libraries, L. A.; **192–193** *Progress report of the engineers in charge to devise and provide a system of sewerage for the city and county of San Francisco: for the fiscal year ending June 30, 1893*, by Marsden Manson, Carl Ewald Grunsky, San Francisco (Calif.). Board of Supervisors, 1893; **194–195** The David Rumsey Map Collection, www.davidrumsey.com; **197** New York Public Library; **199–200** Courtesy Thames Water Utilities Limited; **202–203** *The design of a septic tank*, by George Rockwell Bascom, 1905; **204–205** *A farm septic tank*, by William B. Herms, H. L. Belton, 1923; **206–207** *The Jewell water filter gravity and pressure systems*, by O.H. Jewell Filter Company; **208** SSPL / Getty Images; **209** *The Jewell water filter gravity and pressure systems*, by O.H. Jewell Filter Company; **210** Courtesy Thames Water Utilities Limited; **211** *Experimental investigations by the State Board of Health of Massachusetts upon the purification of sewage by filtration and by chemical precipitation and upon the intermittent filtration of water. Made at Lawrence, Mass.*, 1888-1890 by Massachusetts. State Board of Health, 1890; **212** *Extraction and utilization of grease from dried activated sludge*, by Robert Joseph Gnaedinger, 1920; **212** *The activated sludge method of sewage treatment*, by Floyd William Mohlman, 1916; **212** *The fertilizer value of activated sludge*, by William Durrell Hatfield, 1918; **214–216** Courtesy Thames Water Utilities Limited; **217** United Utilities, Warrington, UK; **218–223** Courtesy Thames Water Utilities Limited; **224tl**, **tc**, **tr** Courtesy Thames Water Utilities Limited; **224clb** James King-Holmes / Alamy Stock Photo; **224crb** LusoEnvironment / Alamy Stock Photo; **224b** Lena Wurm / Alamy Stock Photo; **225tl** US National Archives and Records Administration; **225tc** *Modern sanitary engineering practice: the applications of Dorr equipment to modern sewage treatment and water purification plants*, by Dorr Company, 1930; **225tr** Courtesy Thames Water Utilities Limited; **225bl** Jeff Kalmes; **225bc** Michael Fritzen / Alamy Stock Photo; **225r** Courtesy Thames Water Utilities Limited; **226–229** Courtesy Thames Water Utilities Limited; **230t** Thames Water; **230b** AP / Rex / Shutterstock; **231** Courtesy Thames Water Utilities Limited; **232** Tideway; **234–235** Carl Court / Getty Images; **237t** Courtesy Tideway; **237b** Tideway; **238** Richard Levine / Alamy Stock Photo; **239** ZUMA Press, Inc. / Alamy Stock Photo; **240** Huntstock / Getty Images; **241** © 2016 Shimon Mor; **242–243** VCG / Getty Images; **248** Courtesy Thames Water Utilities Limited

图片所在页码为粗体。

索引

致谢

我在为写作这本书而做的调研中得到了很多人的帮助，在此向他们表达诚挚的谢意：英国土木工程师学会的图书管理员黛比·弗朗西斯（Debbie Francis），以及剑桥大学图书馆的馆员们，他们深入研究收藏的档案和文献，寻找大多数现代工程师或大学生不太可能关注的资料；泰晤士哈德逊出版社（Thames & Hudson）的编辑简·莱恩（Jane Laing）和伊莎贝尔·杰索普（Isabel Jessop），创意总监特里斯坦·德·兰西（Tristan de Lancey），以及图片编辑菲比·林斯利（Phoebe Lindsley）；彼得·巴扎尔盖特爵士（Sir Peter Bazalgette）建议我完成此书，他的高祖父在本书的前几章中的地位举足轻重；贝克顿污水处理厂的现场性能经理迪娜·吉莱斯皮（Dina Gillespie），向我提供了这座欧洲最大的污水处理厂的最新发展情况；泰晤士水务公司的萨迪亚·卡什姆（Sadia Kashem），不厌其烦地回答了我关于污水处理厂运作的尴尬又陌生的问题，以及获取插图的问题；最重要的是，盎格鲁水务公司的工艺研究员威尔弗里德·布儒瓦（Wilfrid Bourgeois）博士，陪同我参观了剑桥水循环利用中心，耐心地向我解释了其中的运作流程，纠正了我最初向读者解释这一切的无力尝试。书中的谬误责任在我。巧合的是，威尔弗里德一家来自法国第戎附近的沃苏勒，那里一位曾经的居民在我们的故事中也占有一席之地。

泰晤士哈德逊出版社也要感谢泰晤士水务公司的帕万·巴德萨（Pavan Badesha）、英国土木工程师学会的图书管理员黛比·弗朗西斯、布拉格给排水部门的克里斯托弗·德尼克（Kryštof Drnek）和柏林水务公司的斯蒂芬·纳茨（Stephan Natz）慷慨地与我们分享他们的文献档案。

本书中使用的一些图片由伦敦大都会档案馆（LMA）供图，该档案馆是致力于保存伦敦历史的公共研究中心，保管着记录首都历史的书籍、照片、地图和影像。档案向所有人免费开放，有兴趣的读者可以在 www.cityoflondon.gov.uk/lma 中了解更多信息。

作者简介

斯蒂芬·哈利迪（Stephen Halliday），博士，英国历史学者、作家、讲师，致力于研究维多利亚时代的伦敦，以及让 19 世纪城市安全宜居的工程师们。曾为《BBC 历史》（*BBC History*）、《观察家报》（*The Observer*）、《卫报》（*The Guardian*）、《金融时报》（*The Financial Times*）和《每日电讯报》（*The Daily Telegraph*）撰稿。著有多部关于城市下水道的图书，并基于图书制作音频与电视节目。

译者简介

王子耕，普林斯顿大学建筑学硕士，中央美术学院建筑学院副教授、建筑系副系主任，PILLS 工作室创始人及主持建筑师。研究领域包括环境技术、建筑展览、建筑媒介与叙事。

封面摄影：Joe Belanger / Shutterstock
封底摄影：Adam Powell

伦敦洛克伍德水库通风井，1961 年。

图字：30-2022-098号

审图号：GS（2023）119号

图书在版编目（CIP）数据

下水道：地下城市折叠史 /（英）斯蒂芬·哈利迪（Stephen Halliday）著；王子耕译. -- 海口：海南出版社，2023.7

书名原文：An Underground Guide to Sewers

ISBN 978-7-5730-1180-0

Ⅰ. ①下… Ⅱ. ①斯… ②王… Ⅲ. ①城市排水－城市史－世界 Ⅳ. ① TU992.91

中国国家版本馆 CIP 数据核字（2023）第 100602 号

下水道——地下城市折叠史

XIASHUIDAO —— DIXIA CHENGSHI ZHEDIE SHI

作　　者　［英］斯蒂芬·哈利迪
译　　者　王子耕
责任编辑　陈泽恩
特约编辑　贾宁宁　马步匀
封面设计　高　熹
内文制作　陈基胜　张　卉
海南出版社 出版发行
地　　址　海口市金盘开发区建设三横路2号
邮　　编　570216
电　　话　0898-66822134
印　　刷　中华商务联合印刷（广东）有限公司
版　　次　2023 年7月第1版
印　　次　2023 年7月第1次印刷
开　　本　710mm × 1000mm　1/16
印　　张　16
字　　数　335千字
书　　号　ISBN 978-7-5730-1180-0
定　　价　198.00元

如发现印装质量问题，影响阅读，请与发行部门联系：010-64284815。